KB076705

Electric Guitar

파워코드와 코드톤 연주의 실전

나도 기타 솔로 할 수 있다.

송 훈

서문

생활과 교육의 질이 향상되면서 중고등학교 밴드 수업, 직장인 밴드와 교회 찬양팀에 전공자가 아닌 일반인들의 참여가 많아졌습니다. 많은 사람들이 밴드 활동을 하며 기타 연주의 어려움을 경험합니다. 저는 십수 년간 중고등학생과 대학생들,그리고 직장인들도 기타를 가르치고 찬양팀에서 연주하면서 다양한 노하우를 쌓았습니다. 그 경험을 바탕으로 '전문가가 아니어도 누구나 쉽게 기타를 연주할 수 있도록 만들겠다'는 목표를 세웠습니다.

2012년에 출간된 **『재즈기타와 화성학』**은 실용음악과 입시생 및 전공생을 대상으로 한 책이며, 선생님과 교수님들이 학생들에게 가르치기 위해 참고하는 교재입니다. 이 책은 방대한 정보와 함축된 의미를 담고 있어 초보자들이 이해하고 연습하기에는 다소 어려움이 있었습니다.

새로 출간된 『파워코드와 코드톤 연주의 실전-나도 기타 솔로 할 수 있다』는
『재즈기타와 화성학』의 내용 중 일부를 더욱 상세하게 다루며, 기타 연주를 실전에 적용하는 방법을 설명합니다. 이 책은 기타 연주의 기초부터 중급, 고급 단계에 이르는 오브리와 솔로 연주를 제한된 이론으로 접근하여 설명하고 있습니다. (제한된 이론이라 함은 C key의 다이아토닉 코드 연주 방법에 초점을 맞추고 있으며, 하나의 key를 완벽하게 익히면 다른 key로도 응용도 가능하기 때문입니다.)

『파워코드와 코드톤 연주의 실전-나도 기타 솔로 할 수 있다.』는
다음과 같은 분들께 도움이 될 것입니다.:

1. 학교 밴드, 직장인 밴드 및 찬양팀 멤버: 이 책은 카피 연주를 제외한 기타 편곡에 대해 도움이 될 것입니다. 기타 편곡에 대한 지식을 더욱 풍부하게 만들어 줄 것입니다.

2. 코드와 스케일에 조금 익숙한 분: 이 책은 코드와 스케일을 어떻게 응용해야 하는지에 대한 내용을 다룹니다. 기존 지식을 확장하고 창의적으로 활용하는 방법을 배울 수 있을 것입니다.

3.기타 솔로를 꿈꾸는 분: 솔로 연주에 관심이 있는 분들에게 이 책은 솔로 연주를 위한 기술과 아이디어를 제공할 것입니다. 생각하는 솔로를 연주하는 방법을 배울 수 있을 것입니다.

각 챕터마다 악보와 관련된 내용은 QR코드로 간단한 강의 및 연주 영상이 들어가 있습니다. QR코드 모양에 스마트폰으로 카메라 렌즈를 비추어 주세요.

혹시나 책을 봐도 이해가 안되는 분들을 위해서 온라인 강좌와 질문 답변 게시판도 마련하였습니다.

유튜브 강의와 예제 악보 연주를 통해 더 많은 분이 기타 연주를 즐기고 배울 수 있을 것입니다.

https://youtube.com/@songhoon3441

질문과 답변, 그리고 자세한 강의 내용이 있는 카페도 많은 분들에게 도움이 될 것입니다.

https://cafe.naver.com/songhoonmusic

송훈의 기타레슨

이 책은 기타 연주에 대한 다양한 측면을 다루고 있으며, 여러분의 연주 실력 향상에 도움이 될 것입니다. 여러분의 행운을 빕니다.

차례

Chapter 1

기타지판의 음 외우기

Step1. 6번줄 5번줄 음 외우기

기타지판의 음을 외우기 전에 당연히 알아야 할 건 음의 이름이다. **'도레미파솔라시'라는 모든 음이름을 영어 이름으로 바꾸어야 한다.** 즉 도,레,미,파,솔,라,시는 C,D,E,F,G,A,B의 이름과 같기 때문에 무조건 같은 이름으로 외워야한다.

Step 1-1-1

도	레	미	파	솔	라	시	도
C	D	E	F	G	A	B	C

그리고 준비해야 할 건 기타지판의 이해이다. (step1-2 그림참조)

첫 번째는 아무것도 안 잡았을때 여섯줄의 음이 어떤 음으로 구성 되어있는지이다.

기타지판의 개방현은 6번줄부터 E(미), A(라), D(레) G(솔) B(시), E(미)이다.

두 번째는 계이름의 간격이 어떤 간격으로 구성되어 있는지 이해하는 것이다.

계이름 상의 미(E)파(F), 시(B)도(C)의 간격은 반음[1]이기 때문에 기타지판에서 1프렛 간격이고 나머지의 음들인 도(C)레(D), 레(D)미(E), 파(F)솔(G), 솔(G)라(A), 라(A)시(B)의 간격은 온음[2]이므로 기타지판에서는 2프렛씩 이동하면된다

세 번째는 기타지판에 점이 찍혀있는 모양(●)의 위치를 이해하는것이다.

점(●)의 위치는 3, 5, 7, 9프렛에 찍혀있고 점이 2개(●●) 찍혀있는 위치는 한 옥타프[3]라고 생각하면 되겠다.

Step 1-1-2

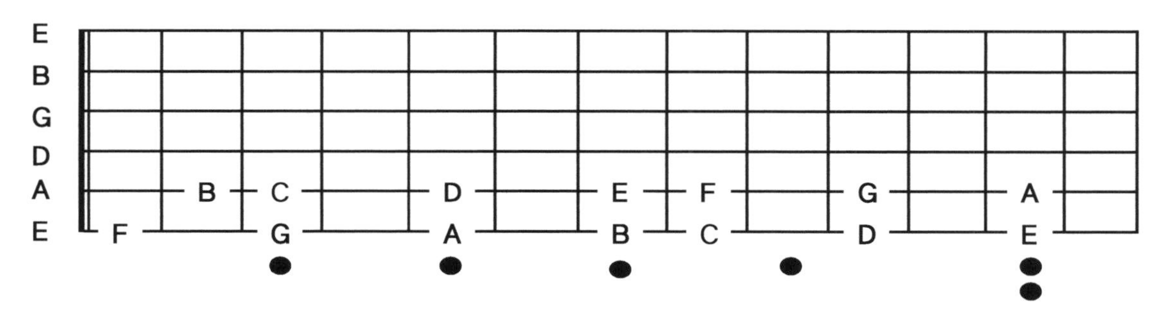

1) 음과 음 사이에 다른 음이 없다는 의미로 반음이라고 한다.
2) 음과 음 사이에 반음이 하나 포함되어 있다 라는 의미로 온음이라 하고 예로 '도'와 '레' 사이에는 '도#'이나 '레b'이 포함 되어있다.
3) 예를들어 낮은 '도'에서 높은 '도'인 8도 간격의 거리에 있는 음을 말한다.

우선 6번줄과 5번줄의 음을 순서대로 나열하여 아래 악보를 보면서 연습해 보고 이후에 4도권[4]을 이용하여 #과 b의 위치하는 자리도 확인하면서 외워보자.

Step 1-1-3 6번줄의 음계

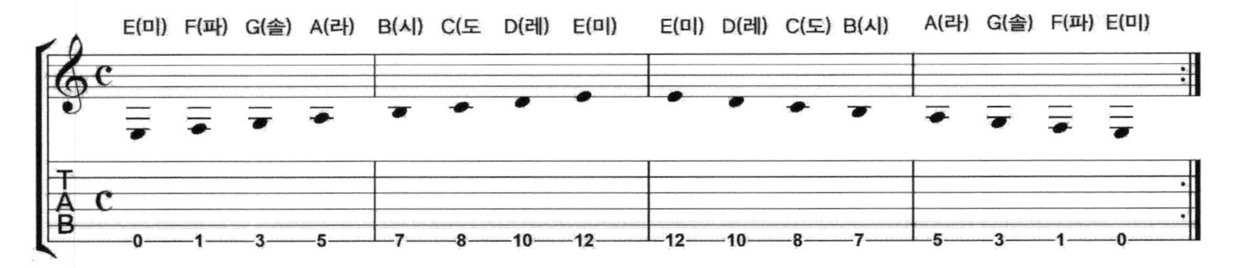

Step 1-1-4 5번줄의 음계

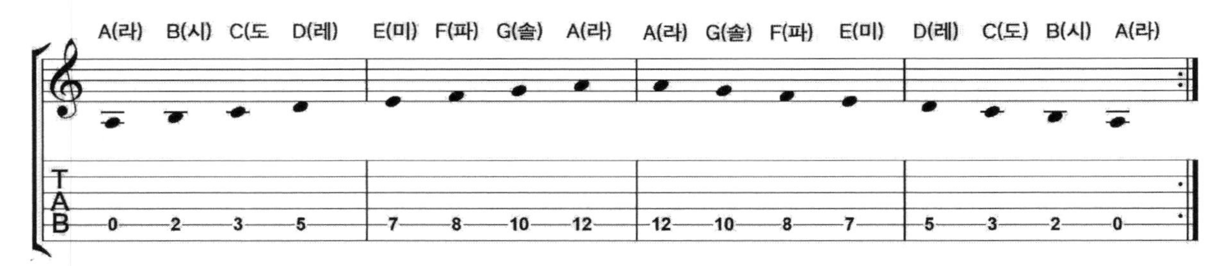

Step 1-1-5 6번줄 기준의 4도권

Step 1-1-6 5번줄 기준의 4도권

---

4) 4) 4도권이란 음정에서 완전4도 음정을 계속적으로 상행 할 경우 결국은 처음 시작했던 음이 다시 만나게 되는데 예로 C-F-Bb-Eb-Ab-Db-Gb-B-E-A-D-G-C 순으로 사이클이 형성하게 된다. Step3에서 자세히 설명하겠다.

Step2. Root Position 모양 외우기

Root Position이란 코드의 구성음의 기준이 되는 **근음**을 말하며 기타 지판에서 똑같은 음의 위치를 찾다보면 **특정한 모양**이 나오게 된다. 앞서 공부했던 6번줄과 5번줄을 충분히 외우고 있다면 Root Position의 모양을 이용해서 나머지 4,3,2,1번줄도 저절로 외울 수 있다.

Step 1-2-1 프렛보드 전체 C Root Position의 모양

Chapter 1-2

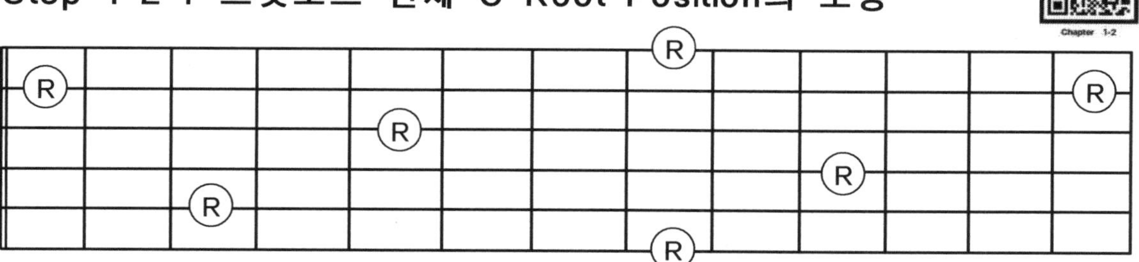

기타지판의 근음의 위치를 모양별로 프렛을 나누면 아래 모양과 같다.

Step 1-2-2 부분별 프렛보드 C Root Position의 모양

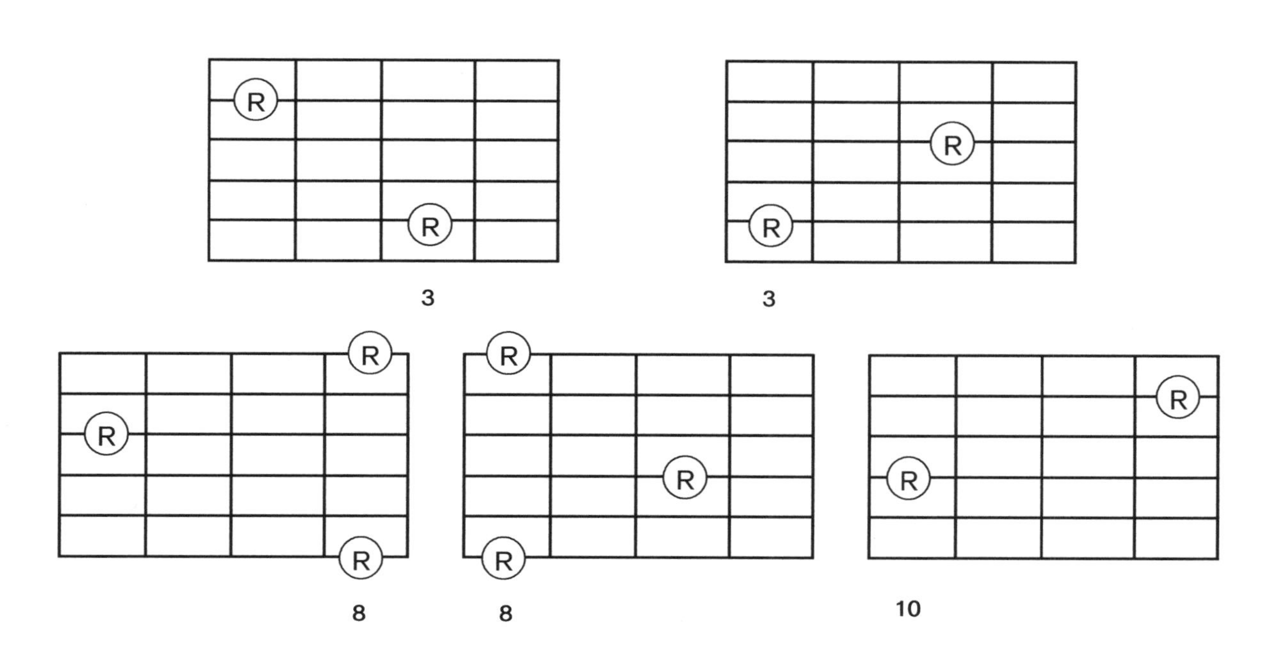

아래 악보를 보면서 4도권 진행으로 근음의 모양들을 연습하면서 외워보자.

Step 1-2-3

C Root Position 모양

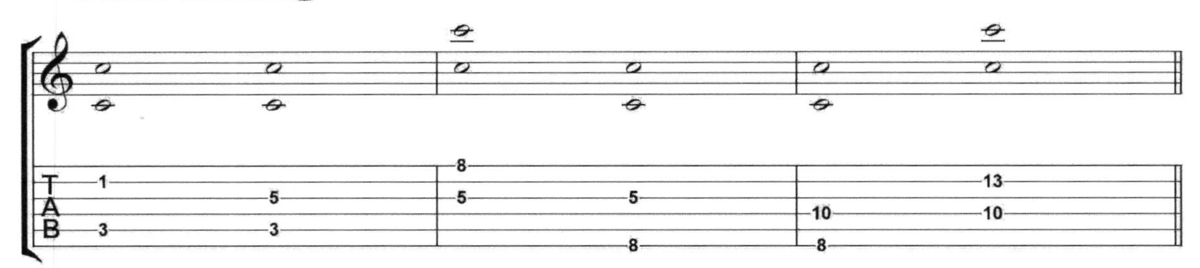

F Root Position 모양

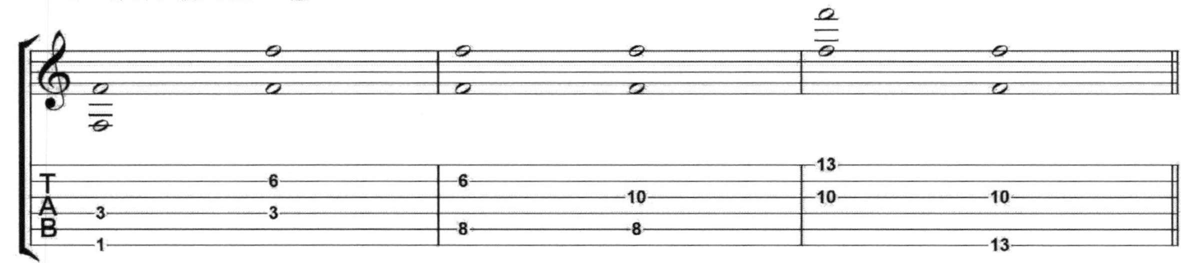

Bb Root Position 모양

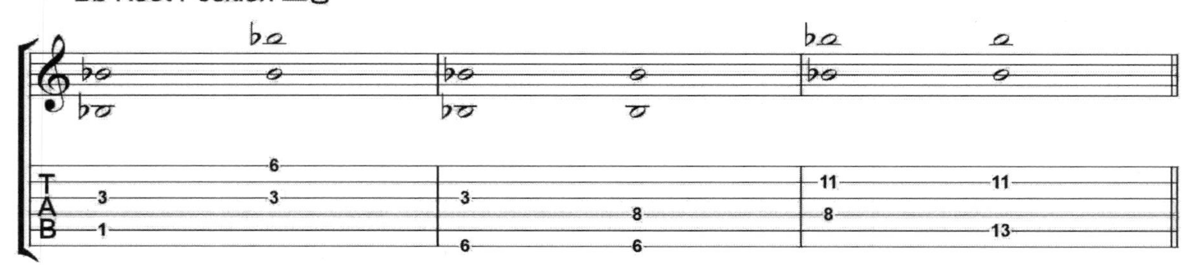

Eb Root Position 모양

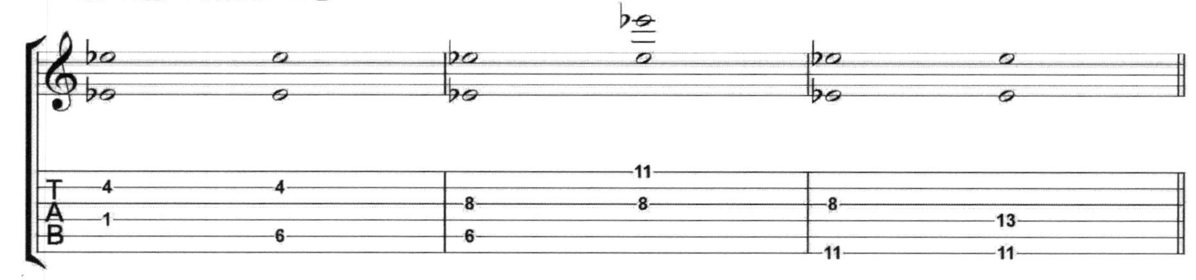

Ab Root Position 모양

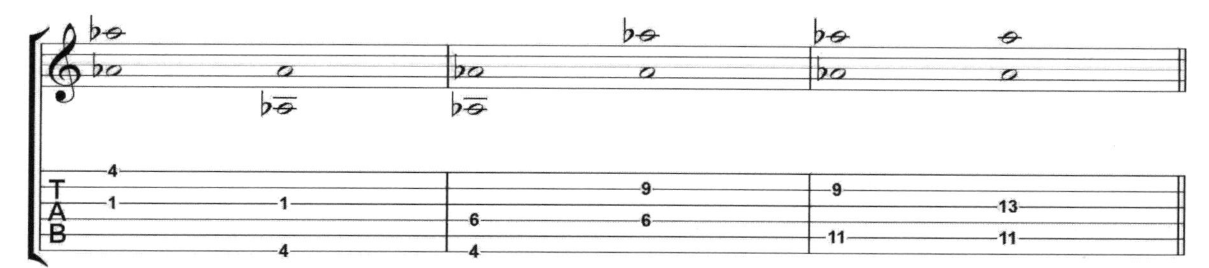

Db Root Position 모양

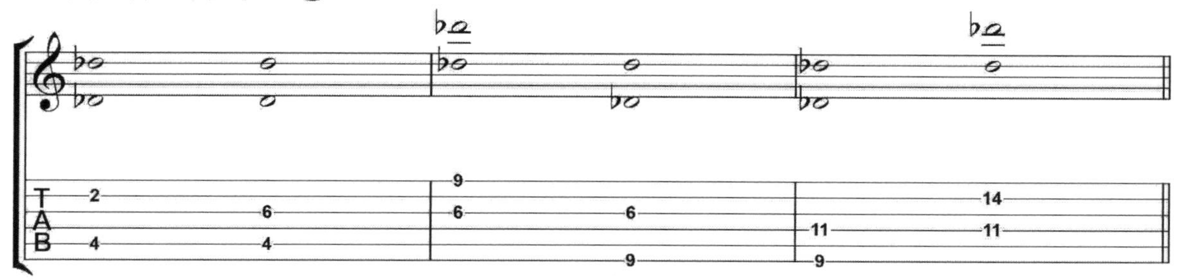

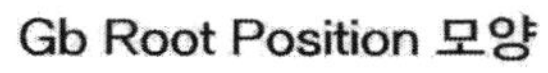

B Root Position 모양

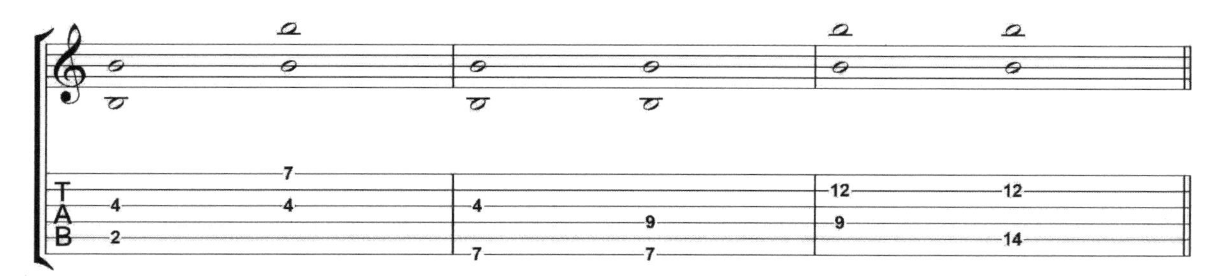

E Root Position 모양

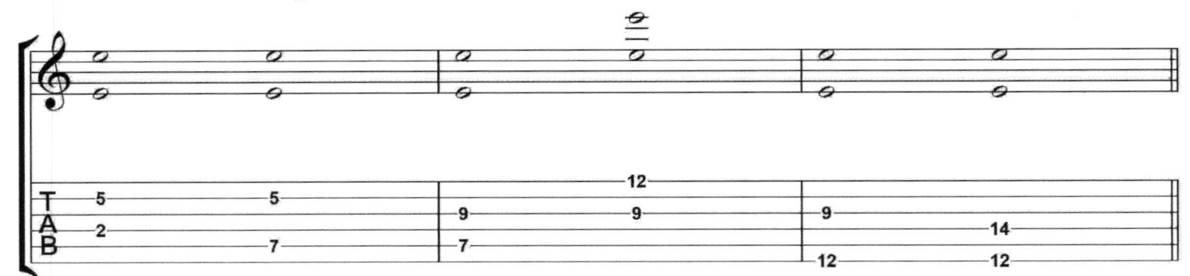

A Root Position 모양

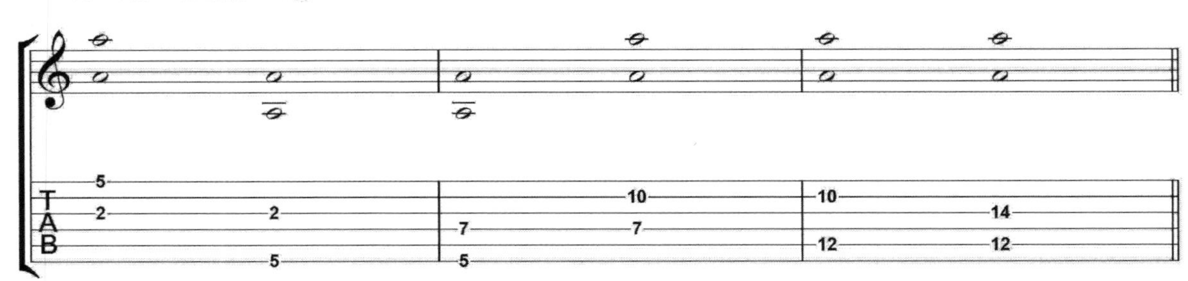

D Root Position 모양

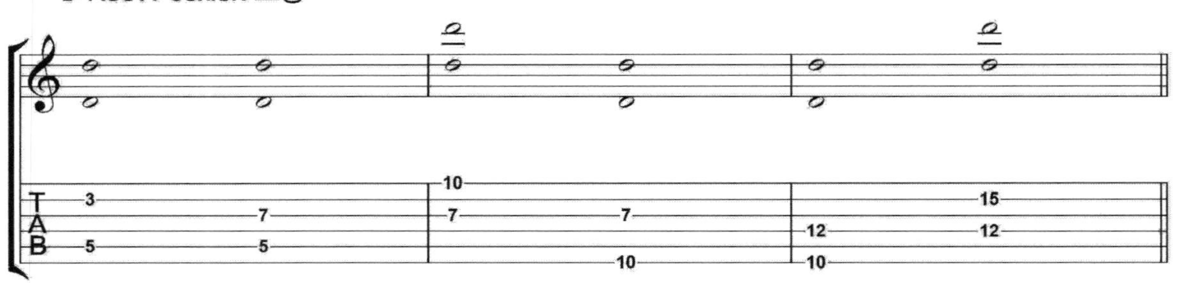

G Root Position 모양

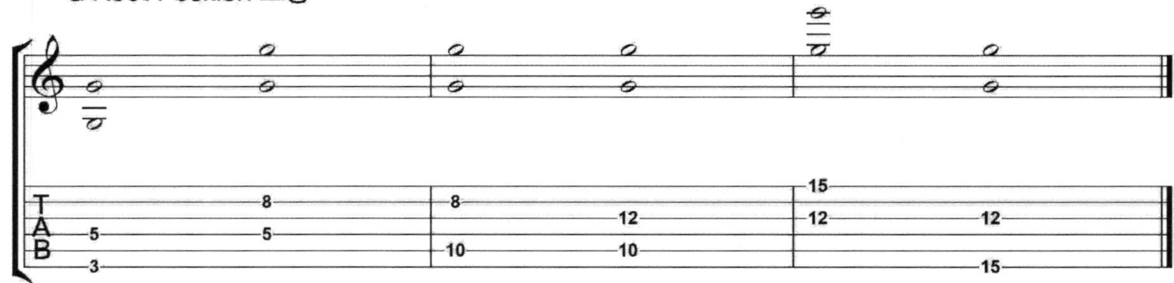

Step3. 음정 모양 외우기

음정(Interball)이란 높이가 다른 두 음 사이의 간격을 말하며 표시의 단위는 도수(degree)라는 말을 사용한다. 음정은 크게 2가지로 나뉘는데 완전음정[5](1도, 4도, 5도, 8도)과 장음정(2도, 3도, 6도, 7도)으로 나뉘어진다. 이 내용들을 기타지판에서 어떤 모양을 형성하는지를 알아보자. 우선 기준 음을 'C(도)로 잡고 설명하겠다.

Step 1-3-1 장2도 음정 (C(도)와 D(레)의 간격)

기타지판에서 장2도는 같은 줄 일 때는 3프렛 간격이고 줄이 바뀌면 4프렛 간격이다. 옥타브로 넘어가는 음정은 '장9도'[6]라고 한다. 참고로 장2도를 전위[7]하면 단7도 음정이 된다.

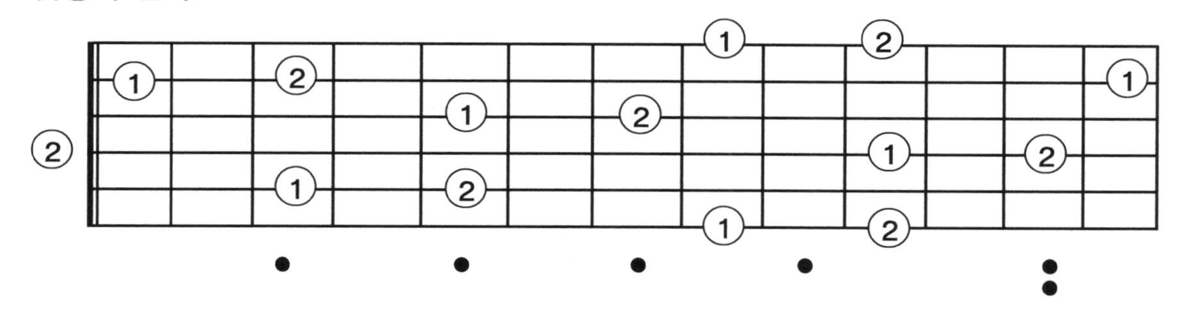

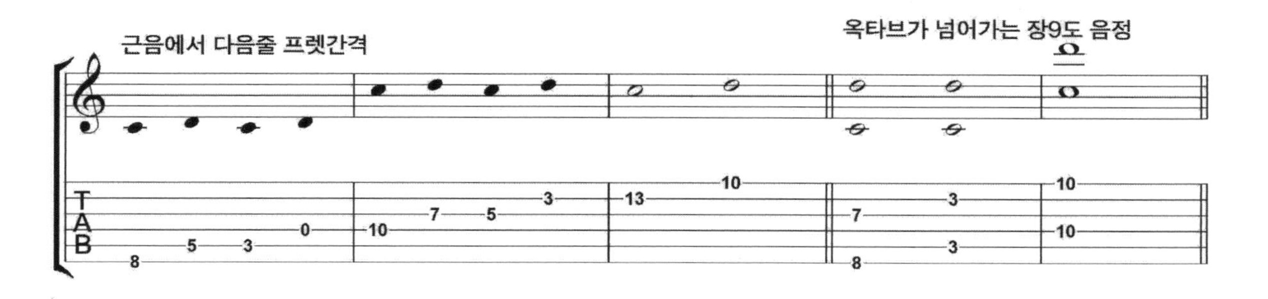

---

5) 완전1도는 결국 음이 하나이기 때문에 근음을 얘기하고 완전8도는 앞서 배웠던 Root position의 모양 자체가 완전8도이다. 즉 근음의 옥타브를 의미한다.

6) 8도 이상으로 넘어가는 음정은 9,11,13도로 표시하기는 하나, 높낮이만 다르고 음이 같으므로 9=2, 11=4, 13=6도로 생각하여도 무방하다.

7) 음정을 '자리바꿈하다'라는 뜻으로 높은음을 옥타브로 낮추거나 낮은음을 옥타브로 올렸을 때 음정을 말한다.

Step 1-3-2 장3도 음정 (C(도)와 E(미)의 간격)

기타지판에서 장3도는 코드톤에 해당하는 중요한 음이므로 근음으로부터 3도음을 바로바로 찾을수 있도록 연습해야한다. 장3도는 같은 줄일때는 5프렛 간격이고 근음에서 다음줄 간격은 2프렛 간격이다. 예외로 3번줄과 2번줄은 같은 프렛에 위치해 있다. 옥타브로 넘어가는 음정은 장10도 이지만 코드의 구성음이므로 장3도로 인식한다. 장3도음을 전위하면 단6도이다.

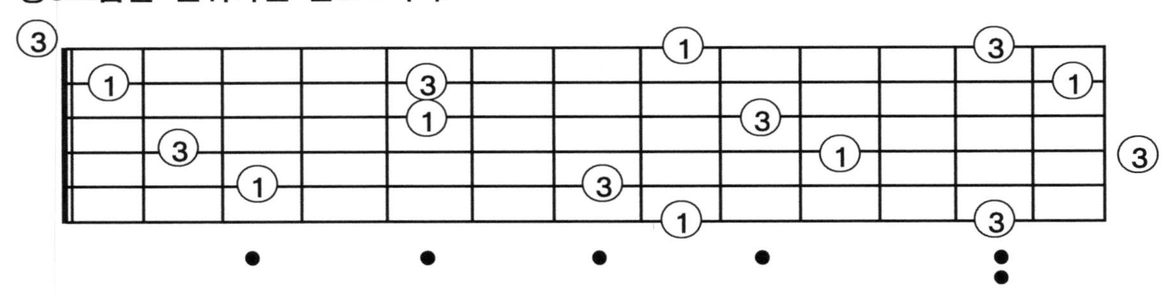

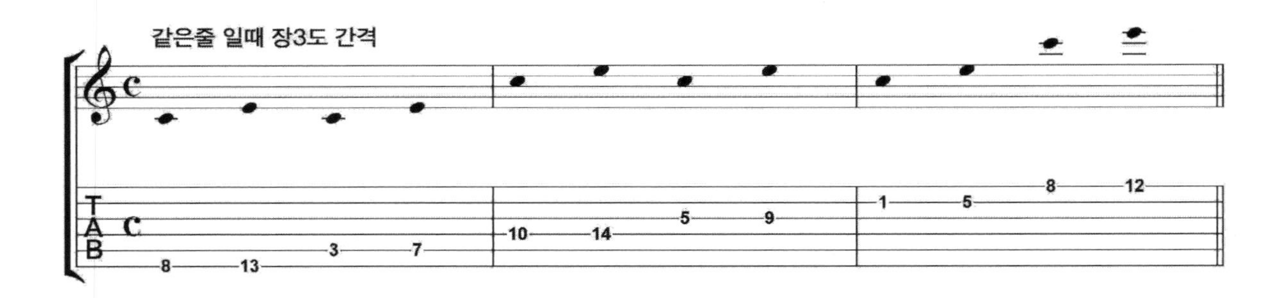

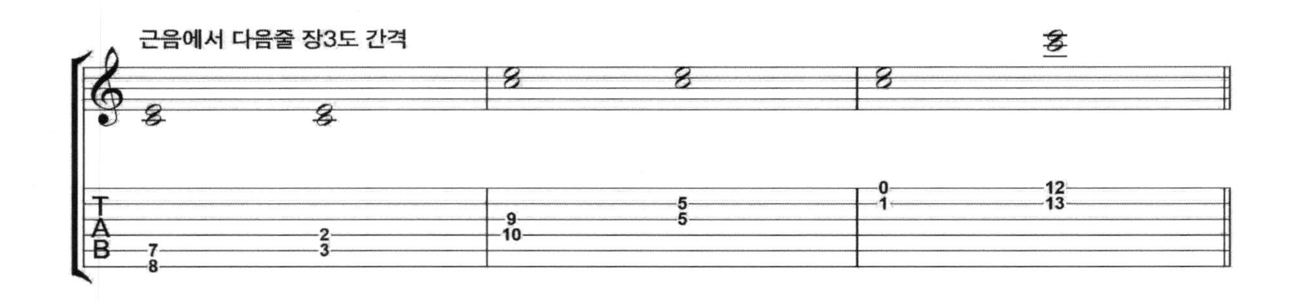

Step 1-3-3 완4도 음정 (C(도)와 F(파)의 간격)

기타 지판에서 완전4도는 같은 줄 일때 6프렛 간격이고, 줄이 바뀌면 같은 프렛에 위치해 있다. 예외로 3번줄과 2번줄 사이에는 2프렛 간격으로 이루어져있다. 옥타브로 넘어가는 음정은 완11도라고 한다.
완전4도를 전위하면 완전5도이다.

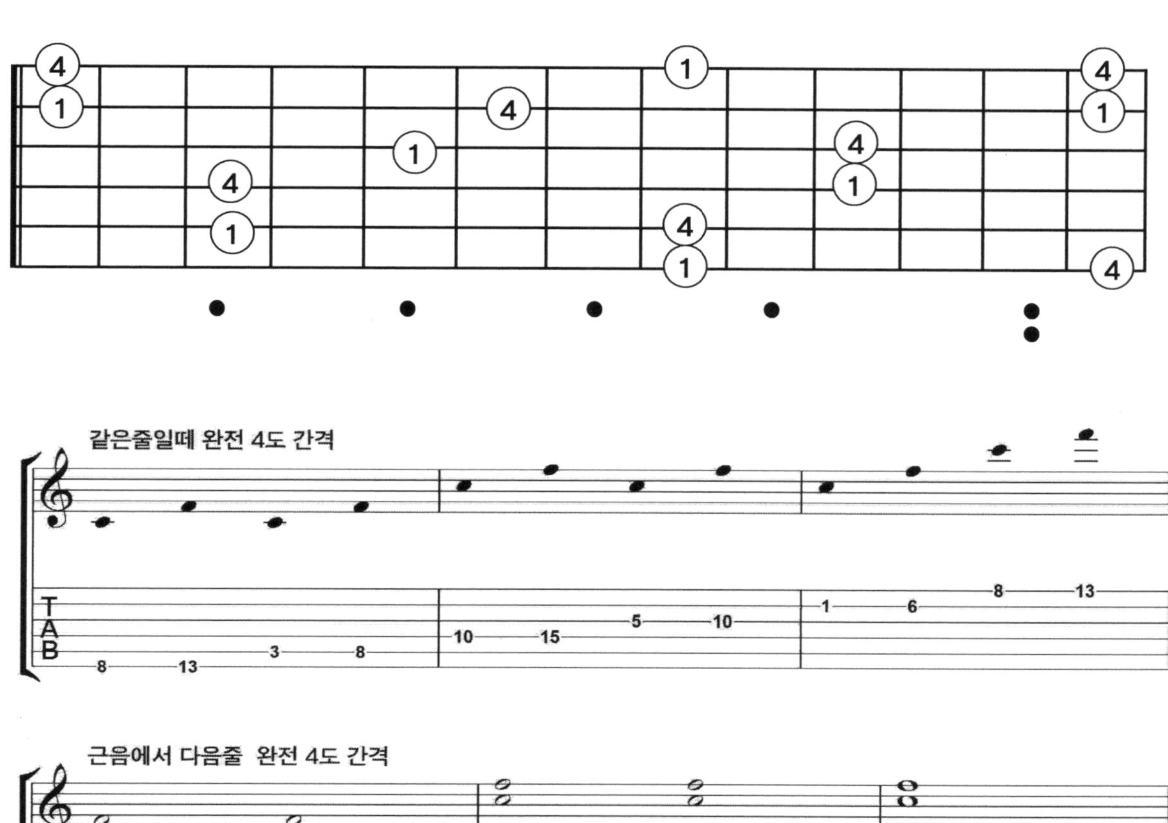

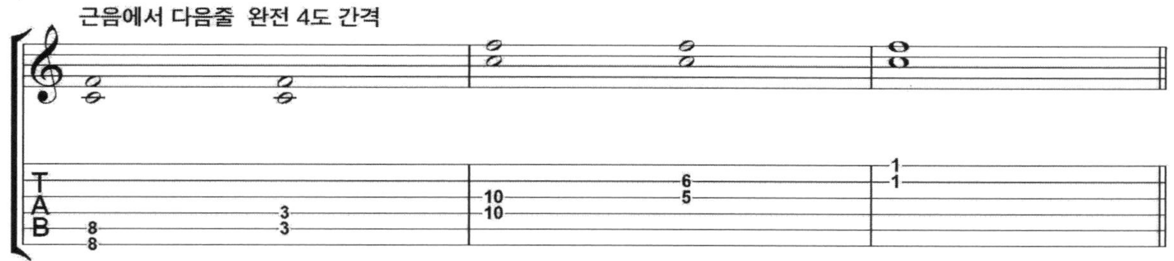

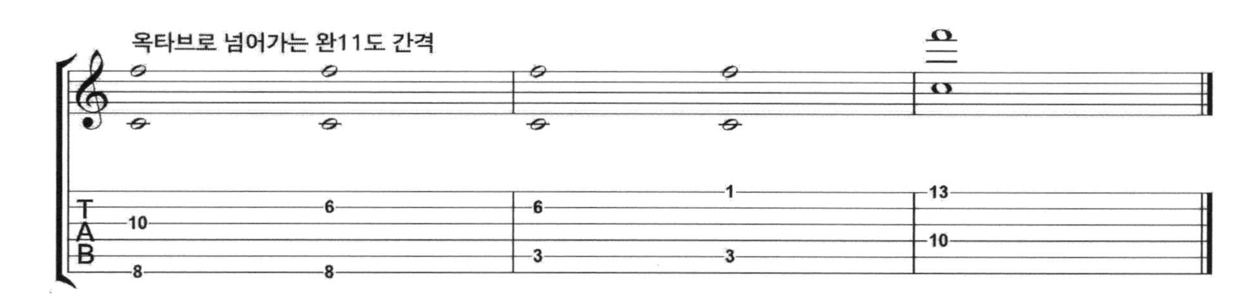

Step 1-3-4 완5도 음정 (C(도)와 G(솔)의 간격)

기타지판에서 완전5도는 같은 줄일때는 8프렛 간격이기 때문에, 같은 줄의 5도음을 찾기보다는 줄이 바뀔때 5도의 위치한 모양을 찾는 것이 더 좋다. 완전5도 음은 코드의 구성음이며 파워코드의 구성음이기도 하다. 옥타브로 넘어가는 음정은 완전12도라고 하는데 코드의 구성음이기 때문에 완전5도 음정으로 인식한다. 완전5도 음을 전위하면 완전4도이다.

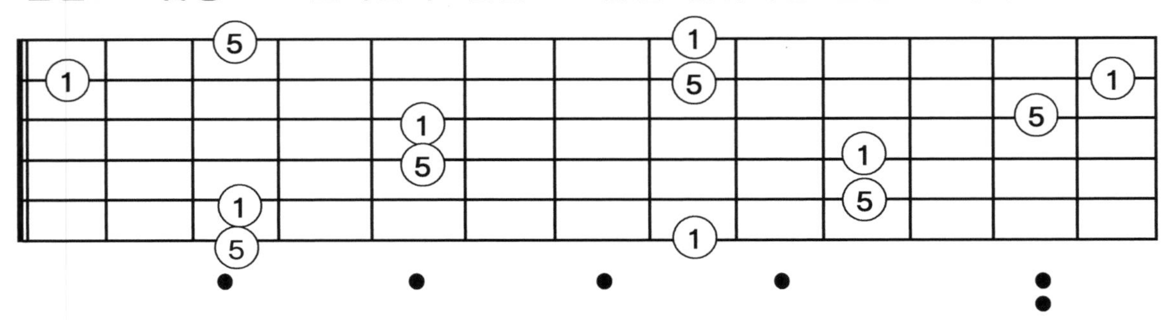

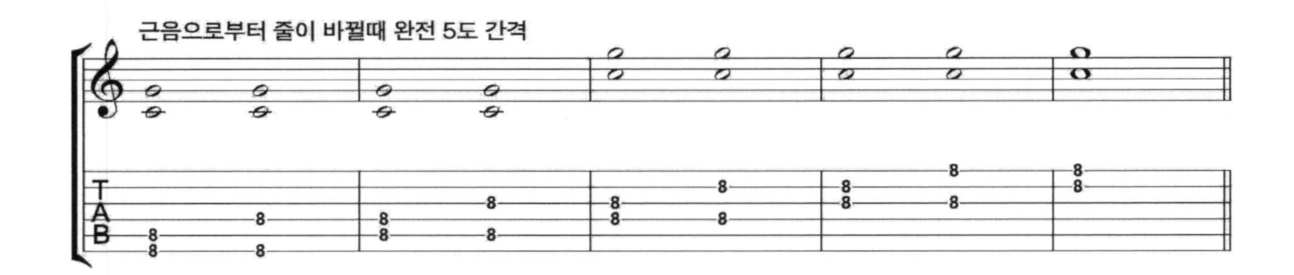

Step 1-3-5 장6도 음정 (C(도)와 A(라)의 간격)

기타지판에서 장6도는 6번줄과 5번줄이 근음일때 다음줄 건너서 2프렛 간격이고, 4번줄과 3번줄이 근음일때는 다음줄 건너서 1프렛 간격이다. 장6도 음정을 전위하면 단3도 음정이 나온다.

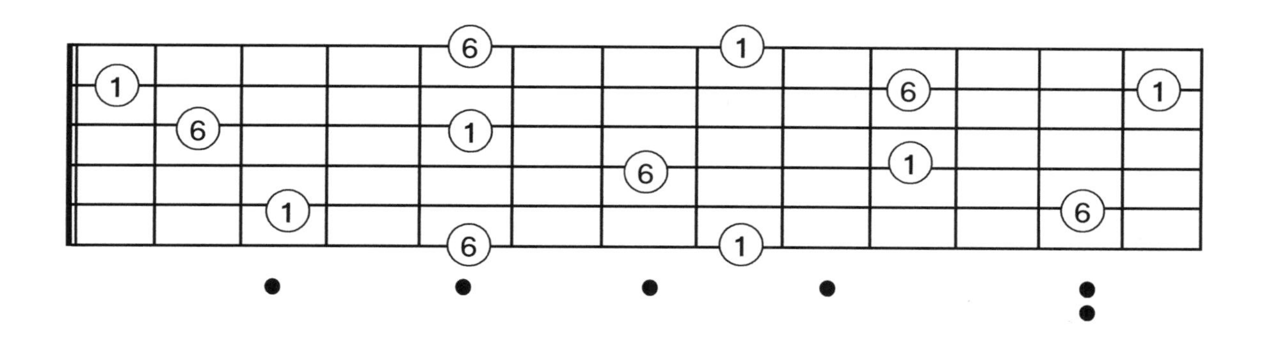

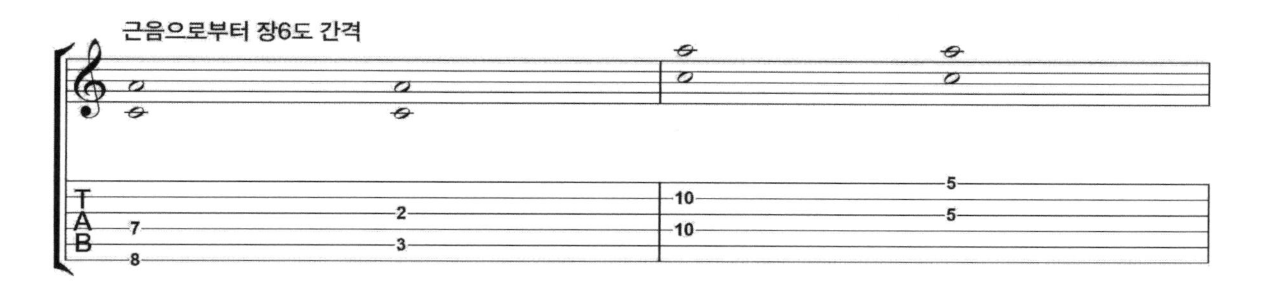

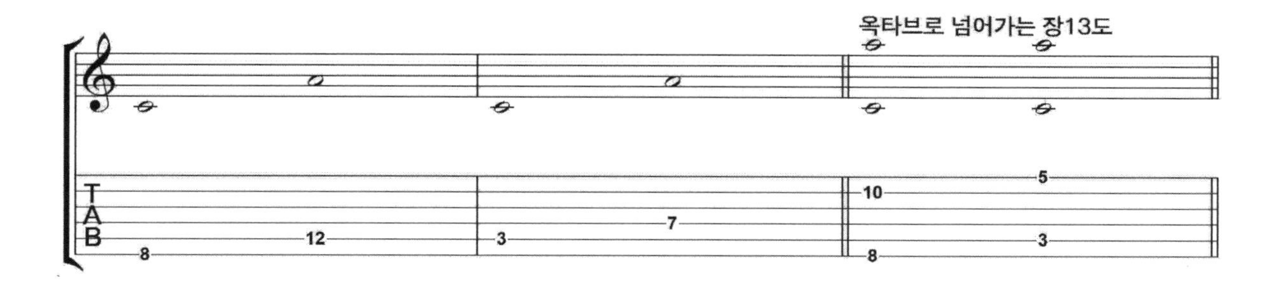

Step 1-3-6 장7도 음정 (C(도)와 B(시)의 간격)

기타지판에서 장7도는 앞서 배웠던 'Root Position[8]의 모양 외우기'에서 옥타브 '도'를 반음 내려간 모양이 장7도 음정이다. 옥타브로 넘어가는 음정은 장14도 인데 코드톤으로 인식하여 장7도로 인식한다.
같은 줄 일때는 2프렛 간격인데 이때의 음정은 단2도 이다.

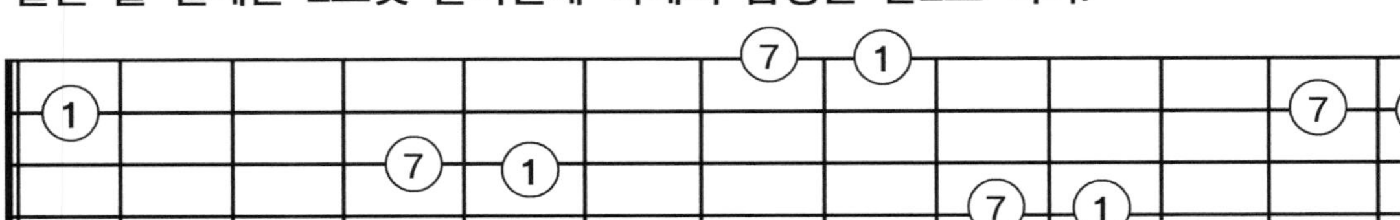

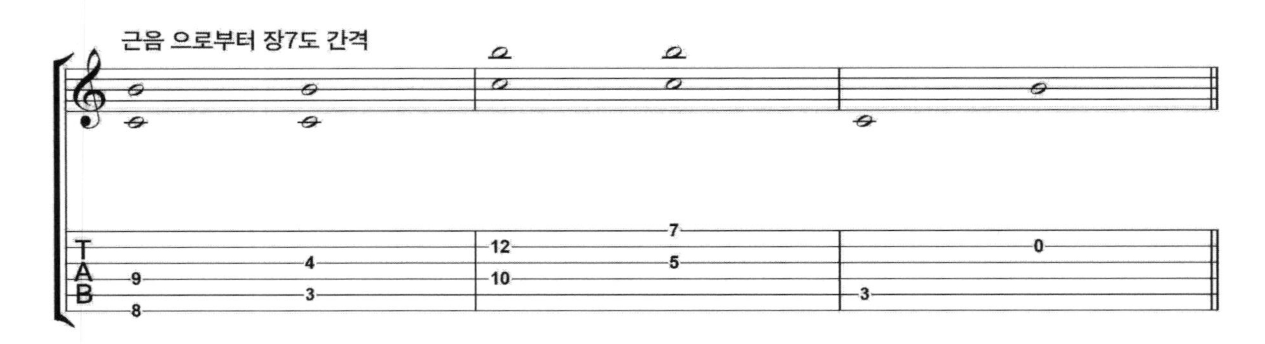

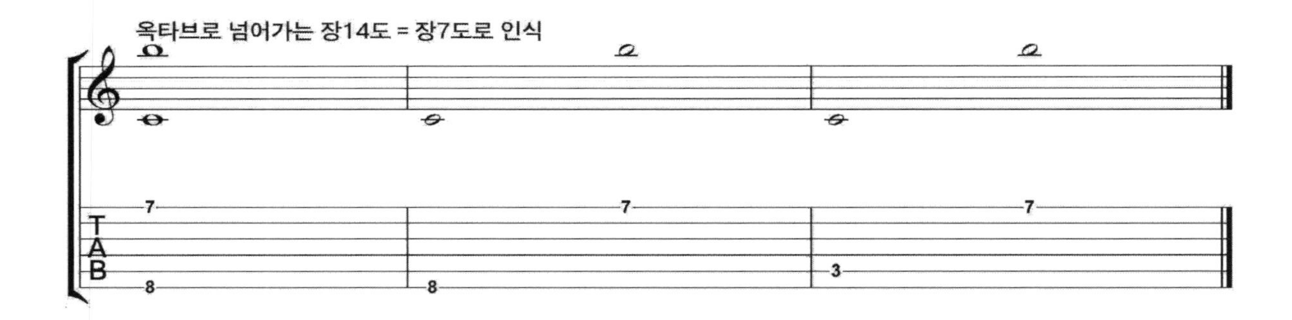

8)'Step2. Root Positon의 모양외우기' 편에서 확인이 가능하며 이 근음의 음정은 완전 8도이다.

Step 1-3-7 단2도=증1도 음정 (C(도)와 Db(레b)=C#(도#)의 간격)

단2도 음정은 같은 줄의 간격이 2프렛 간격이다. 또한 단2도와 증1도는 악보 표기상에서만 다를 뿐, 소리는 같은 소리를 내기 때문에 기타지판의 잡는 위치도 같다. 단2도를 전위하면 장7도 음정이 나온다.

Step 1-3-8 단3도=증2도 음정 (C(도)와 Eb(미b)=D#(레#)의 간격)

단3도는 마이너(Minor)코드의 중요한 코드음이기 때문에 근음으로 부터 단3도 음을 바로바로 찾을 수 있도록 연습해야 한다. 단3도는 증2도와 음정이 같으므로 기타 지판에서 잡는 위치도 같다. 단3도를 전위하면 장6도 음정이 된다.

Step 1-3-9 감5도=증4도 음정 (C(도)와 Gb(솔b)=F#(파#)의 간격)

감5도는 디미니쉬(Diminish)코드에서 중요한 코드음이다. 감5도는 증4도 음정과 같고 온음이 3온음으로 구성되어 있다고 해서 트라이톤(Tritone)이라고도 한다. 감5도는 증4도와 같은 음정으로 소리가 같기 때문에 기타지판의 위치도 같다.

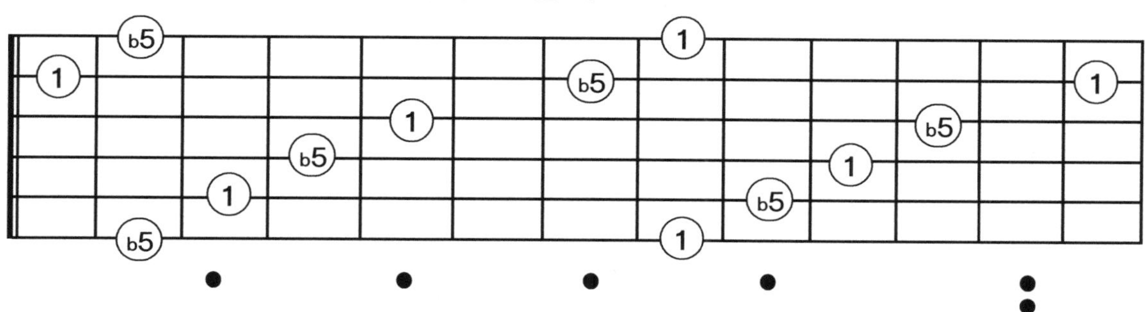

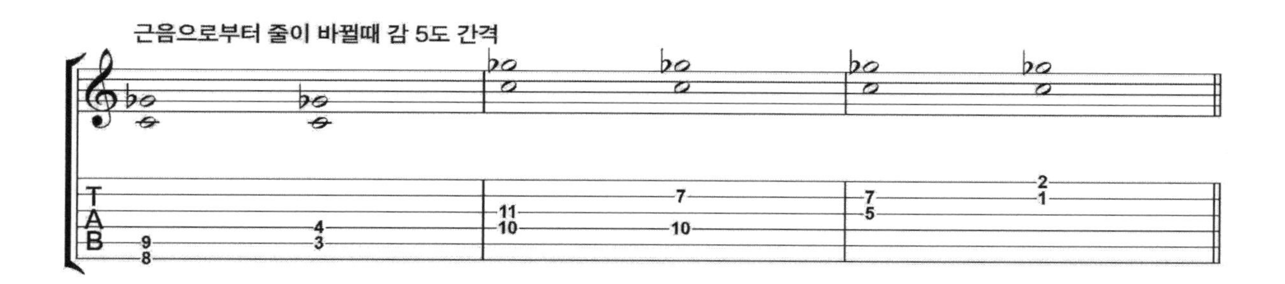

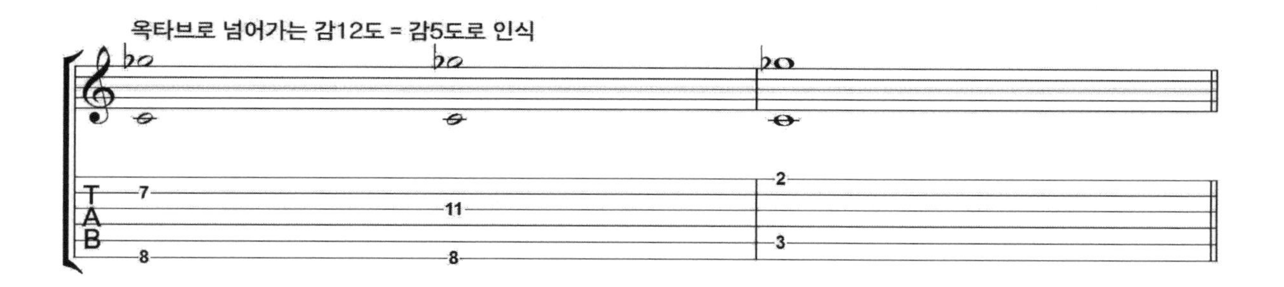

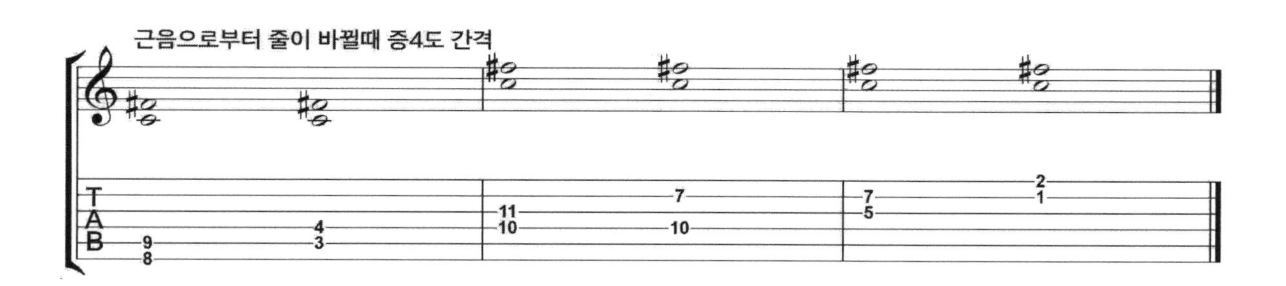

Step 1-3-10 단6도=증5도 음정 (C(도)와 Ab(라b)=G#(솔#)의 간격)

단6도는 7th 코드에서 텐션 노트이기도 하며 같은 음정으로 구성되어있는 증5도 음정은 오그먼트(Augment)코드에서는 코드음으로 구성 되어있다. 옥타브로 넘어가는 음정은 단13도 이다.

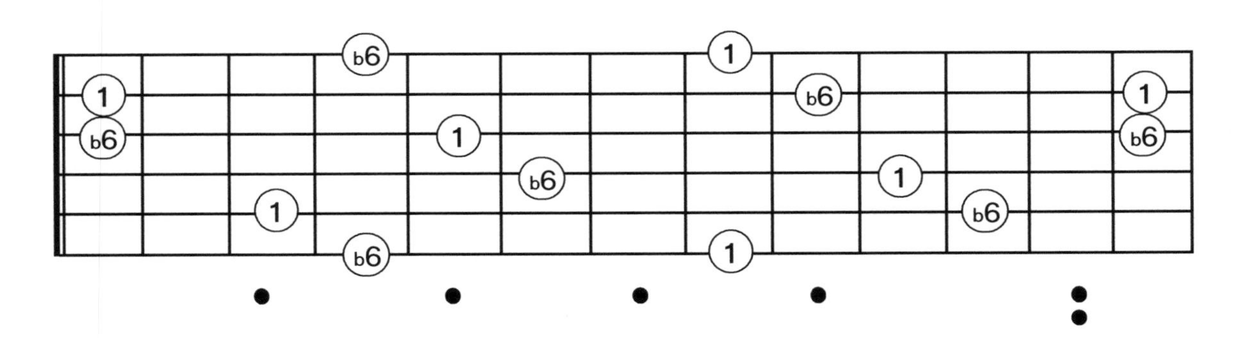

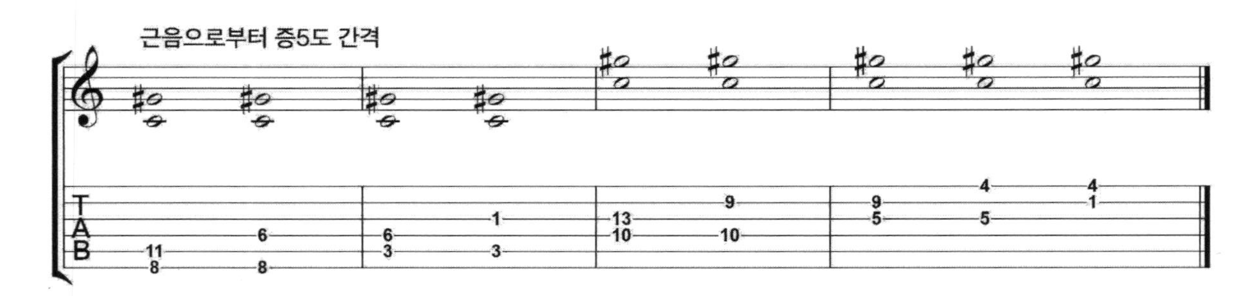

Step 1-3-11 단7도=증6도 음정 (C(도)와 Bb(시b)=A#(라#)의 간격)
기타 지판에서 단7도는 앞서 배웠던 'Root Position의 모양 외우기'에서 옥타브 '도'에서 온음 내려간 모양이 단7도 음정이다. 옥타브로 넘어가는 음정은 단14도인데 코드톤으로 인식하여 단7도로 인식한다.
같은 음정으로 증6도 라고도 하는데 코드음의 실제 쓰임새는 단7도를 더 많이 사용한다.

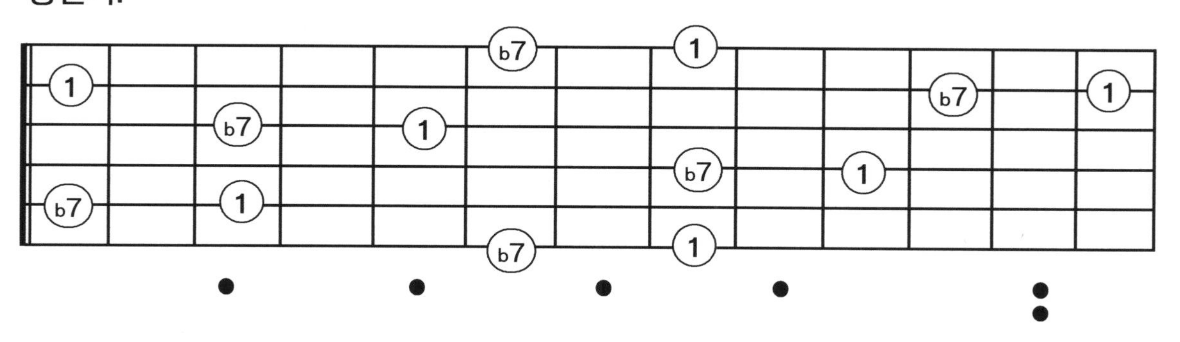

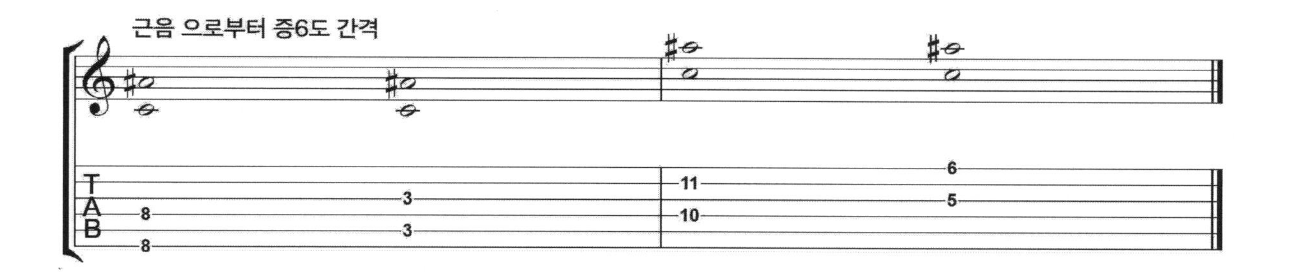

Chapter 2

파워코드 패턴 연습하기

Step1. 다이아토닉 코드 외우기

다이아토닉(Diatonic)[9] 코드는 계이름(도,레,미,파,솔,라,시,도)에서 표기된 음만으로 3도씩 쌓아 올렸을 때 나오는 코드를 다이아토닉 코드라 하며 세 개 음으로 구성된 3화음(Triad)과 네 개의 음으로 구성 되어있는 7thchord (7화음)으로 나눌 수 있다.

Step 2-1-1 12개 장조(Major key)에 맞는 절대 음들.

앞서 배웠던 음정은 숫자 대신 표기할 때 로마숫자로도 똑같이 표기한다. 따라서 계이름은 영어 이름을 외우는 것처럼 음정도 로마숫자와 같은 표기법으로 외워야 한다. 아래의 표는 해당하는 조(key)에 맞는 절대 음들을 영어로 표시한 것이다.

음정	완전1도	장2도	장3도	완4도	완5도	장6도	장7도
음도	I	II	III	IV	V	VI	VII
C key	C	D	E	F	G	A	B
F key	F	G	A	Bb	C	D	E
Bb key	Bb	C	D	Eb	F	G	A
Eb key	Eb	F	G	Ab	Bb	C	D
Ab key	Ab	Bb	C	Db	Eb	F	G
Db key	Db	Eb	F	Gb	Ab	Bb	C
Gb key	Gb	Ab	Bb	Cb	Db	Eb	F
B key	B	C#	D#	E	F#	G#	A#
E key	E	F#	G	A	B	C#	D#
A key	A	B	C#	D	E	F#	G#
D key	D	E	F#	G	A	B	C#
G key	G	A	B	C	D	E	F#

9) 이 장에서는 이론적인 내용을 최소한으로 줄이고 실제로 연주하는 방식을 주로 다루는 책이기에 음악이론이나 자세한 스케일을 알고 싶다면 저자 송훈이 쓴 '재즈기타와 화성학'을 구입하기를 권한다.

Step 2-1-2 12개 장조(Major key)에 맞는 3화음과 7th 코드.

음도(로마숫자)에서 코드 기호를 외워 놓으면 12키에 적용된 절대 음에서 아래와 같이 그대로 적용하면 된다.

음정	완전1도	장2도	장3도	완4도	완5도	장6도	장7도
3화음	I	IIm	IIIm	IV	V	VIm	VII°
C key	C	Dm	Em	F	G	Am	B°
F key	F	Gm	Am	Bb	C	Dm	E°
Bb key	Bb	Cm	Dm	Eb	F	Gm	A°
Eb key	Eb	Fm	Gm	Ab	Bb	Cm	D°
Ab key	Ab	Bbm	Cm	Db	Eb	Fm	G°
Db key	Db	Ebm	Fm	Gb	Ab	Bbm	C°
Gb key	Gb	Abm	Bbm	Cb	Db	Ebm	F°
B key	B	C#m	D#m	E	F#	G#m	A#°
E key	E	F#m	Gm	A	B	C#m	D#°
A key	A	Bm	C#m	D	E	F#m	G#°
D key	D	Em	F#m	G	A	Bm	C#°
G key	G	Am	Bm	C	D	Em	F#°

음정	완전1도	장2도	장3도	완4도	완5도	장6도	장7도
7화음	I△7	IIm7	IIIm7	IV△7	V7	VIm7	VII^{ø7}
C key	C△7	Dm7	Em7	F△7	G7	Am7	B^{ø7}
F key	F△7	Gm7	Am7	Bb△7	C7	Dm7	E^{ø7}
Bb key	Bb△7	Cm7	Dm7	Eb△7	F7	Gm7	A^{ø7}
Eb key	Eb△7	Fm7	Gm7	Ab△7	Bb7	Cm7	D^{ø7}
Ab key	Ab△7	Bbm7	Cm7	Db△7	Eb7	Fm7	G^{ø7}
Db key	Db△7	Ebm7	Fm7	Gb△7	Ab7	Bbm7	C^{ø7}
Gb key	Gb△7	Abm7	Bbm7	Cb△7	Db7	Ebm7	F^{ø7}
B key	B△7	C#m7	D#m7	E△7	F#7	G#m7	A#^{ø7}
E key	E△7	F#m7	Gm7	A△7	B7	C#m7	D#^{ø7}
A key	A△7	Bm7	C#m7	D△7	E7	F#m7	G#^{ø7}
D key	D△7	Em7	F#m7	G△7	A7	Bm7	C#^{ø7}
G key	G△7	Am7	Bm7	C△7	D7	Em7	F#^{ø7}

Step 2-1-3 주요3화음과 대리화음

다이아토닉 코드에서 주요 3화음은 I(C), F(IV), G(V)이다.
I△7(C△7)는 토닉(Tonic)이고 안정적인 코드로 다이아토닉 코드들의 집 같은 역할을 한다. 대신해서 쓸 수 있는 대리코드[10]는 IIIm7, VIm7이다.
V7(G7)는 도미넌트(Dominant)이고 불안정한 코드로 토닉으로 가려는 성향이 강하다. 대신해서 쓸 수 있는 코드는 VII^{ø7}코드이다.
IV△7(F△7)는 서브도미넌트(SubDominant)이고 안정도 불안정한 사운드가 아닌 중간적인 소리이고 도미넌트 코드를 받쳐 주는 역할을 한다. 대리코드로는 IIm7이다.
아래의 표는 C Major key로 구성된 다이아토닉 코드이다.

	완전1도	장2도	장3도	완4도	완5도	장6도	장7도
3화음	I	IIm	IIIm	IV	V	VIm	VII°
7th화음	I△7	IIm7	IIIm7	IV△7	V7	VIm7	VII^{ø7}
코드의 기능	Tonic (안정)	sub Dominant (중간)	Tonic (안정)	sub Dominant (중간)	Dominant (불안정)	Tonic (안정)	Dominant (불안정)
C key의 3화음	C	Dm	Em	F	G	Am	B°
C key의 7th화음	C△7	Dm7	Em7	F△7	G7	Am7	B$m^{7(b5)}$

10) 어떠한 코드를 대신하여 쓸 수 있는 코드를 대리코드라고 한다.

Step2. 파워코드 모양 외우기

파워코드는 메이저(Major)코드와 마이너(Minor)코드에서 3도음이 빠진 코드이기 때문에 아래와 같이 똑같은 모양으로 써도 무방하다.
파워코드는 3줄씩 잡아서 연주하기도 하며 2줄만 잡고 연주해도 무방하다.

Step 2-2-1 C 파워코드 모양

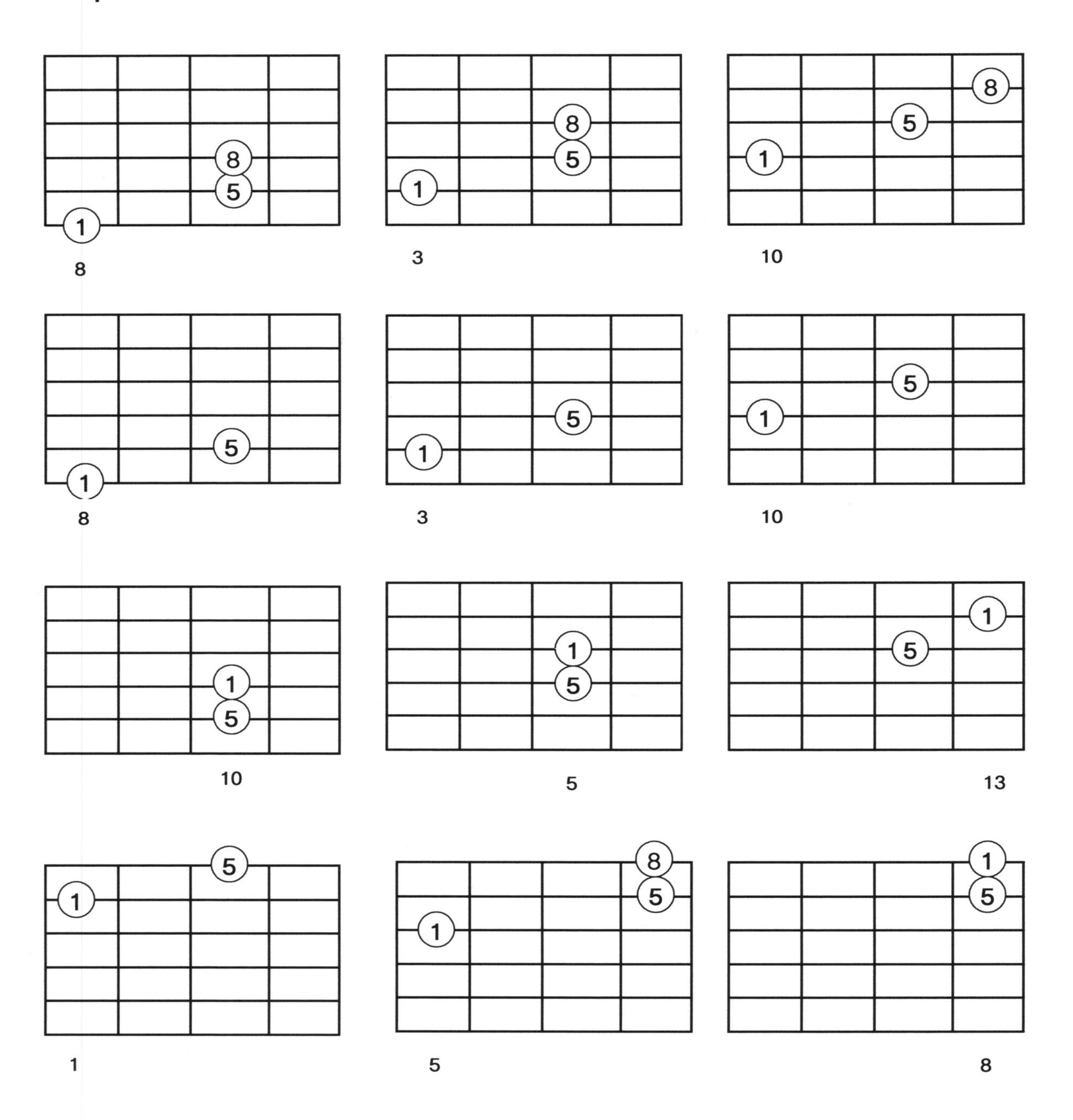

Step3. 파워코드 소리내어 연주하기

Step2-3-1 저음역 대 파워코드 연주하기

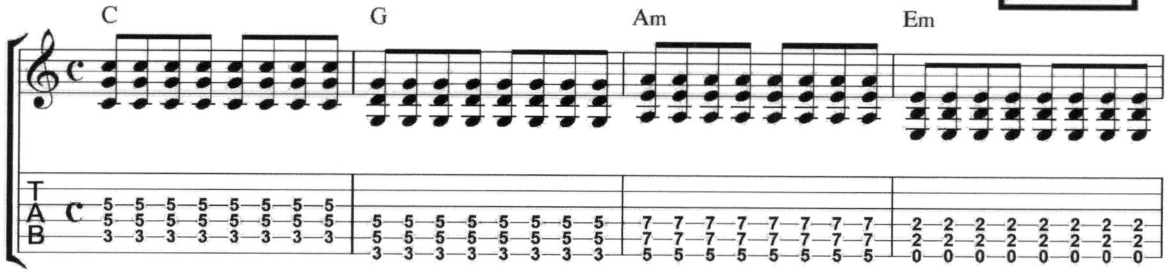

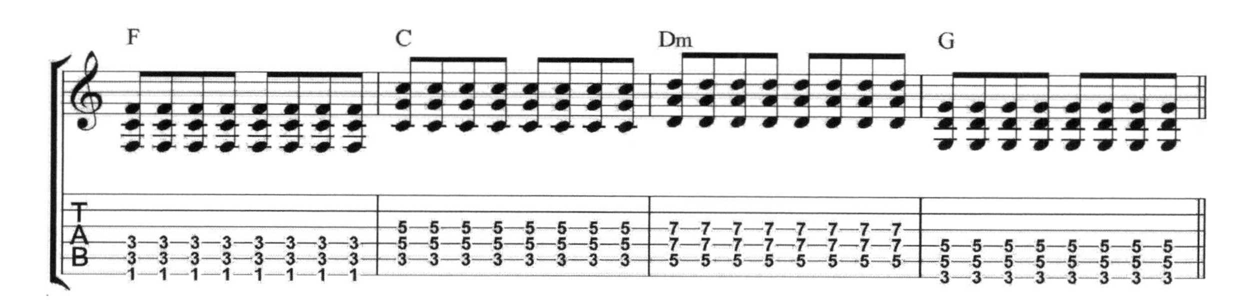

Step2-3-2 중음역 대 파워코드 연주하기

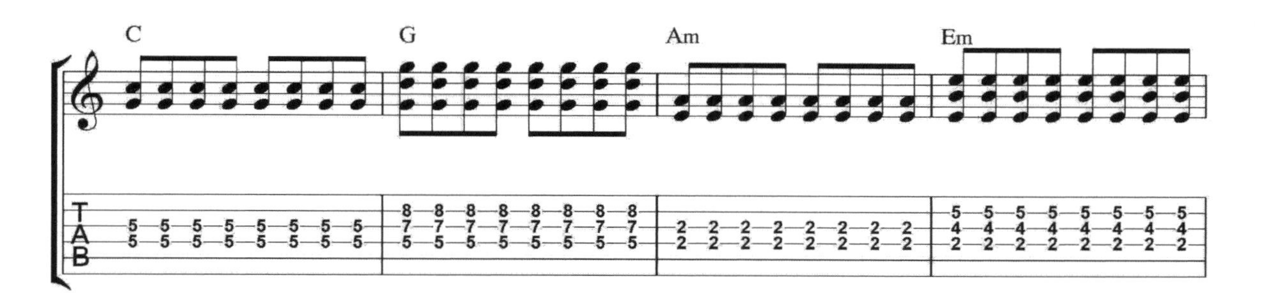

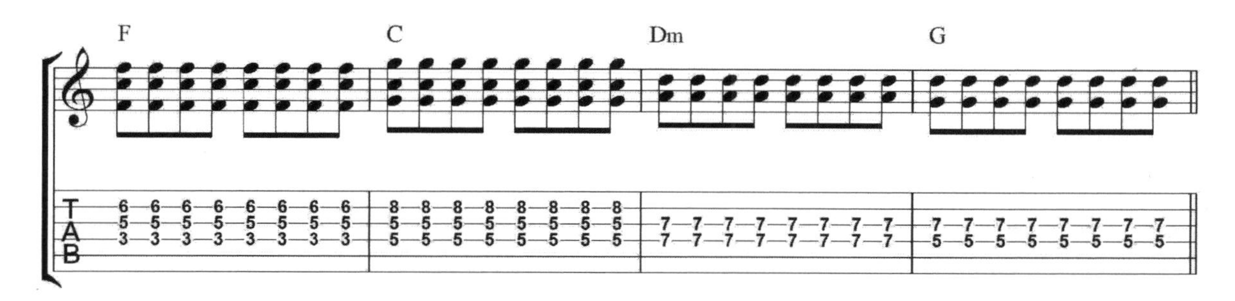

Step2-3-3 고음역 대 파워코드 연주하기

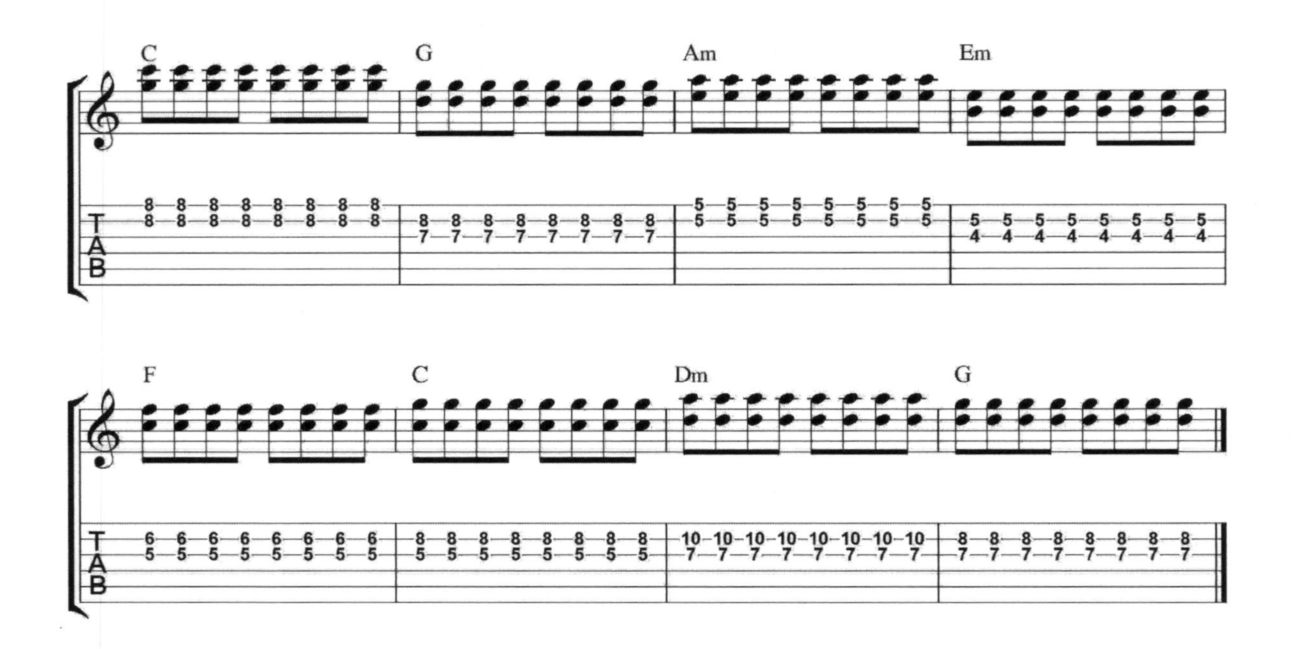

Step4. Mute 주법으로 연주하기

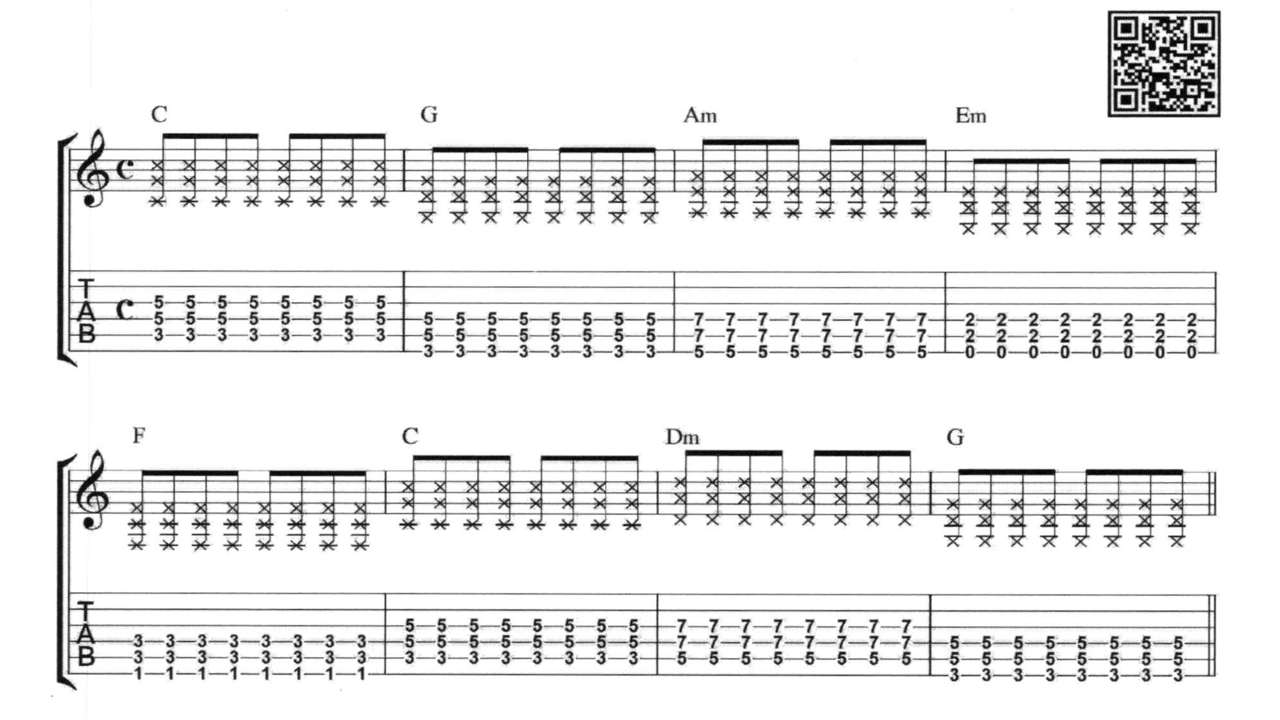

Step5. 8비트 기초 리듬 연습하기

다음 아래의 악보를 보고 뮤트와 섞인 ①②③④번 패턴을 4도권을 이용하여 연습 해 보자.

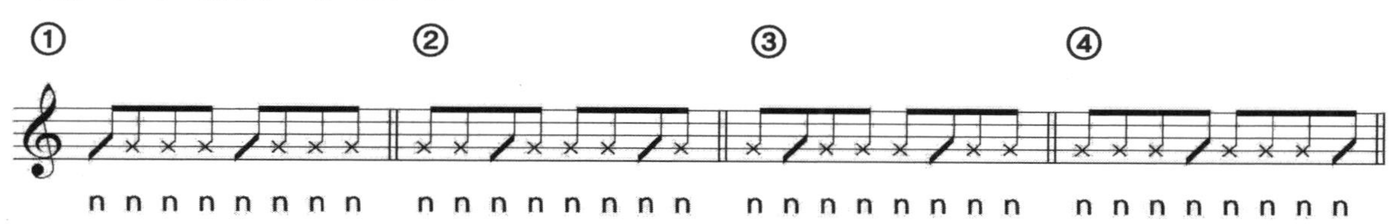

Step2-5-1 ①번 패턴을 4도권 코드 진행으로 연습하기

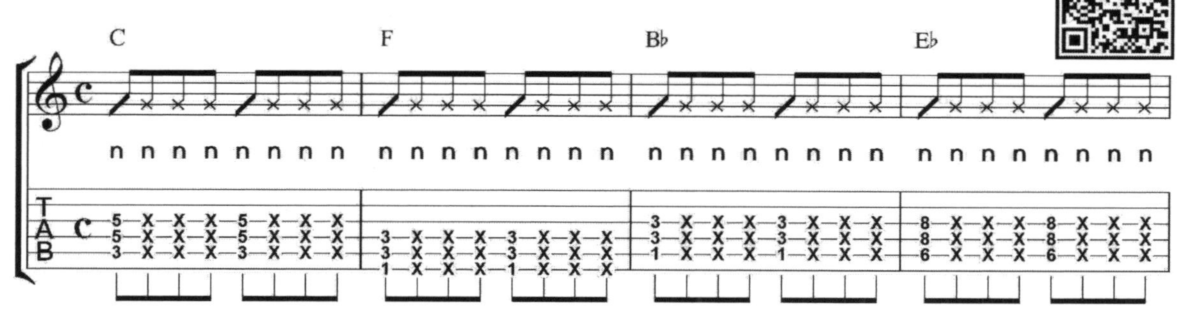

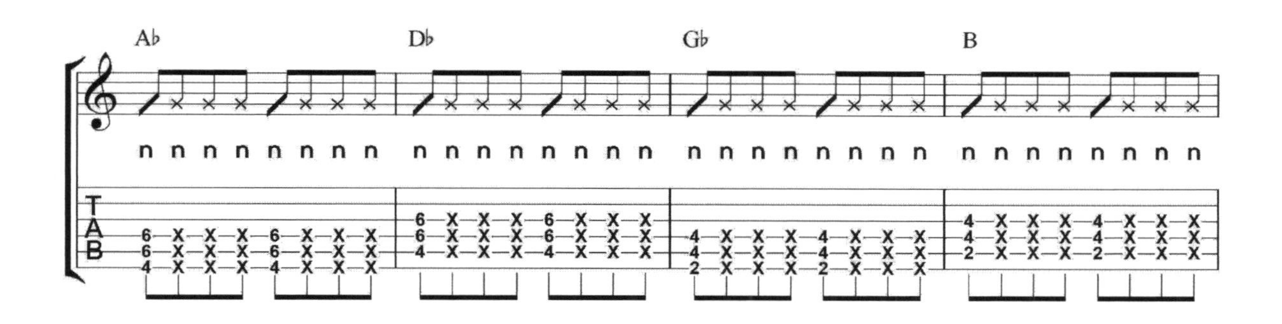

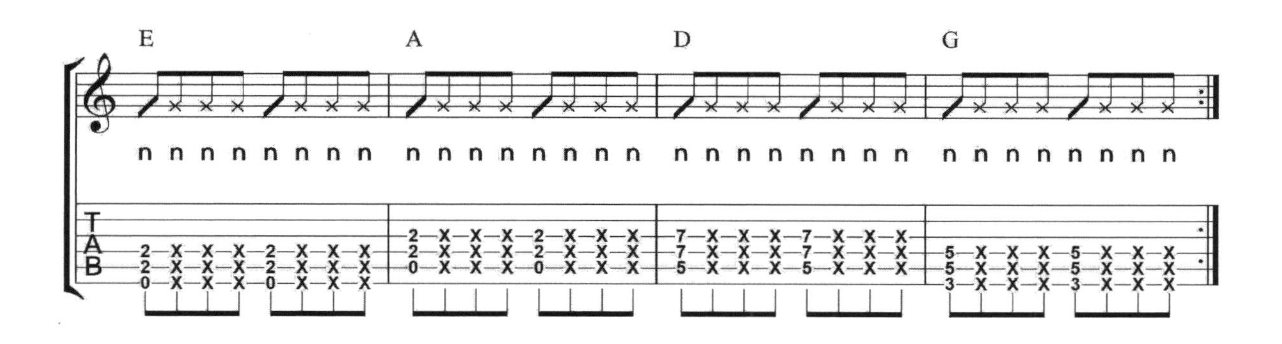

Step2-5-2 ②번 패턴을 4도권 코드 진행으로 연습하기

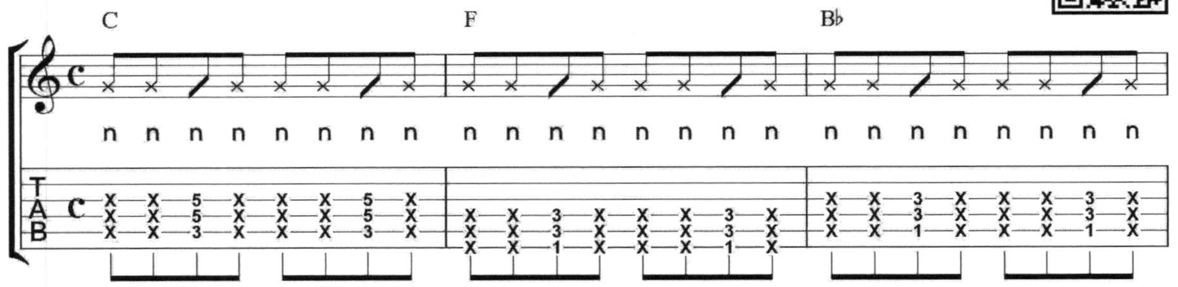

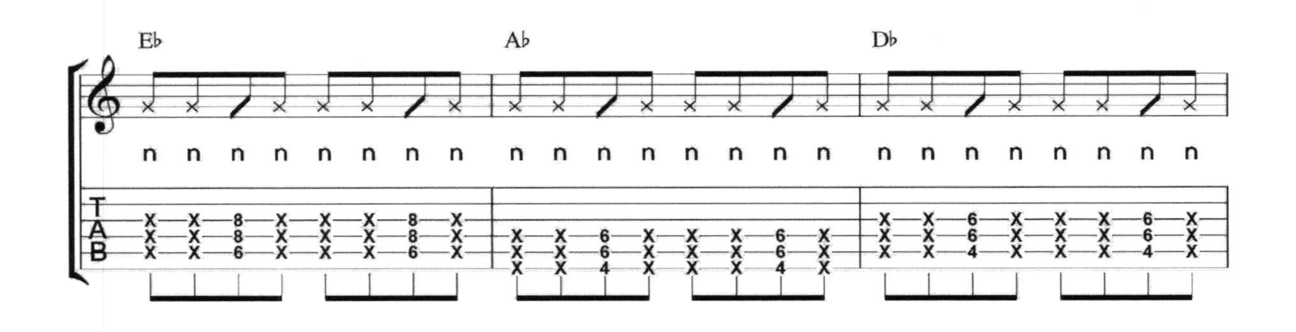

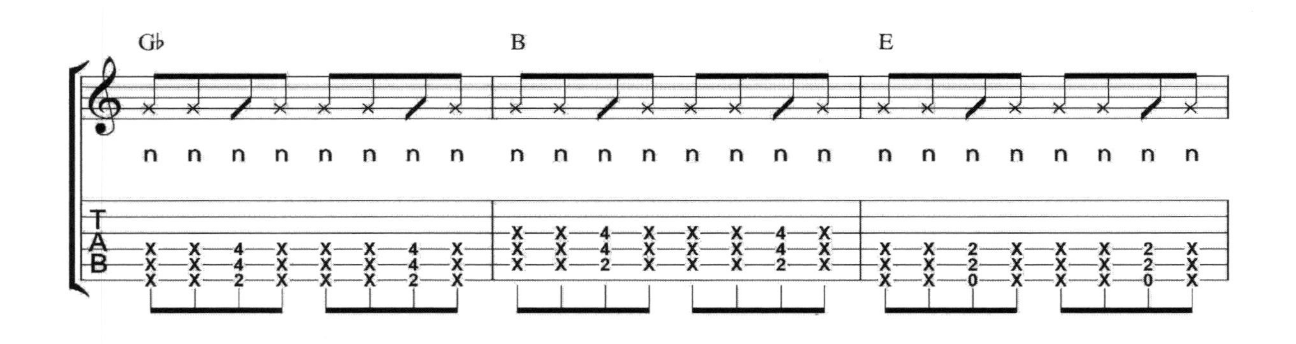

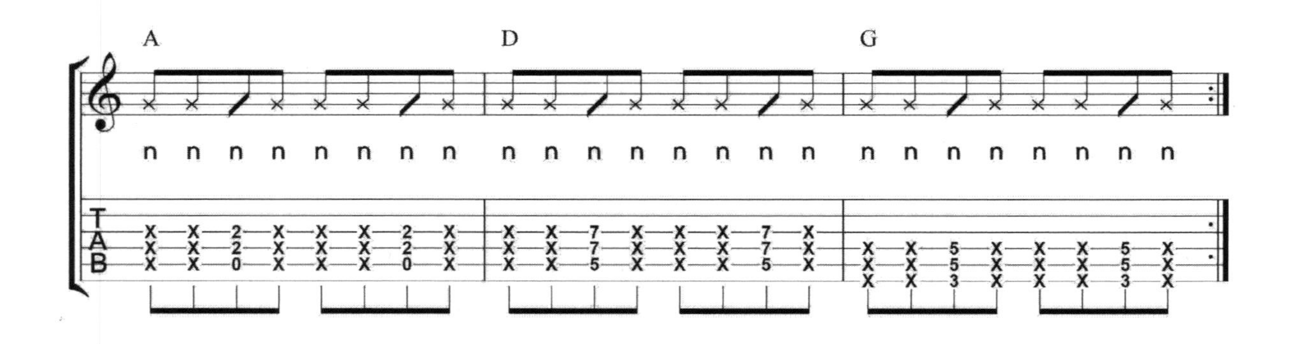

Step2-5-3 ③번 패턴을 4도권 코드 진행으로 연습하기

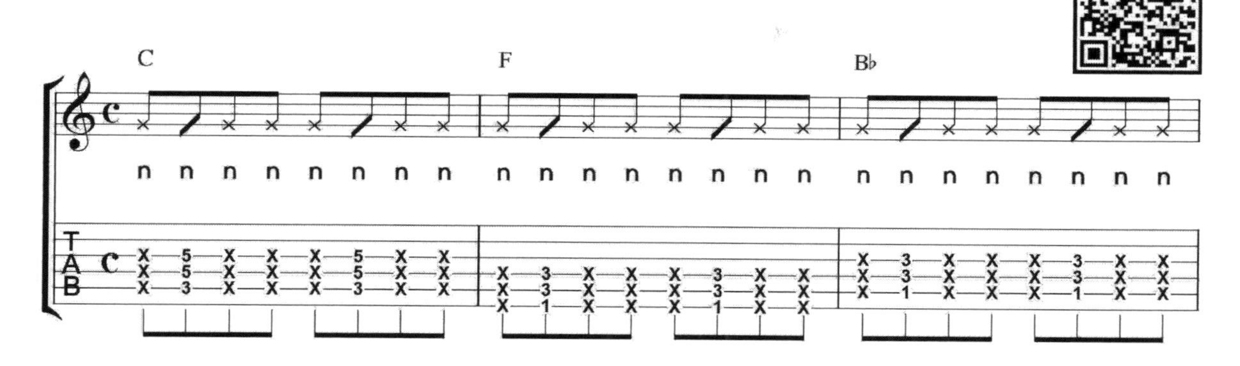

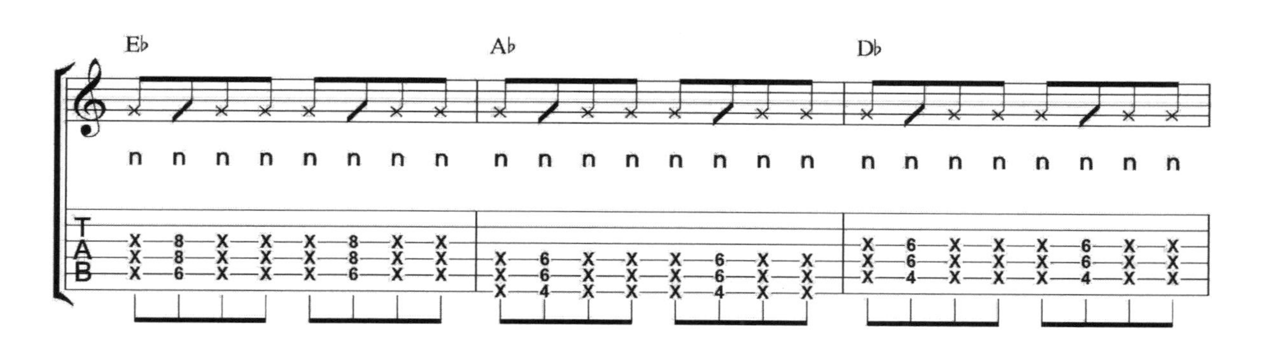

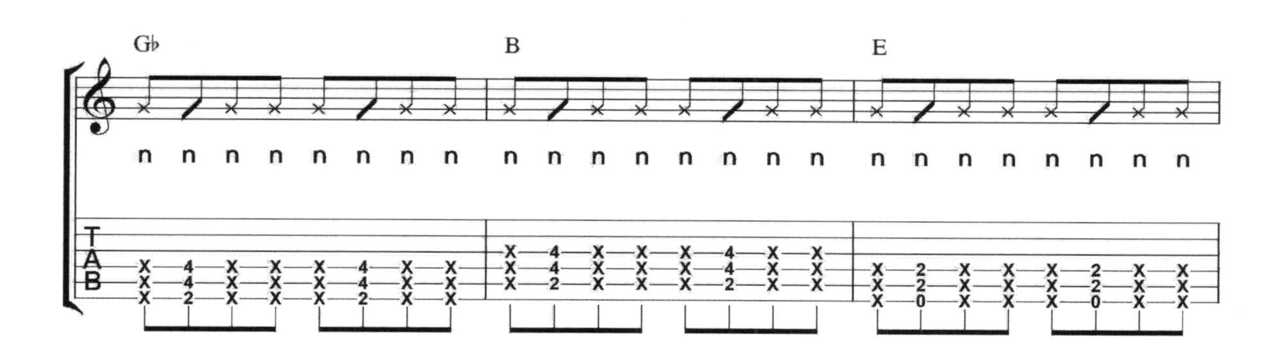

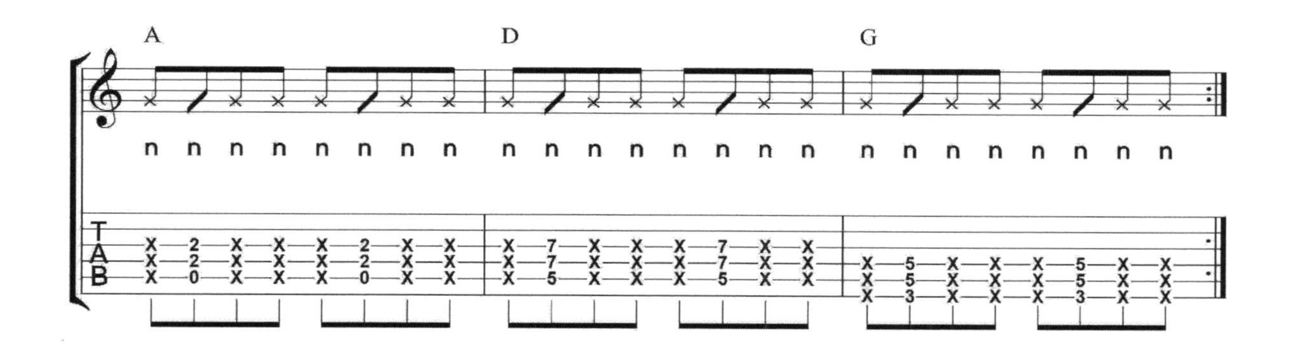

Step2-5-4 ④번 패턴을 4도권 코드 진행으로 연습하기

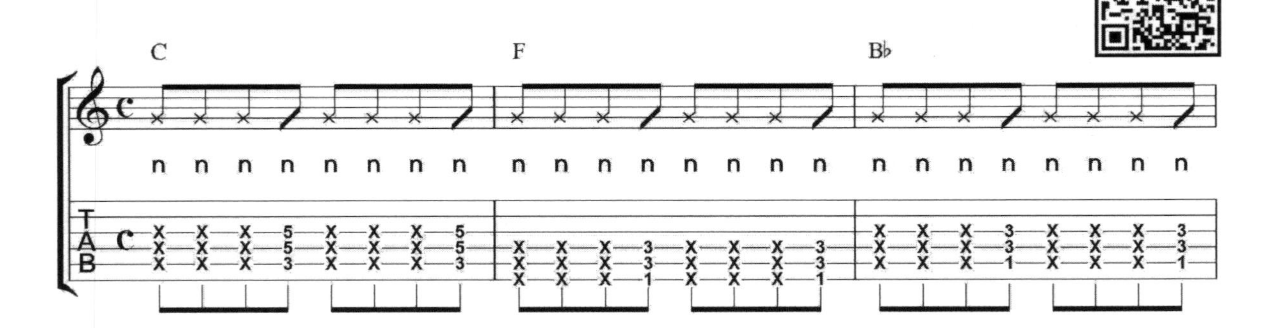

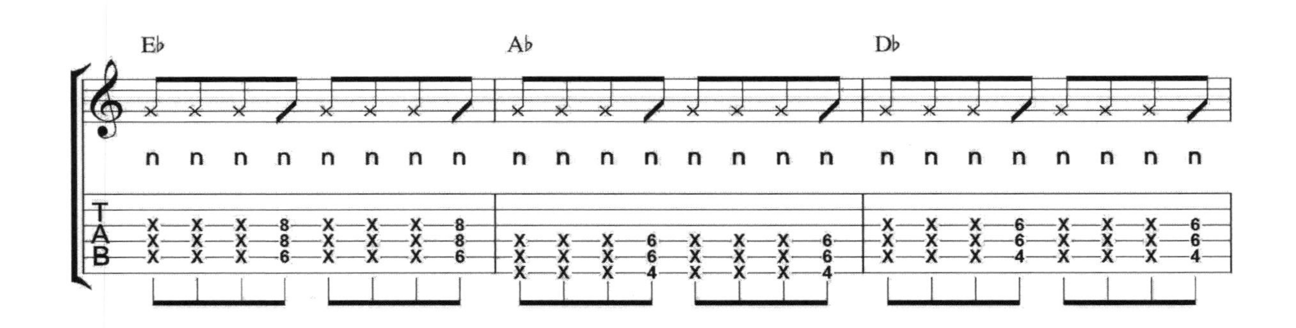

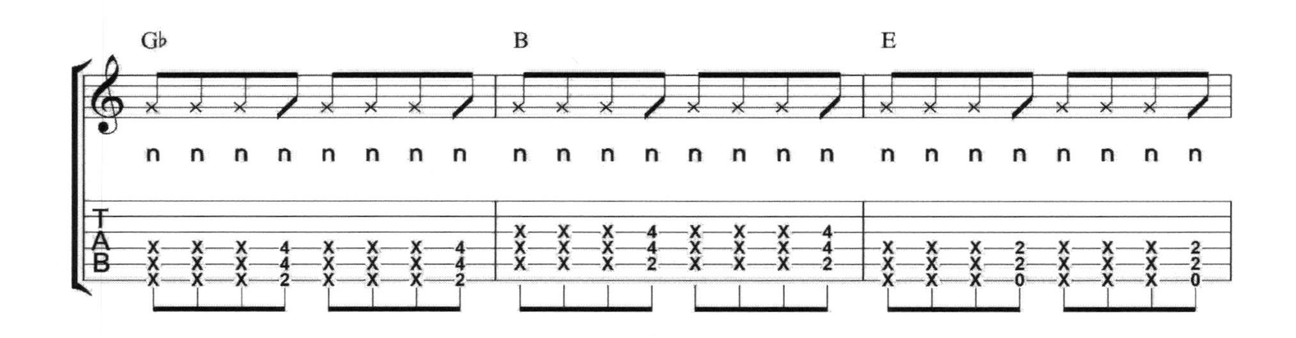

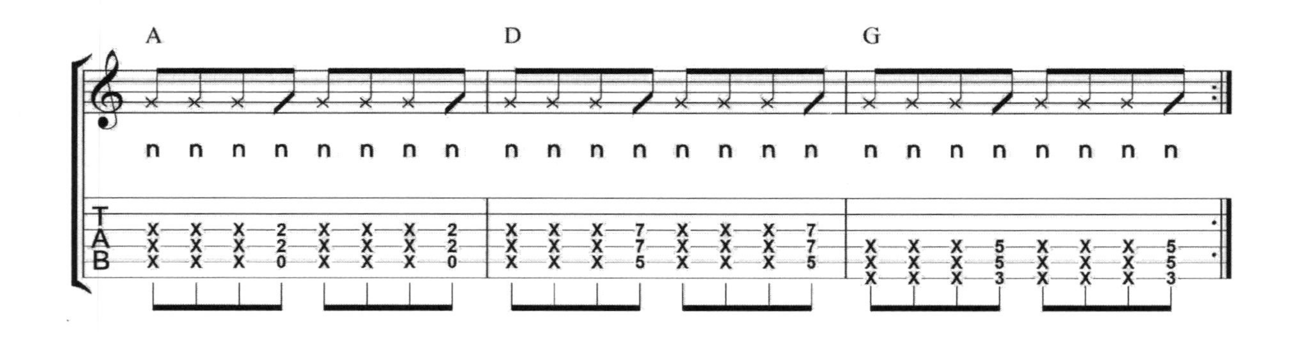

Step6. 8비트 응용 리듬 연습하기

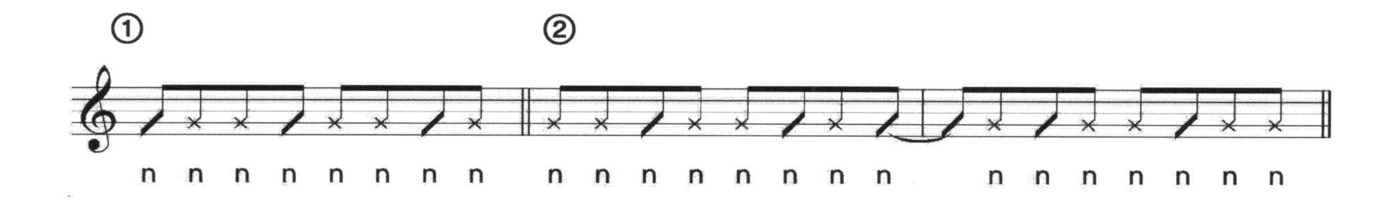

Step2-6-1 응용 리듬 패턴 ①번을 4도권 코드 진행으로 연습하기

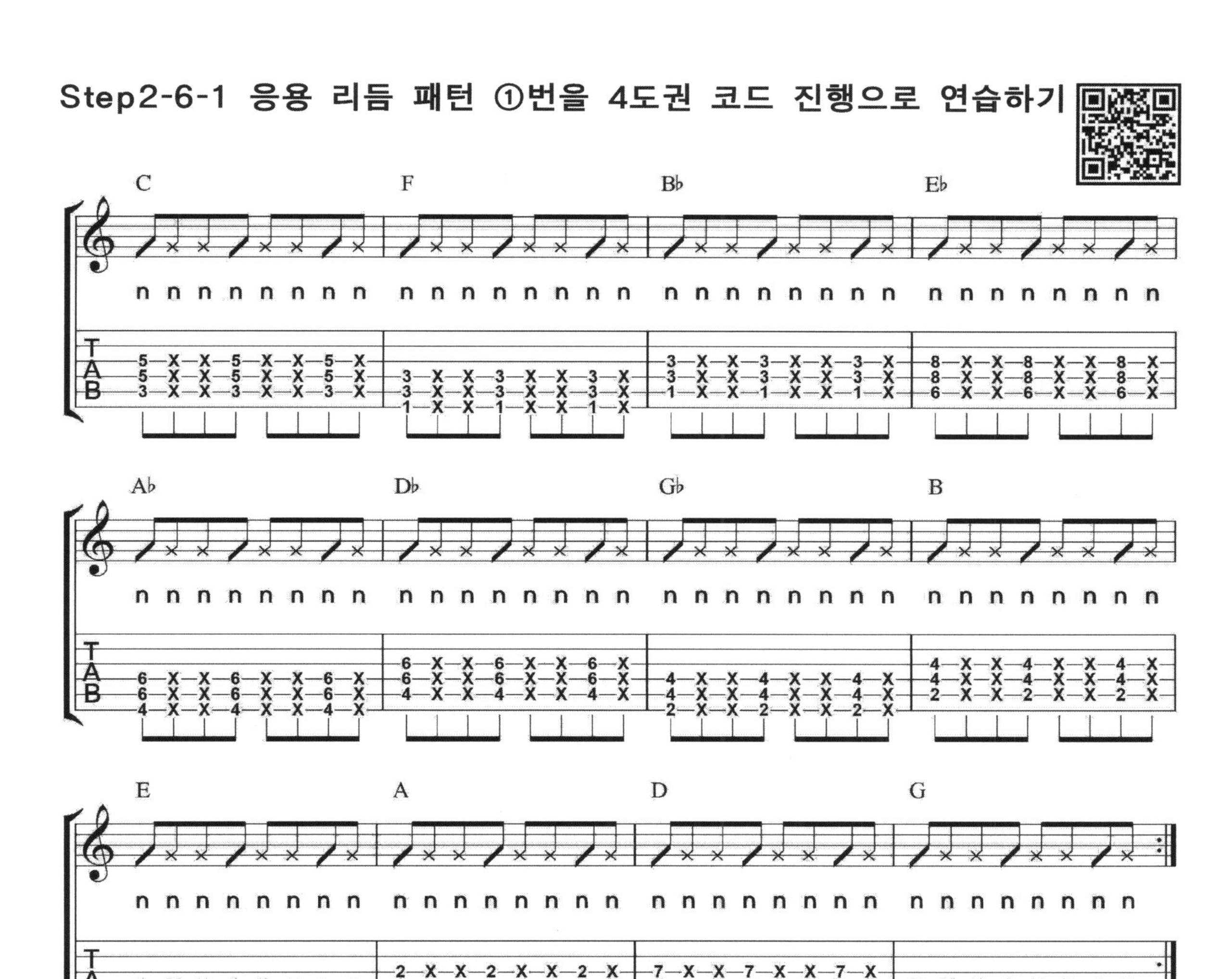

Step2-6-2 ①번을 C메이저 코드 진행으로 저음역 대 연습하기

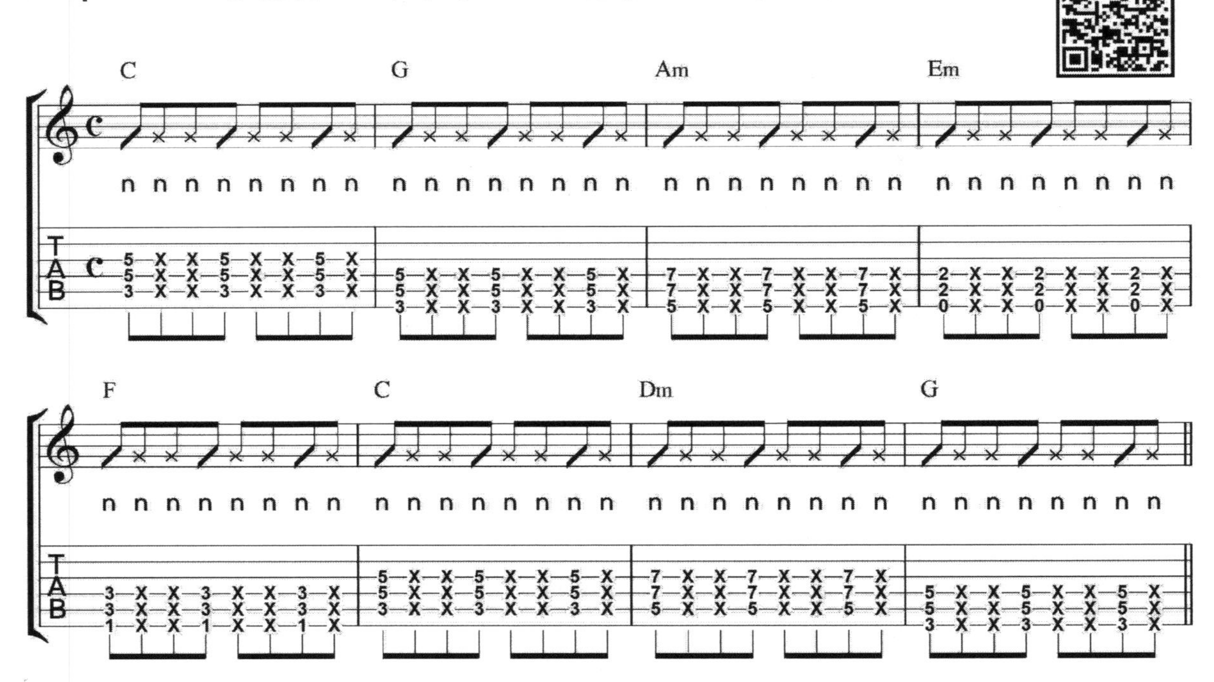

Step2-6-3 ①번을 C메이저 코드 진행으로 중음역 대 연습하기

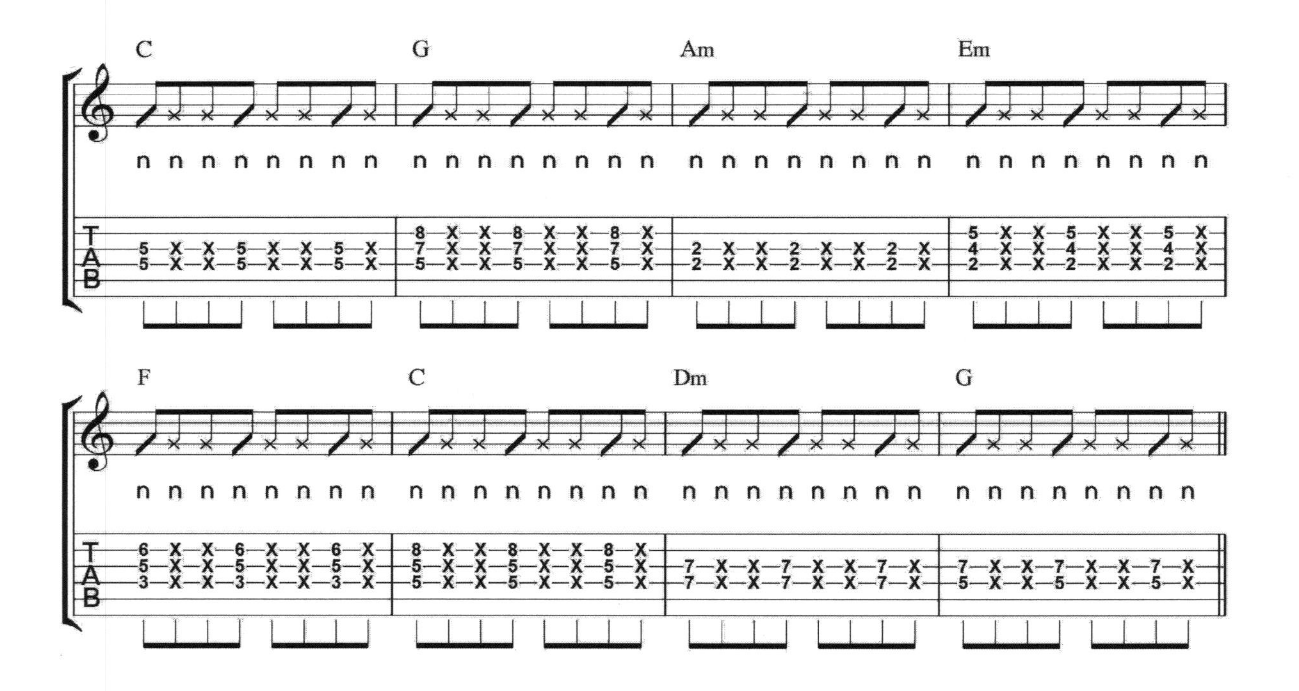

Step2-6-4 ①번을 C메이저 코드 진행으로 고음역 대 연습하기

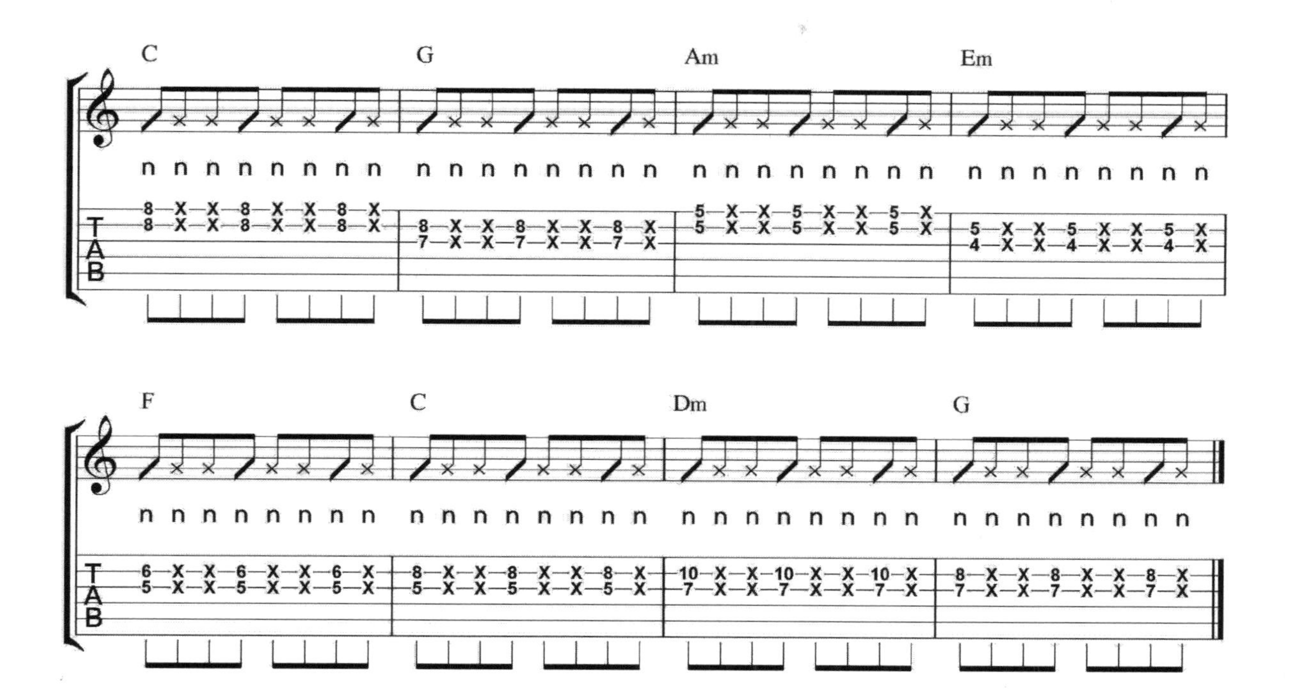

Step2-6-5 응용 리듬 ②번 패턴 저음역 대 연습하기

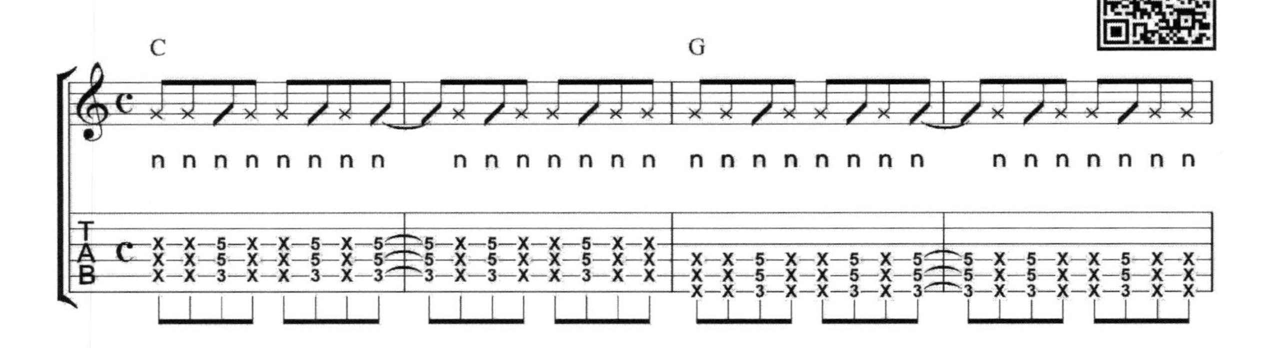

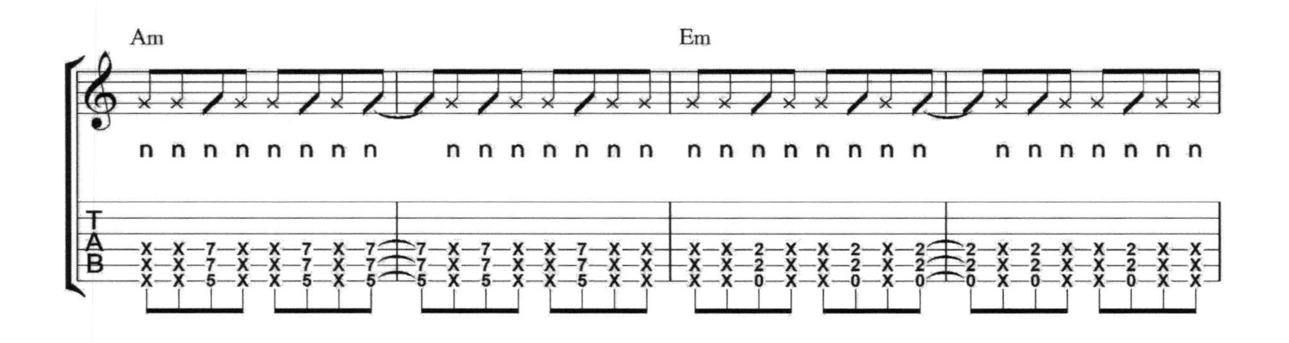

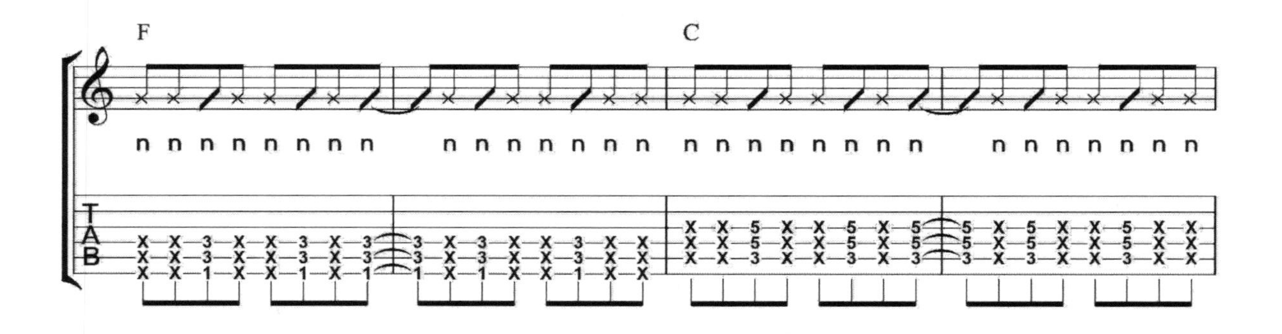

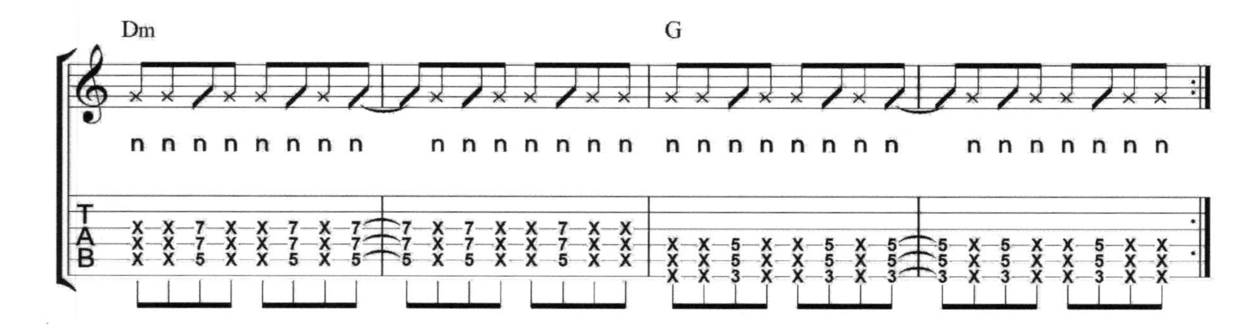

Step2-6-6 응용 리듬 ②번 패턴으로 중음역 대 연습하기

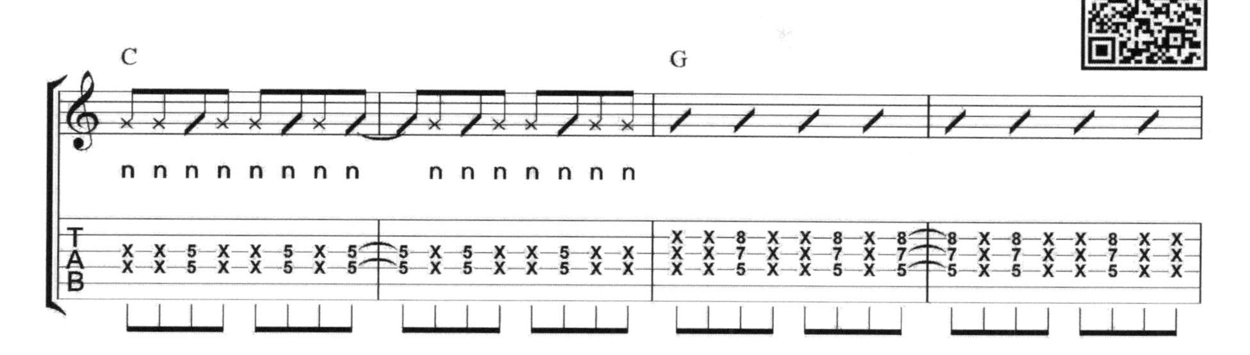

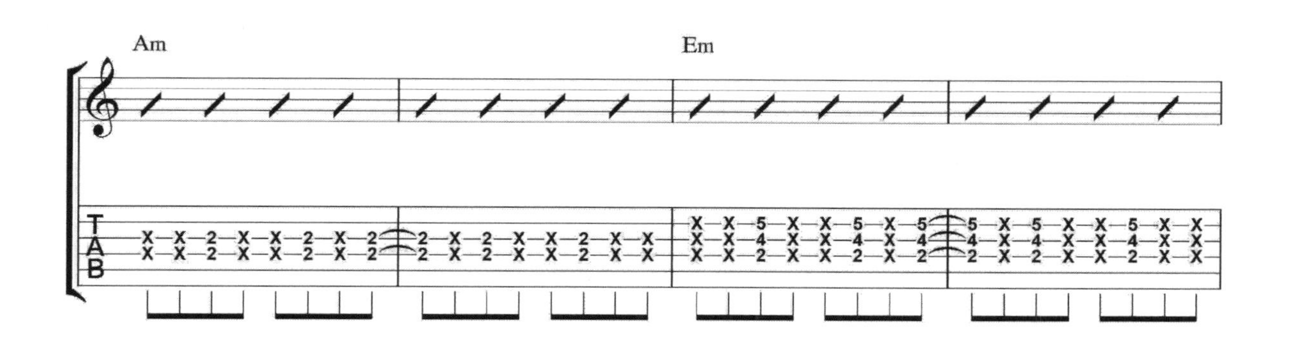

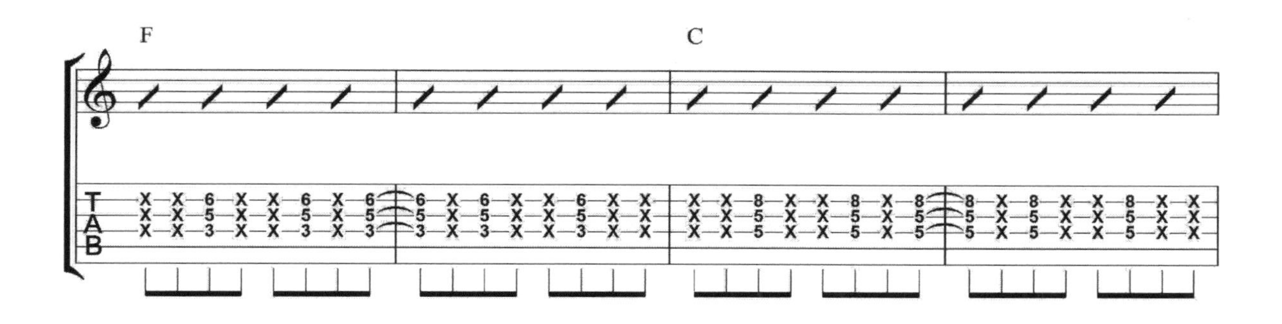

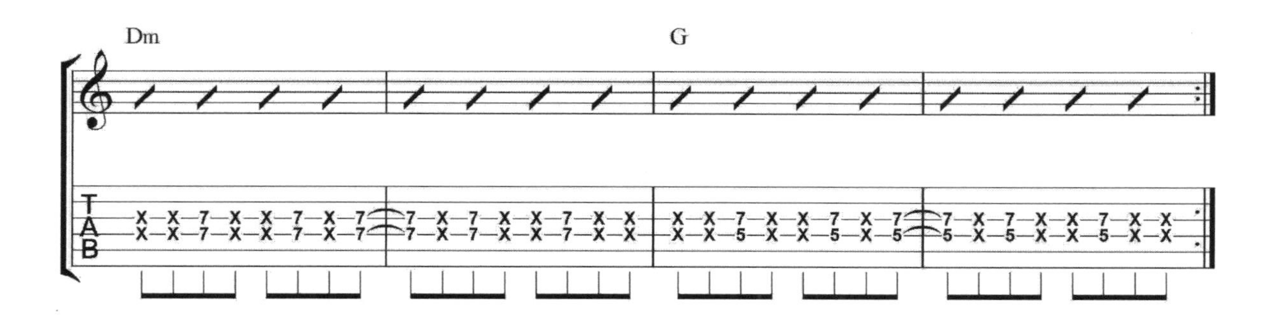

Step2-6-7 응용 리듬 ②번 패턴으로 고음역 대 연습하기

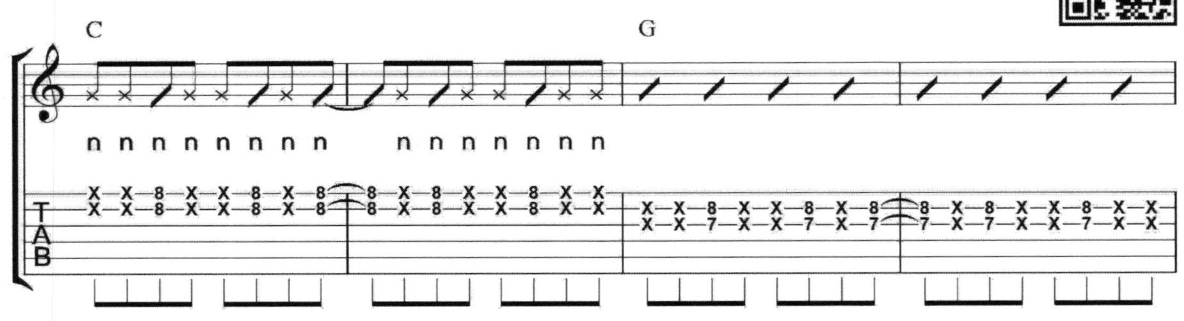

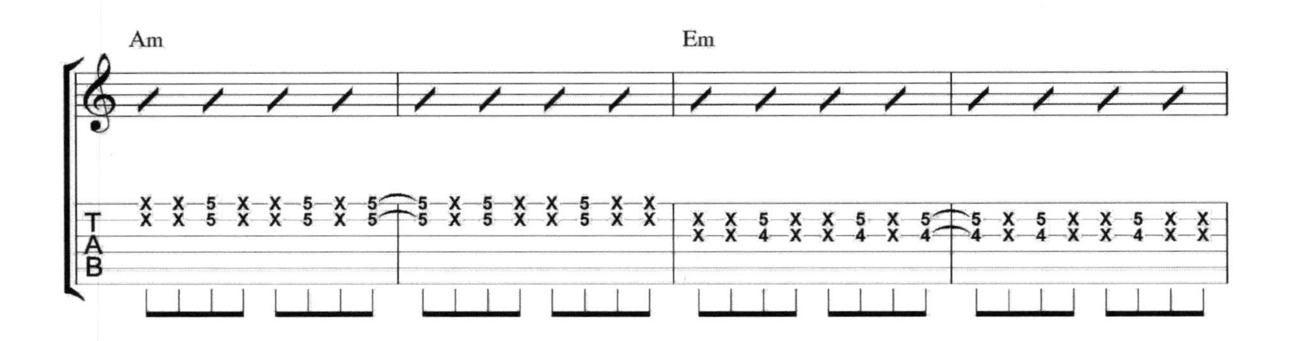

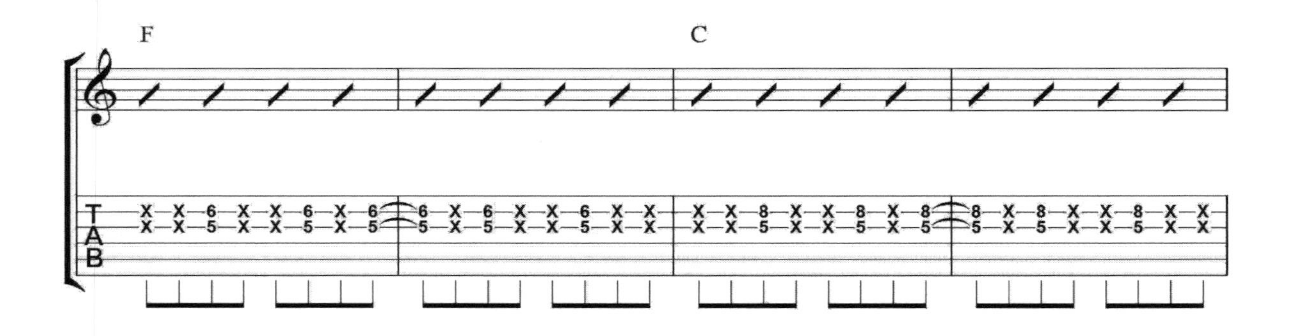

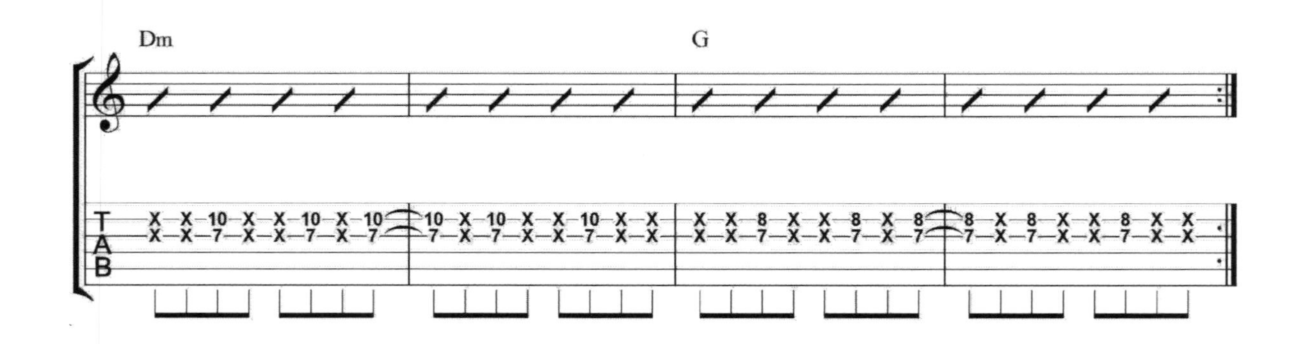

Step7. 줄 건너 피킹 연습하기

줄 건너 피킹이란 파워코드 모양에서 한 줄씩 연주하는 방식이다.
피킹은 다운 피킹으로만 연주하며 뮤트 주법을 섞어서 연주한다.

Step2-7-1 줄 건너 피킹 패턴.

아래 ①②③④번 리듬 패턴들은 메이저(Major) 코드와 마이너(Minor) 코드가 나와도 상관없이 같은 연주 패턴으로 사용할 수 있다. 아래 리듬 패턴을 토대로 연습해 보자. (피킹은 다운 피킹으로만 연주해 보자.)

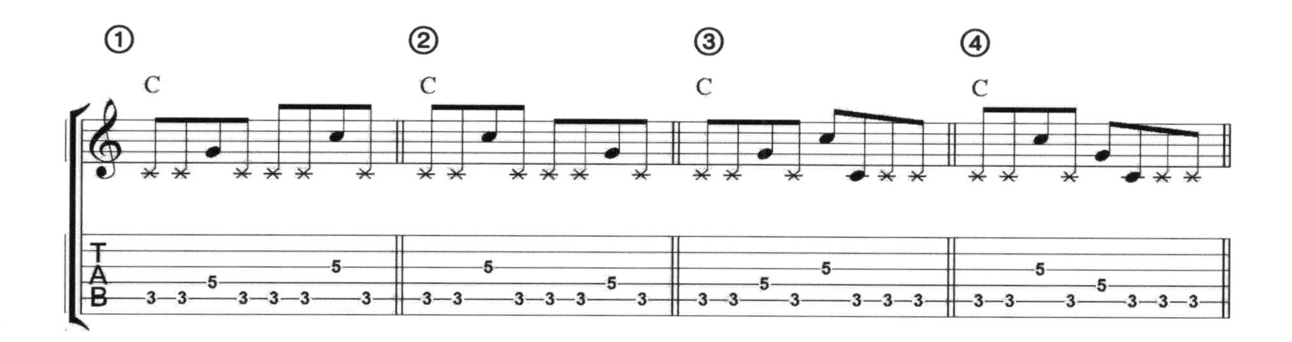

Step2-7-2 ①번 패턴 연습하기. (1151, 1181)

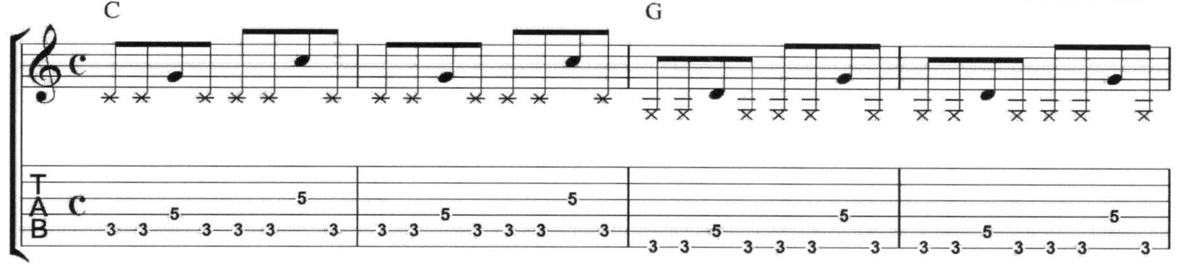

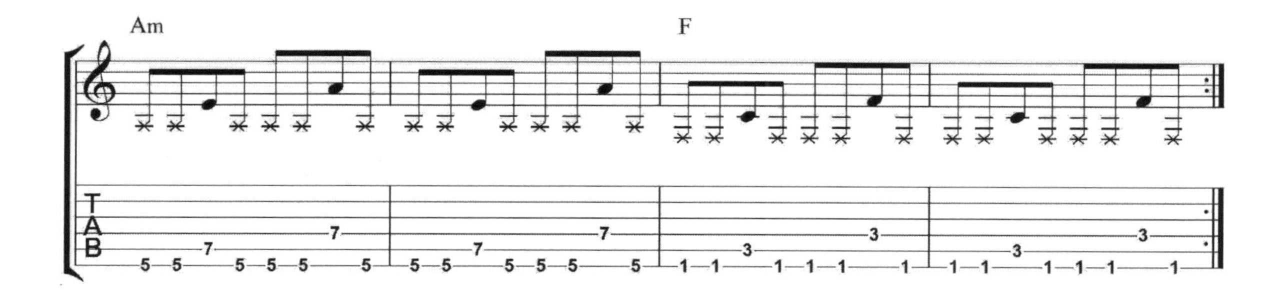

Step2-7-3 ②번 패턴 연습하기. (1181, 1151)

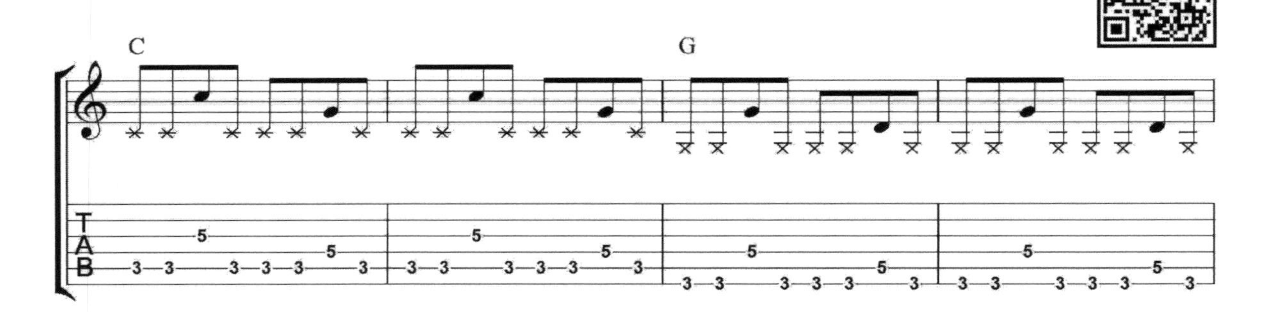

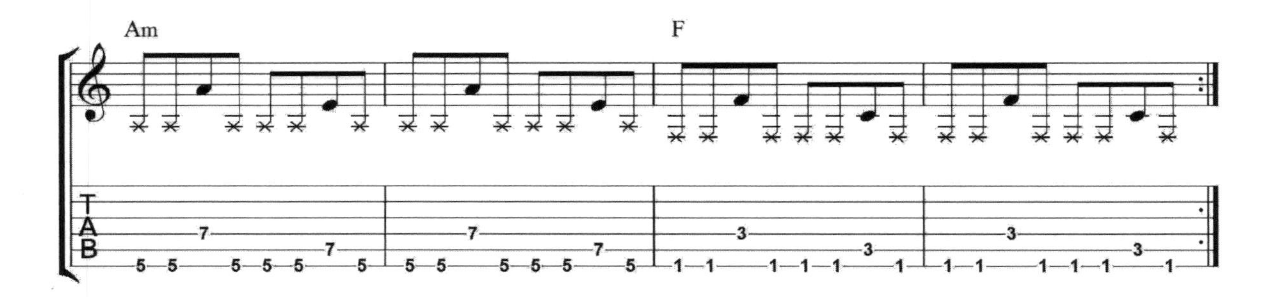

Step2-7-4 ③번 패턴 연습하기. (1151,8111)

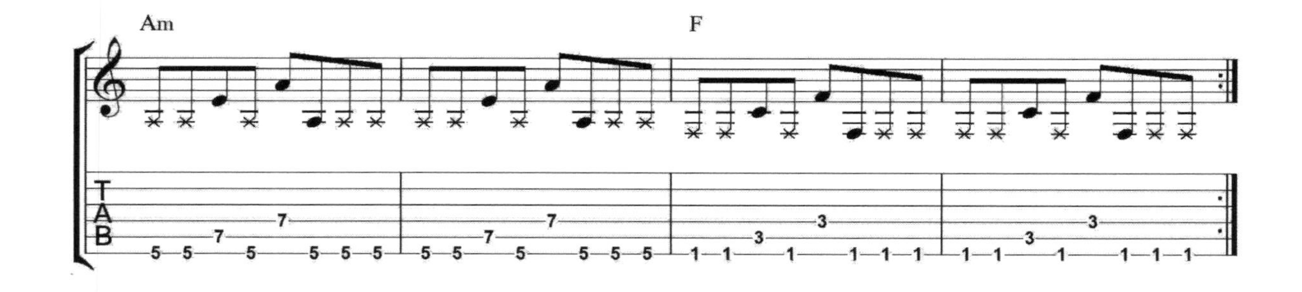

Step2-7-5 ④번 패턴 연습하기. (1181,5111)

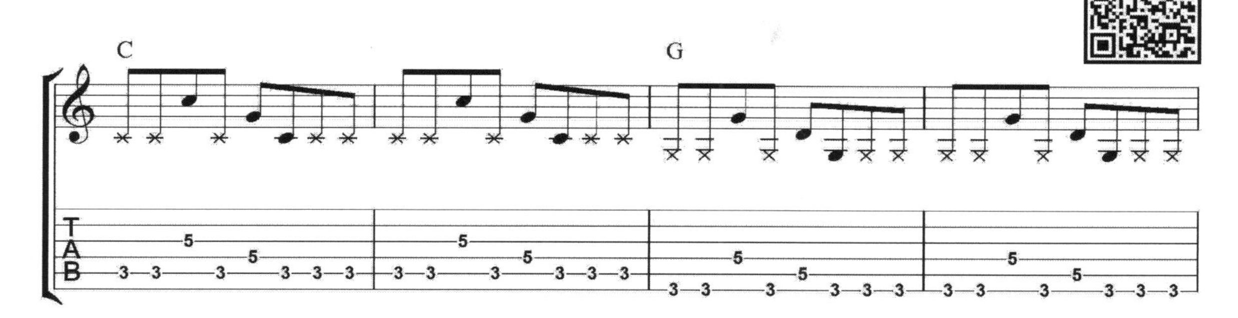

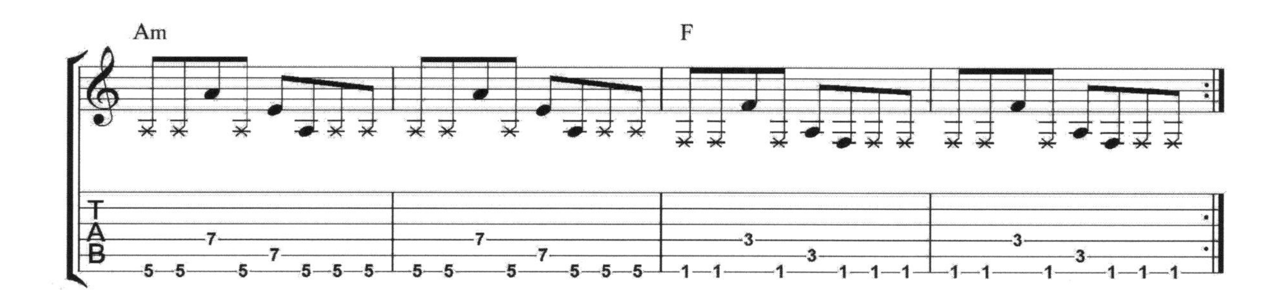

Step2-7-6 당긴음 연습하기

엔티시페이션(anticipation)이라고도 하며 리듬의 강세가 있는 음표를 반 박자 당겨서 연주하는 방식을 말하고 음표는 보통 8분음표 또는 16분음표로 연주하는 방식을 말한다.

아래 ①,②번 2마디 패턴을 연습하고 C메이저 코드 진행으로 연주해 보자.

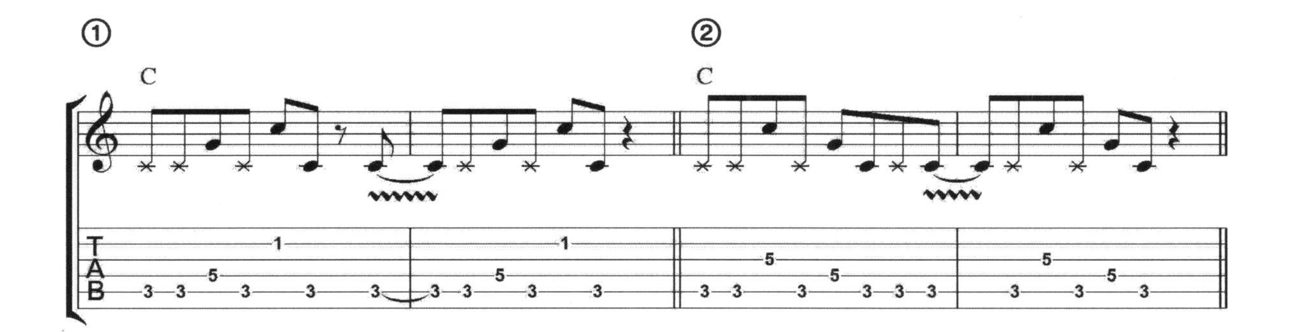

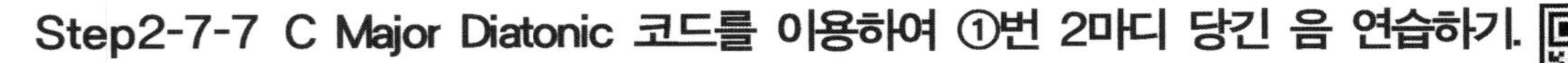

Step2-7-7 C Major Diatonic 코드를 이용하여 ①번 2마디 당긴 음 연습하기.

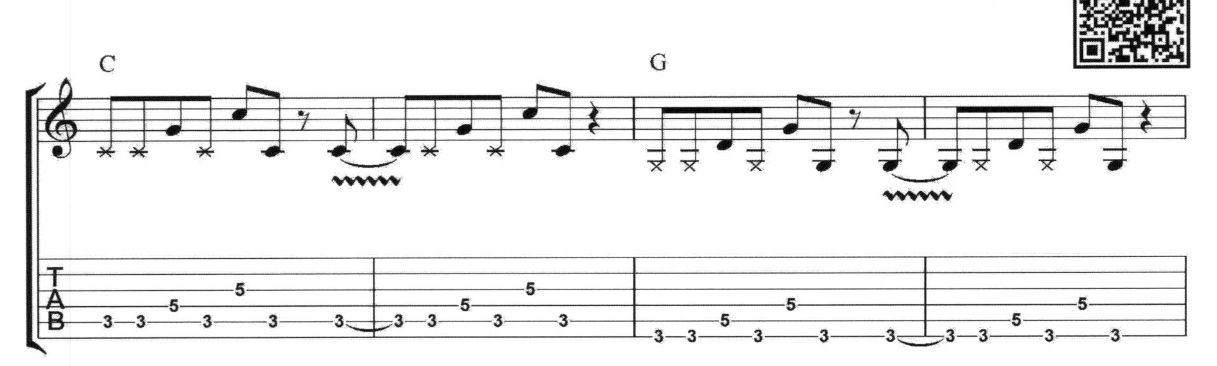

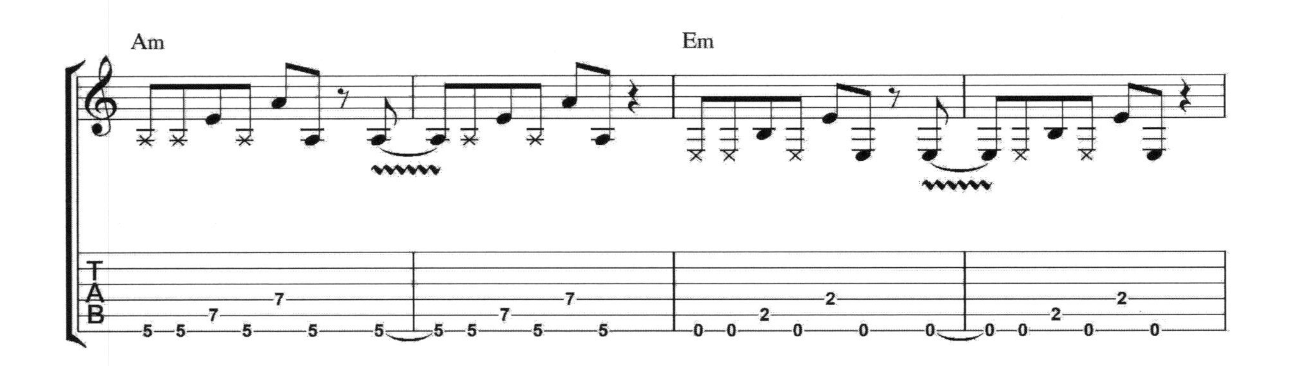

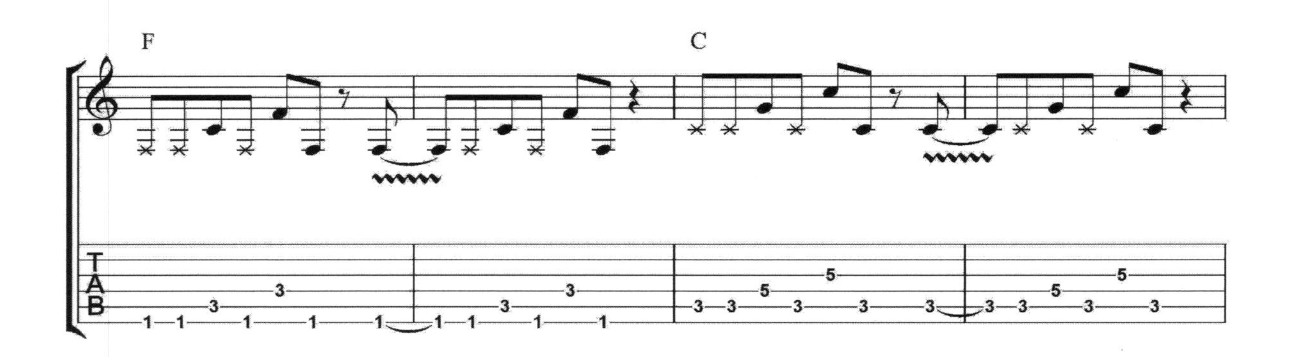

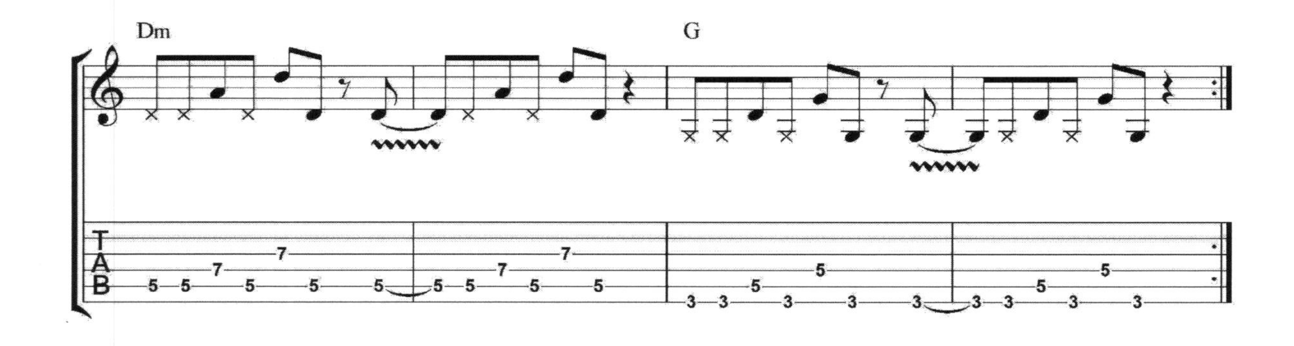

Step2-7-8 C Major Diatonic 코드를 이용하여 ②번 2마디 당긴 음 연습하기.

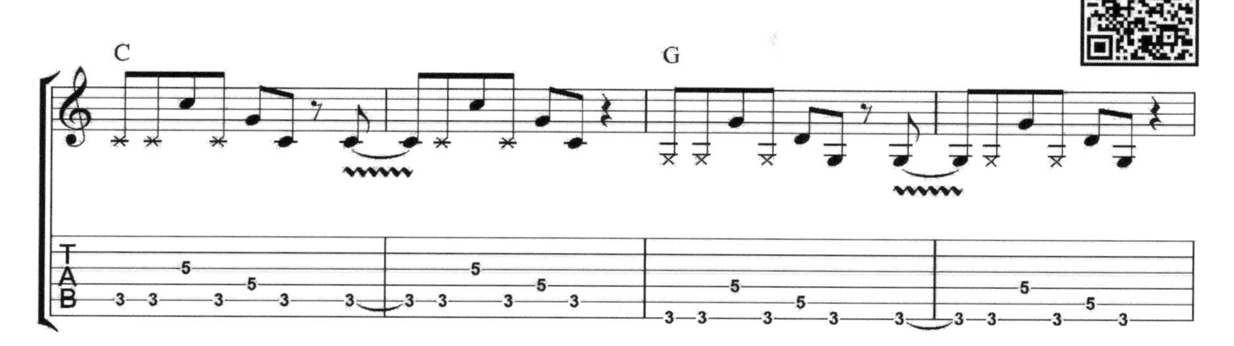
C
G

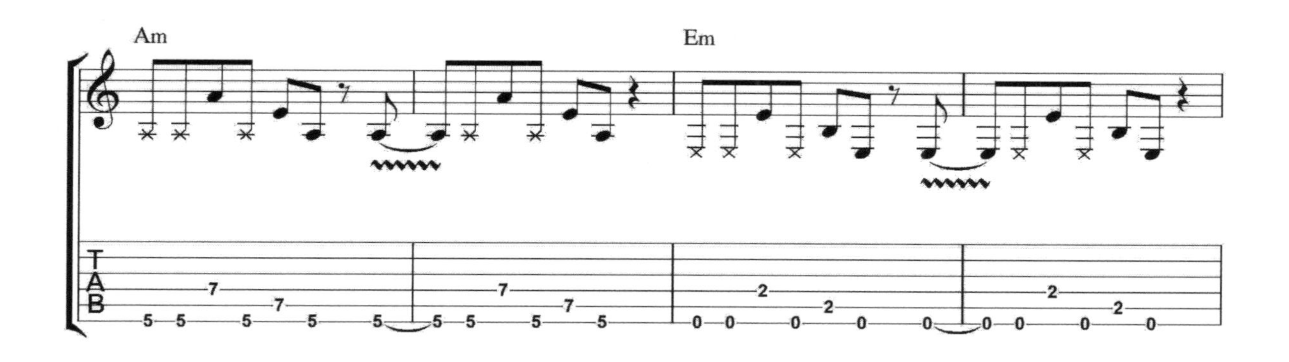
Am
Em

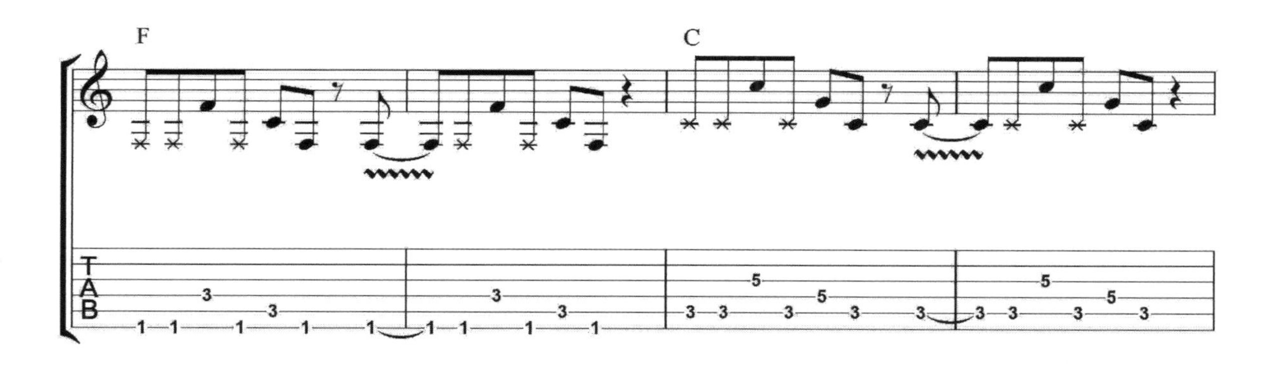
F
C

Dm
G

Step2-7-9 C Major Diatonic 코드를 이용하여 ①번 1마디 당긴 음 연습하기.

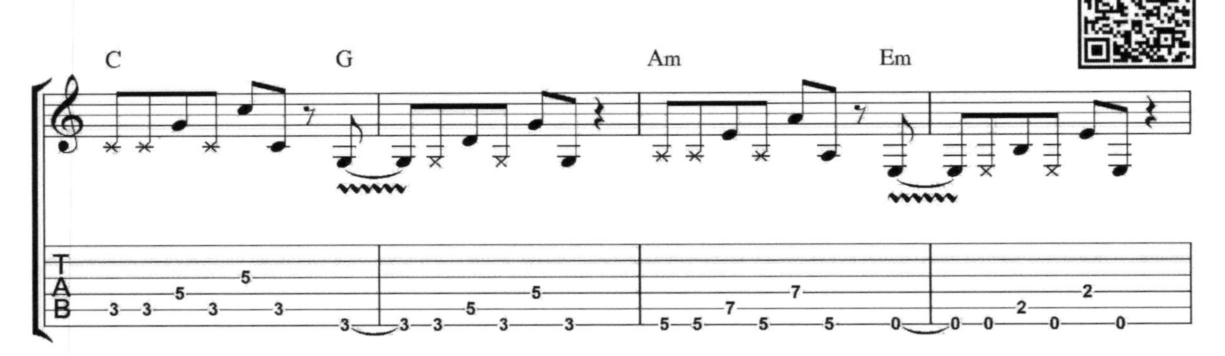

Step2-7-10 C Major Diatonic 코드를 이용하여 ②번 1마디 당긴 음 연습하기.

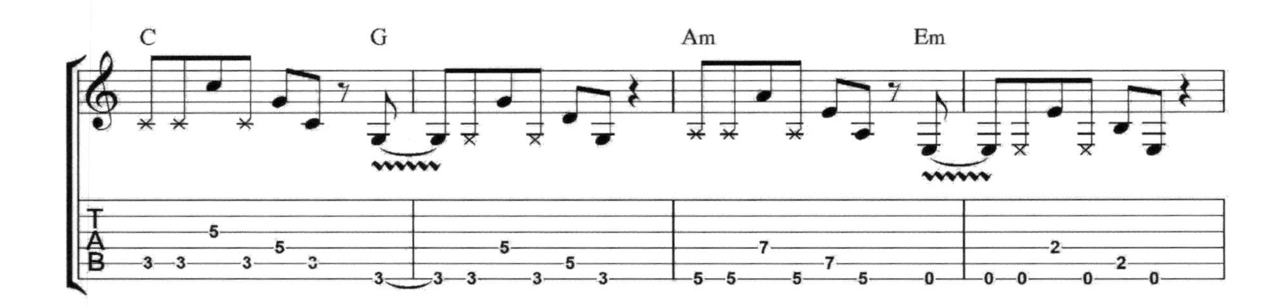

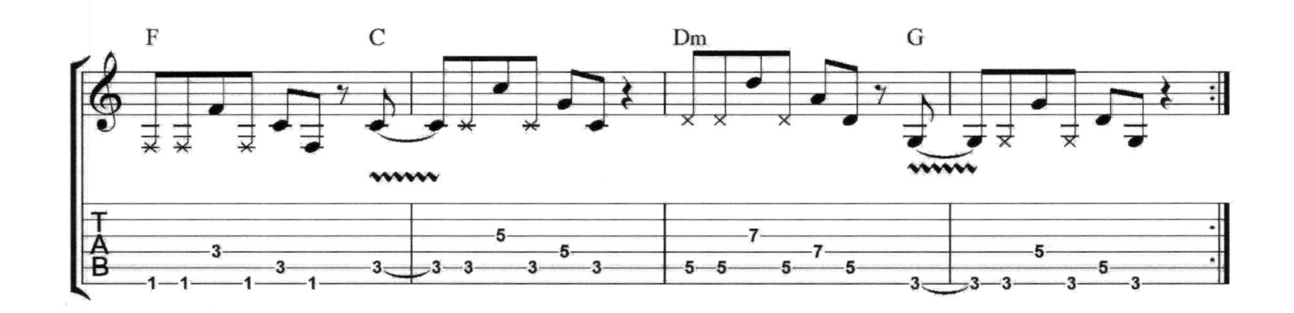

Step8. Major7^{th}과 7^{th}코드의 차이

메이저7^{th}(Major7^{th})은 7^{th}화음에서 '장7도' 음정[11]이 들어간 코드이고 7^{th}화음은 단7도 음정이 들어간 코드이다. 다음의 아래 악보를 참고하여 파워코드에서 Major7^{th} 코드와 7^{th}코드를 추가하면서 연주 해 보자.
아울러 헤머링온(H)과 플잉오프(P) 주법도 익혀보자.

Step2-8-1 Major7^{th}코드

① 1151 1178　② 1181 1178　③ 1151 1187　④1181 1187

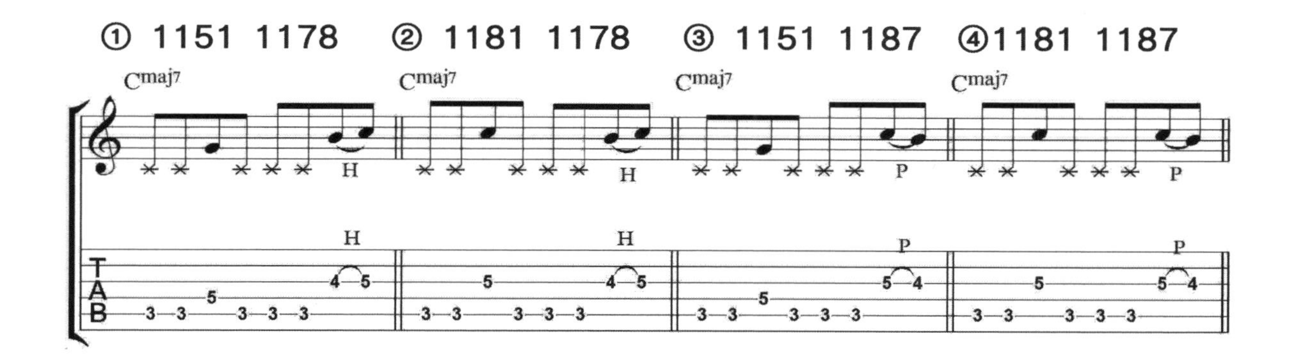

Step2-8-2 7^{th}코드

① 1151 11b78　②1181 11b78　③ 1151 118b7 ④1181 118b7

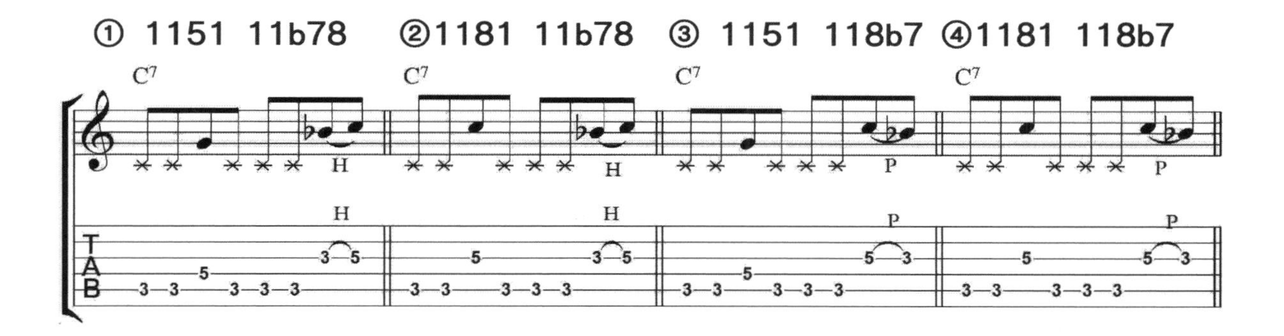

11) 장7도 음정은 'Step 3-6 장7도 음정'편에서 단7도 음정은 'Step 3-11 단7도=증6도 음정' 편에서 기타지판의 모양을 확인하면 된다.

Step2-8-3 Major7th코드와 7th코드 ① 번 1151,1178 패턴 연습하기

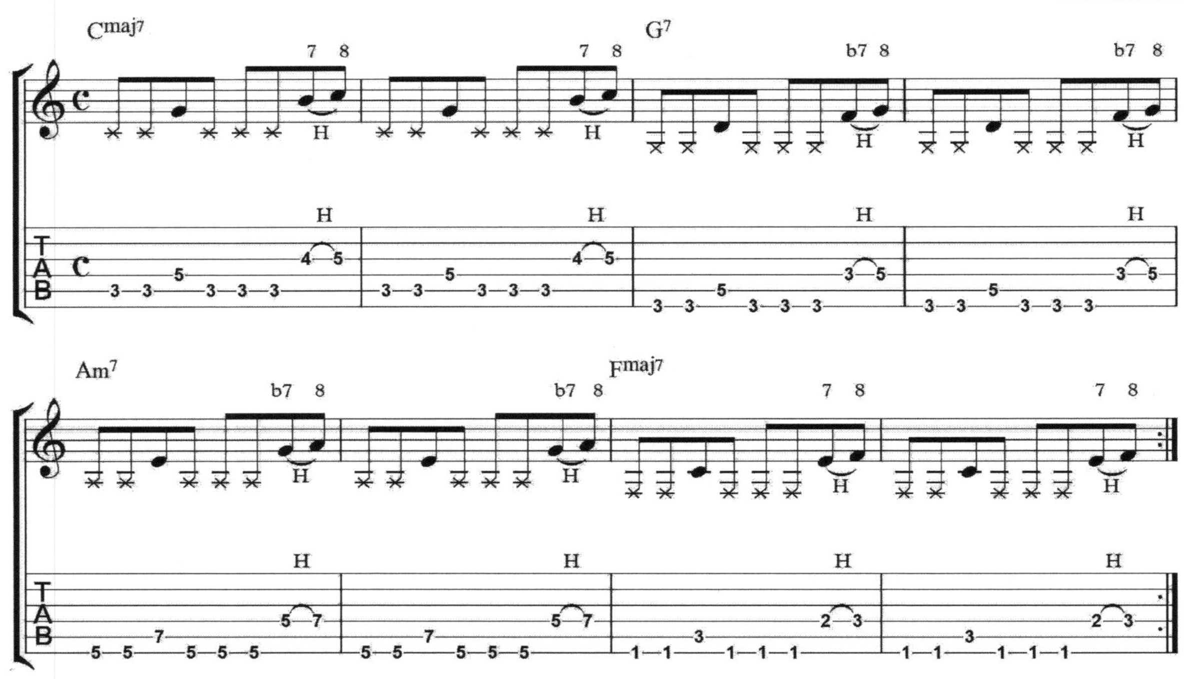

Step2-8-4 Major7th코드와 7th코드 ②번 1181,1178 패턴 연습하기

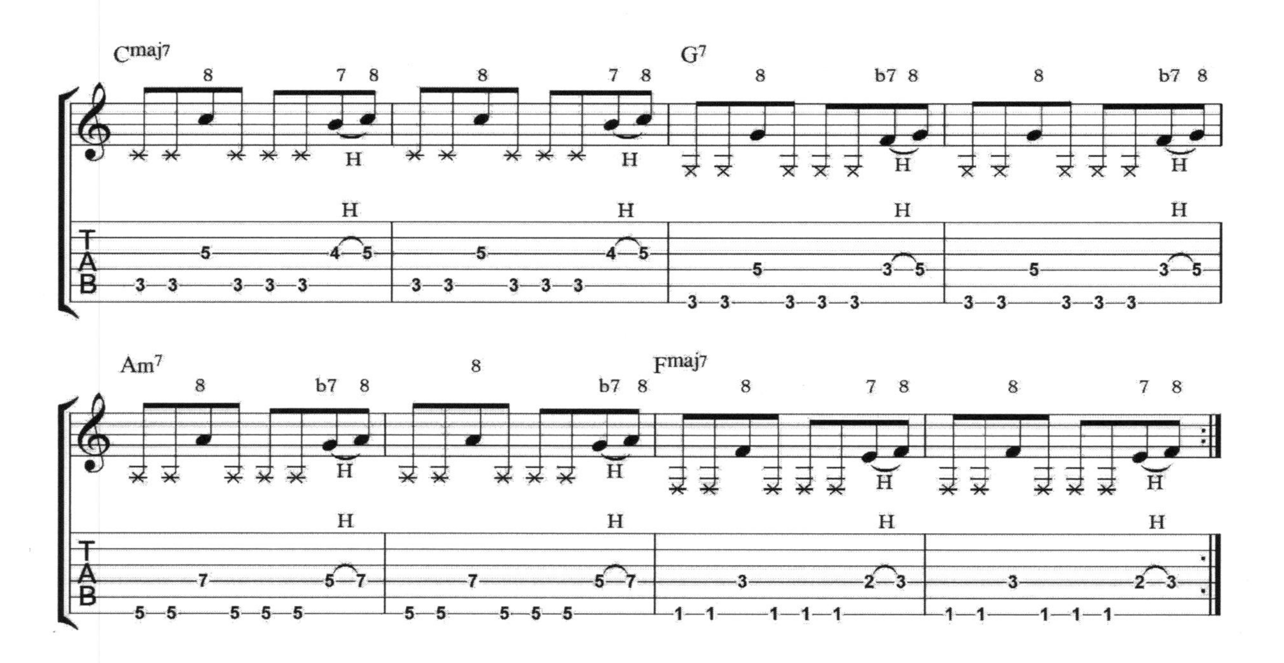

Step2-8-5 Major7th코드와 7th코드 ③번 1151,1187 패턴 연습하기

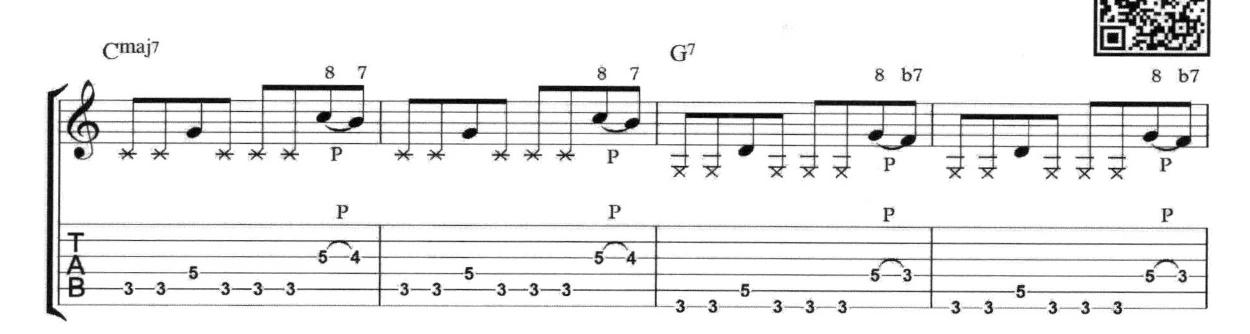

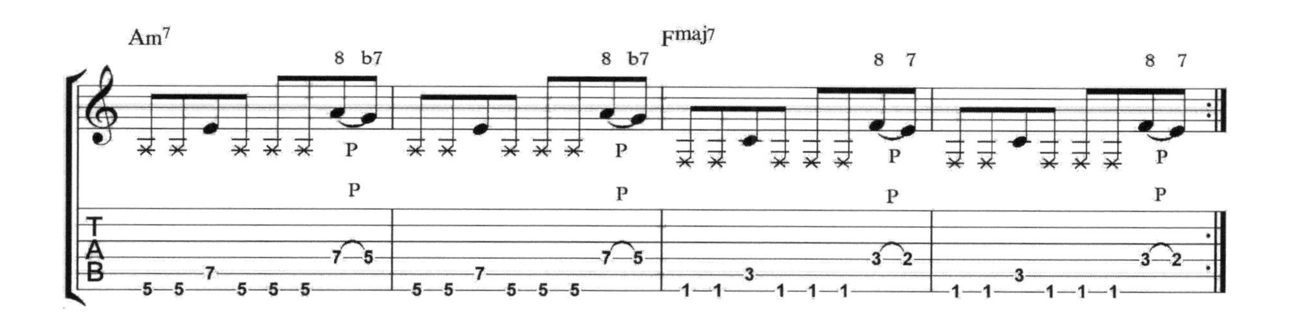

Step2-8-6 Major7th코드와 7th코드 ④번 1181,1187 패턴 연습하기

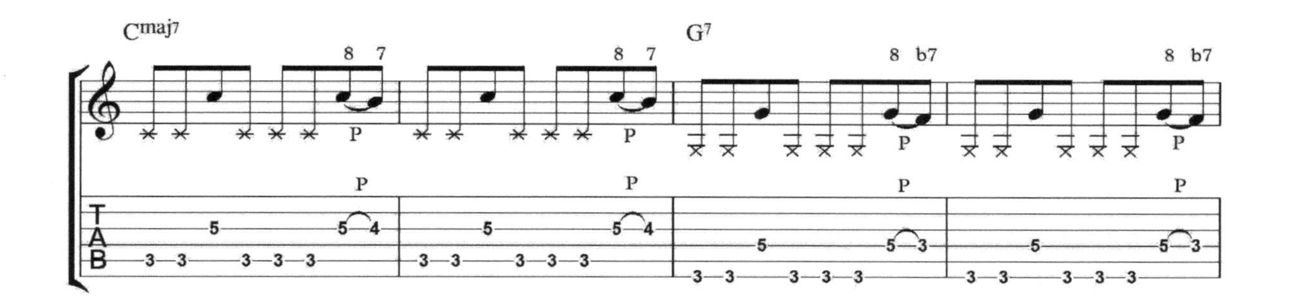

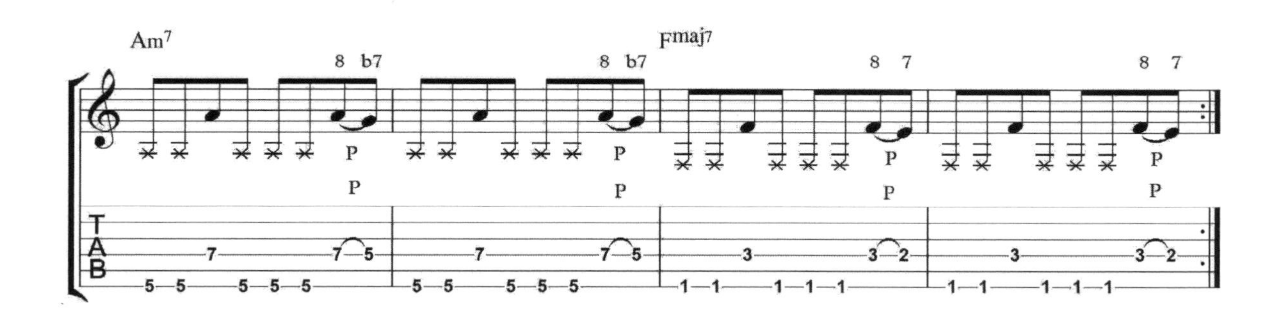

Step2-8-7 1578, 8751 패턴 연습하기

①1578 패턴

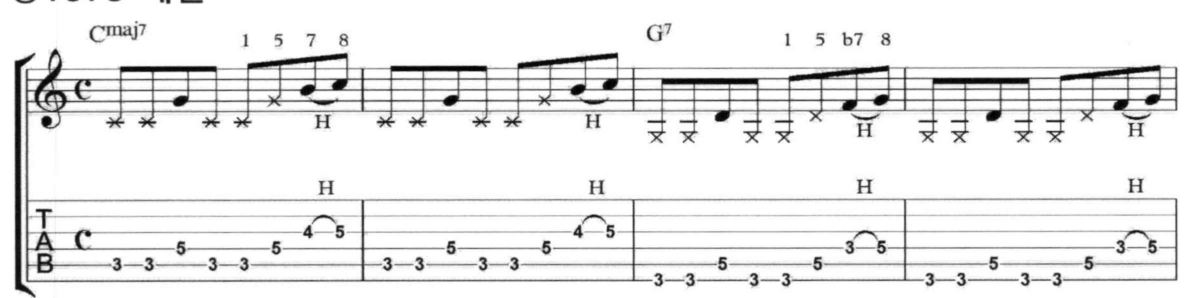

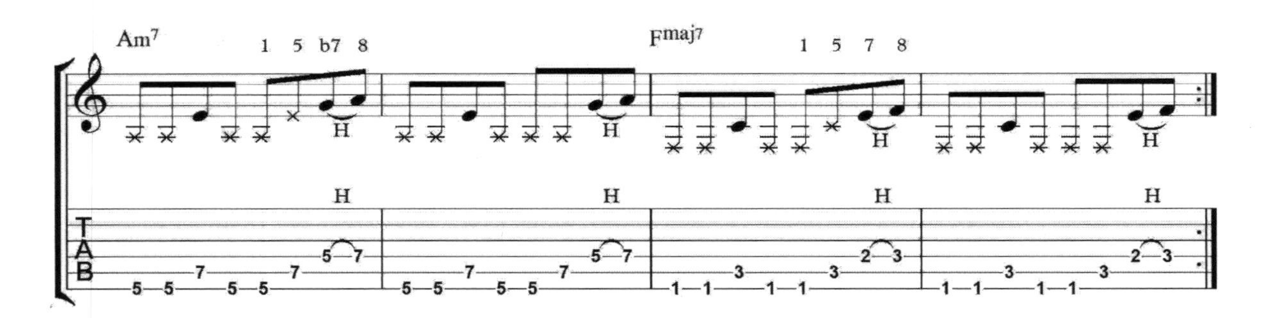

② 8751 패턴

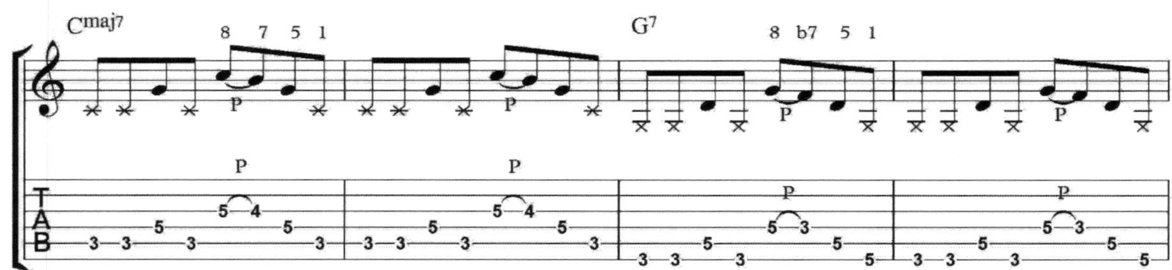

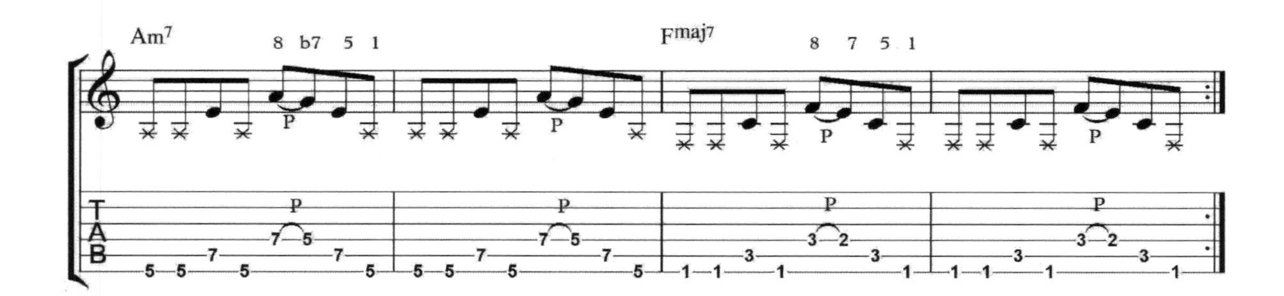

Step2-8-8 8578, 7851 패턴 연습하기

① 1151 8578 패턴

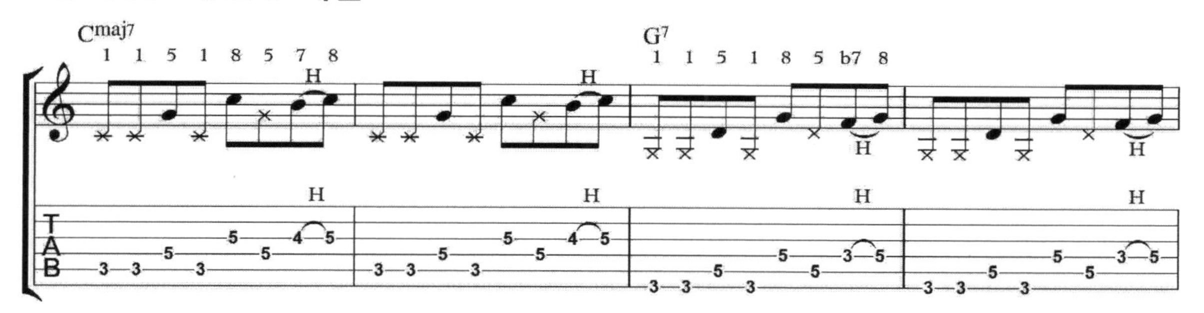

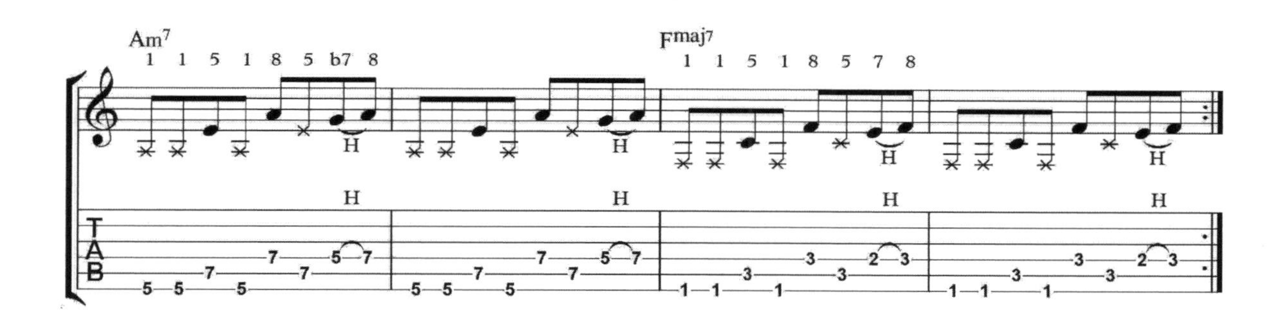

② 1181 8578 패턴

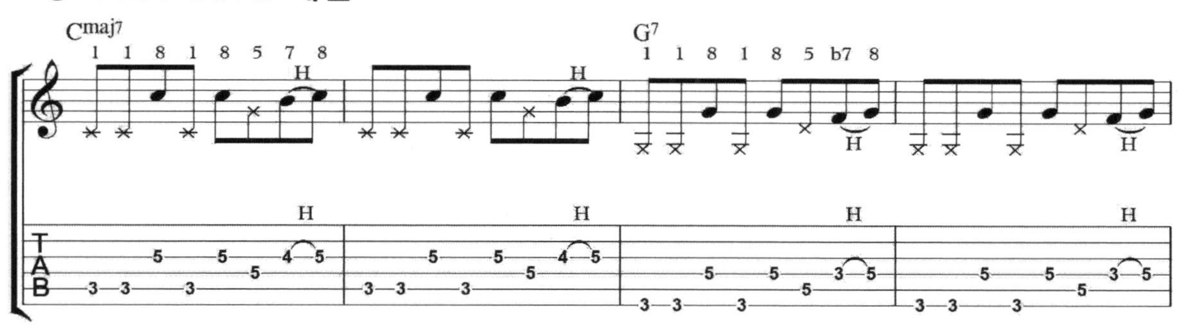

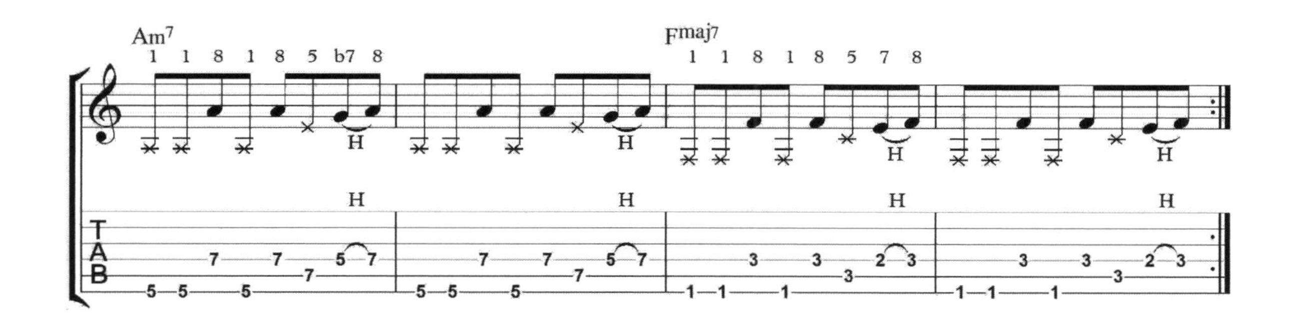

③ 1151 7851 패턴

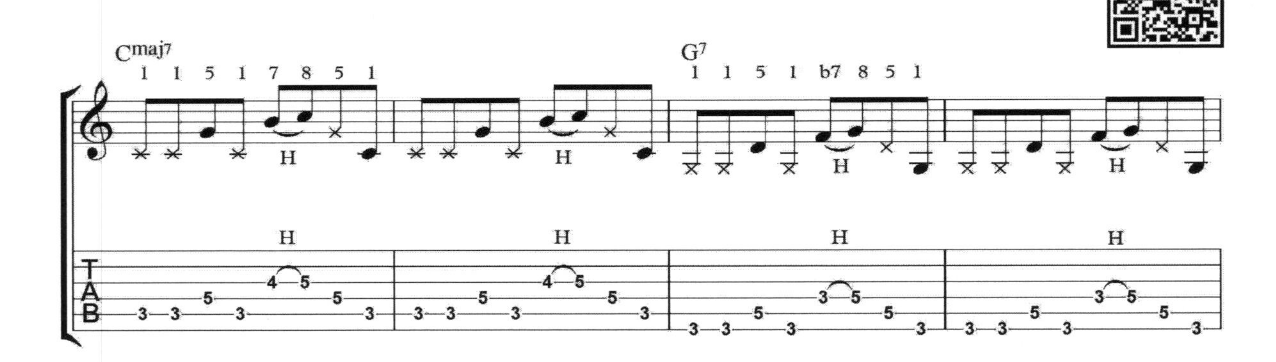

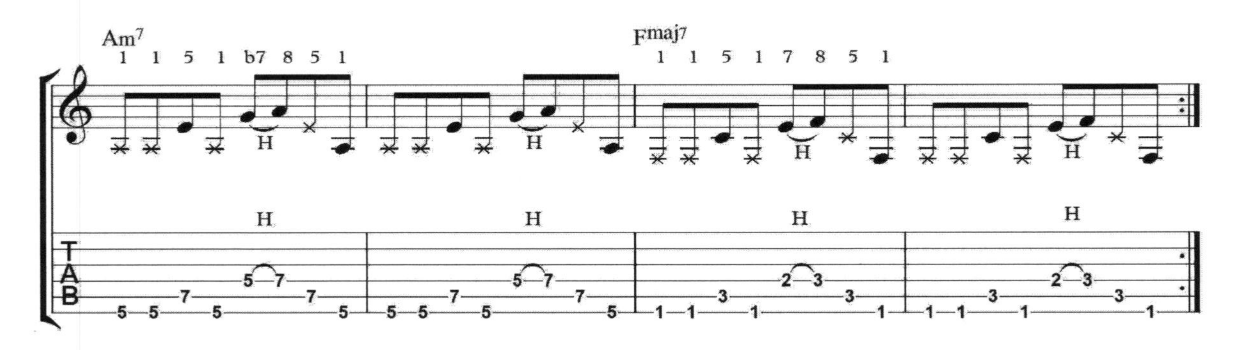

④ 1181 7851 패턴

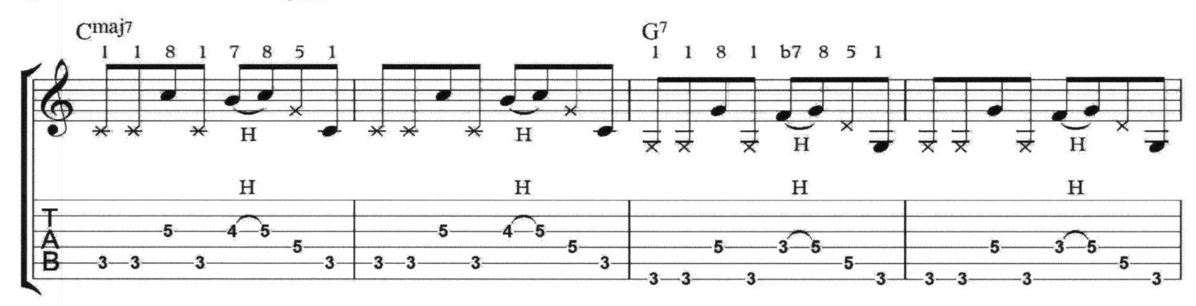

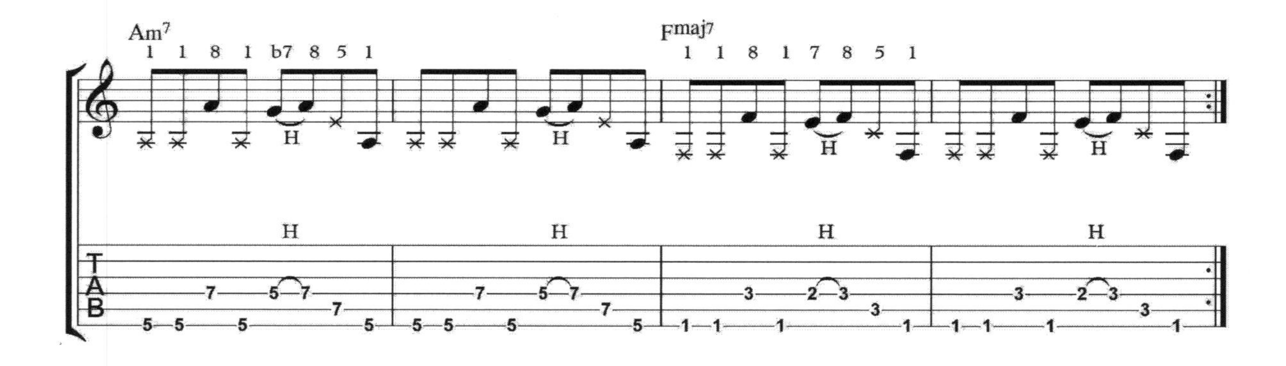

Step2-8-9 당긴 음을 이용해서 배운 패턴 응용해 보기.

① 당긴 음 응용패턴

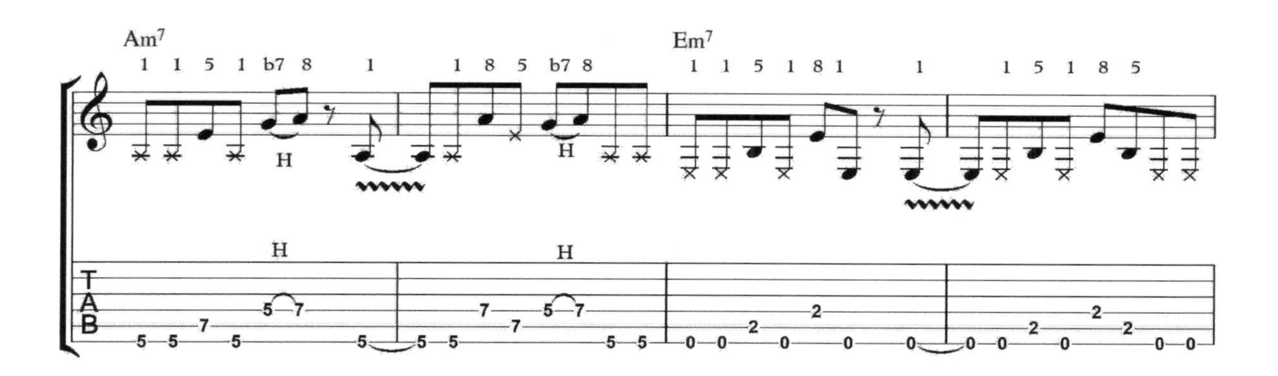

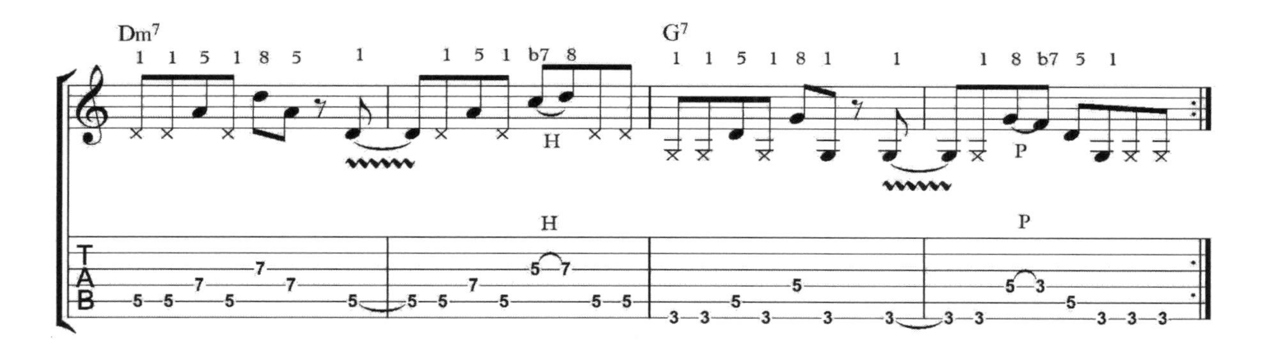

② 당긴 음 응용패턴12)

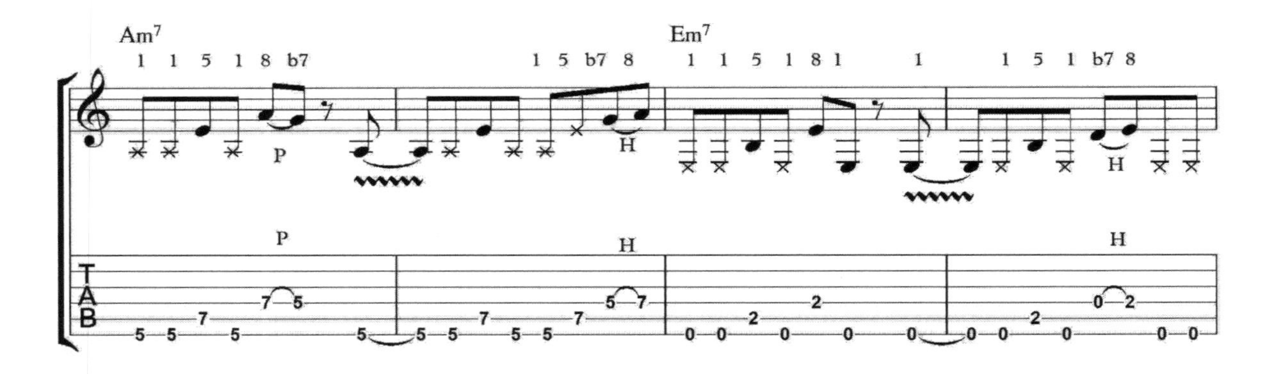

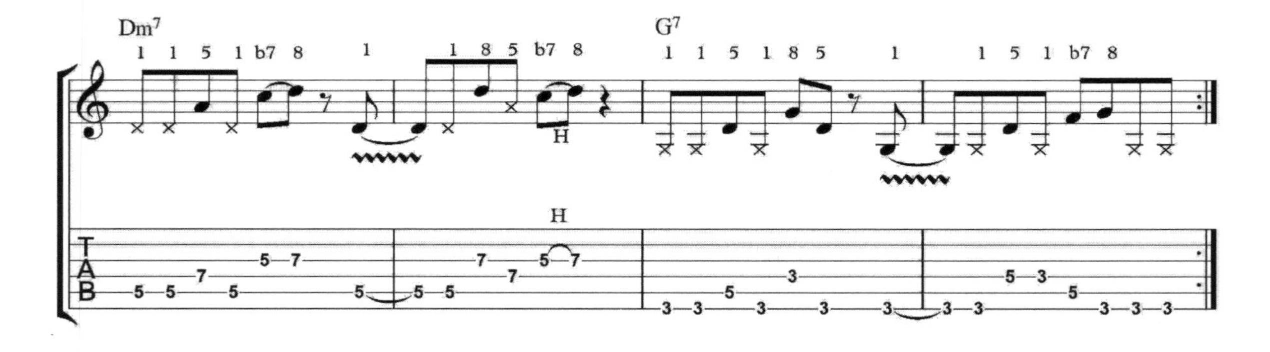

12) 응용패턴은 짧은 예로 든 것이며 그동안 배운 패턴들을 독자님들이 다른 방식으로 넣어서 바꿔보자.

Chapter 3

3화음(Triad) 코드 모양 외우기

Step1. 메이저 코드톤 외우기

메이저 코드톤(Major chord tone)은 근음(Root)으로 부터 장3도, 완전5도로 구성되어 있다. 그래서 C코드는 '도미솔'이 된다. 기타 프렛보드에서 코드 음을 찾기 전에 우리가 배웠던 파워코드 모양을 기준을 두고 3도 음을 찾는 것이 좀 더 효율적으로 생각할 수 있다.

Step3-1-1 5번 3번줄 근음에서 3도 음 찾기. 2,3,4번줄 (513모양)

5번줄 근음의 C 파워코드 모양에서 3도 음을 찾으면 5,1,3모양의 C코드가 된다.

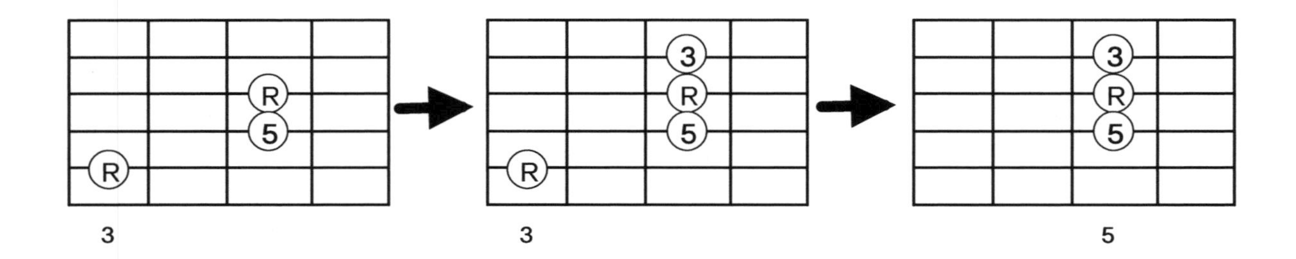

Step3-1-2 6번 4번줄 근음에서 3도, 5도 음 찾기. 2.3.4번줄 (135모양)

6번줄 근음의 C 파워코드 모양에서 3도, 5도음을 찾으면 1,3,5모양의 C코드가 된다.

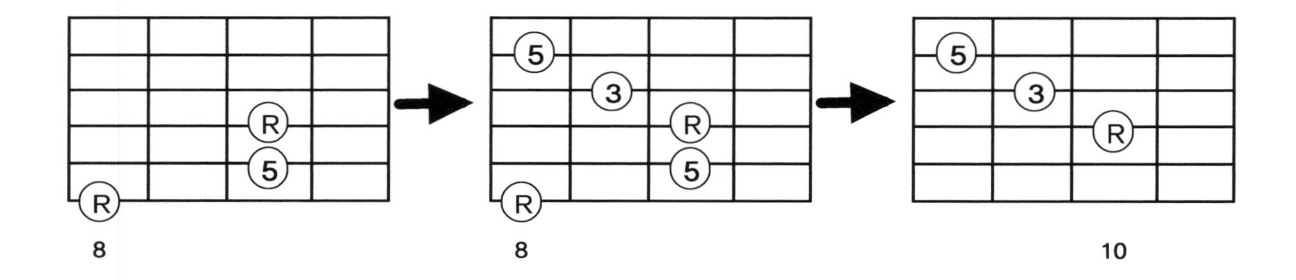

Step3-1-3 4번 2번줄 근음에서 3도 음 찾기. 2,3,4번줄(351모양)

4번줄 근음의 C 파워코드 모양에서 3도음을 찾으면 3,5,1모양의 C코드가 된다.

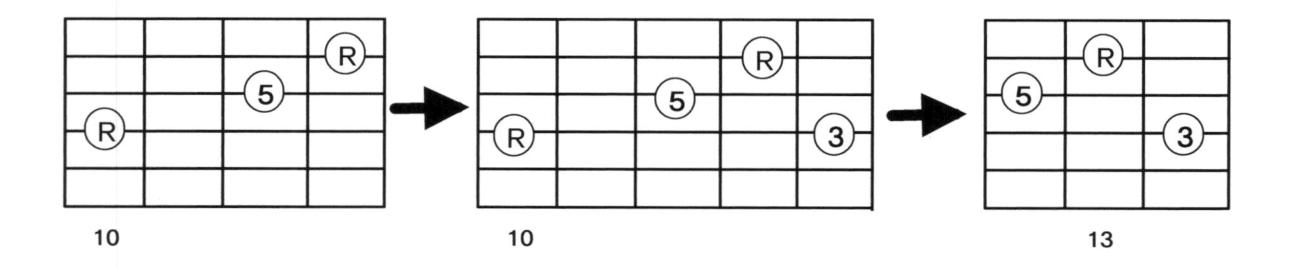

Step3-1-4 5번 3번줄 근음에서 3도, 5도 음 찾기. 1,2,3번줄 (135모양)

5번 3번 줄 근음 중에서 3번 줄 근 음의 기준을 잡고 3도, 5도 음을 찾으면 1,3,5 모양의 C코드가 된다.

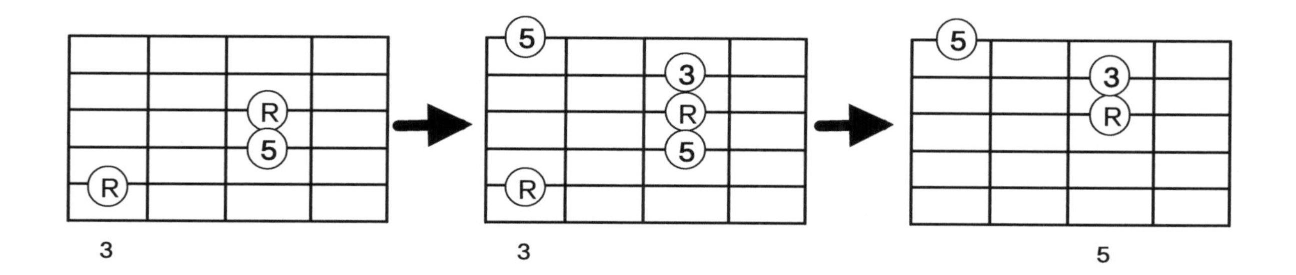

Step3-1-5 6번 4번줄 근음에서 3도, 5도, 1도 음 찾기. 1.2.3번줄 (351모양)

6번, 4번, 1번 줄 근 음 중에서 1번 줄 근음의 기준을 잡고 3도, 5도 음을 찾으면 3,5,1 모양의 C코드가 된다.

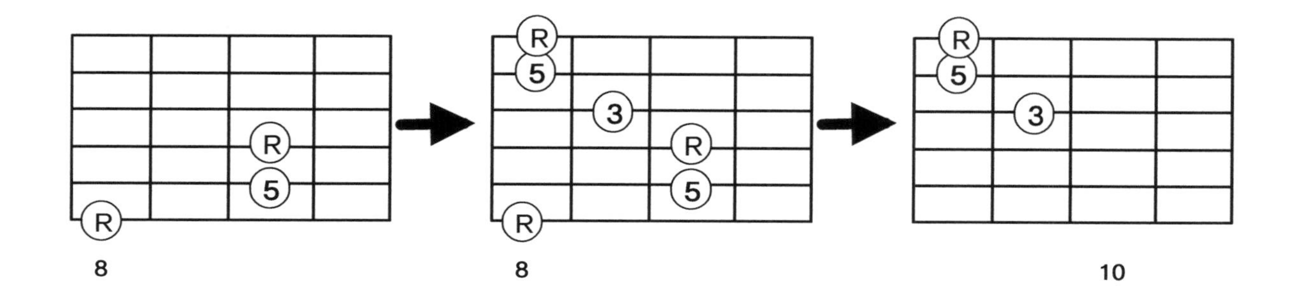

Step3-1-6 4번 2번줄 근음에서 3도 음 찾기. 1,2,3번줄 (513모양)

4번, 2번 줄 근 음 중에서 2번 줄 근 음의 기준을 잡고 3도 음을 찾으면 5,1,3 모양의 C 코드가 된다.

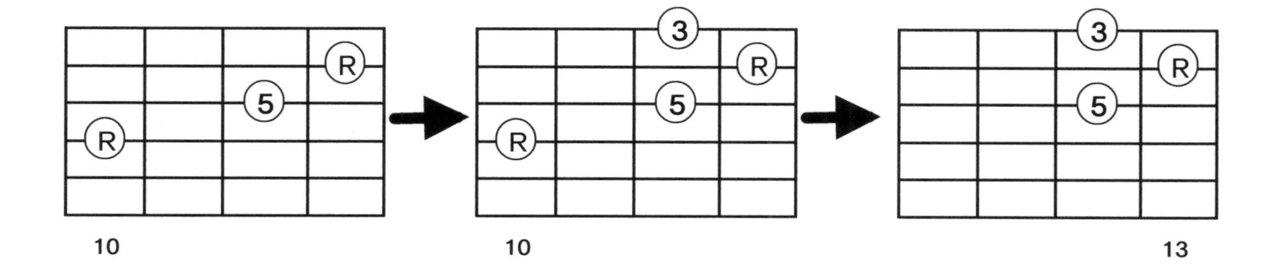

Step3-1-7 123번줄 234번줄 C코드 모양 정리

① 234번 줄 513 모양

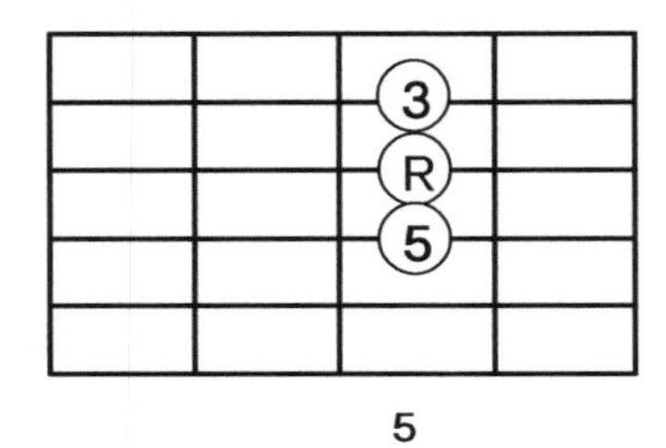

② 234번 줄 135 모양

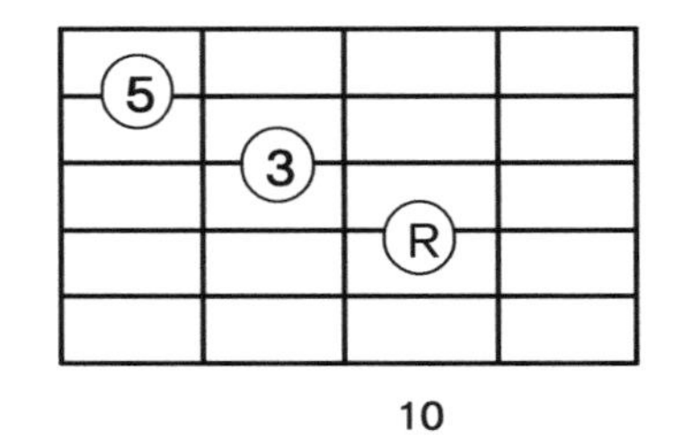

③ 234번 줄 351 모양

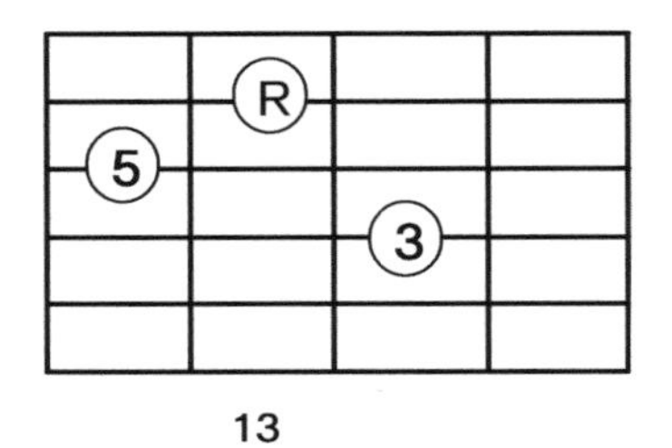

① 123번 줄 135 모양

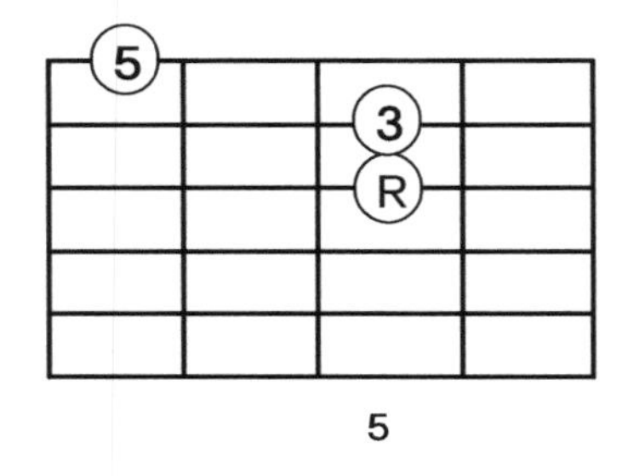

② 123번 줄 351 모양

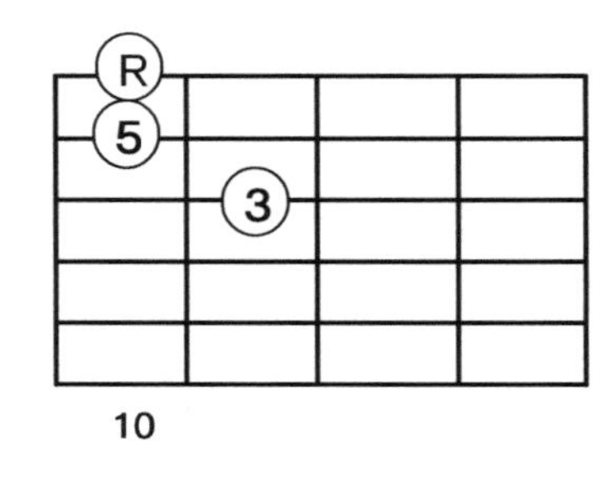

③ 123번 줄 513 모양

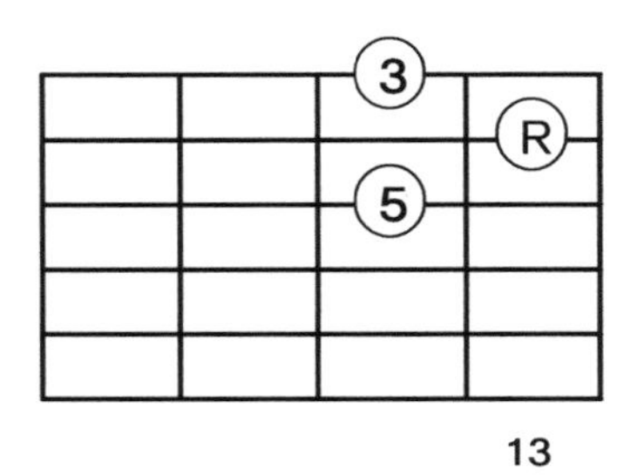

Step3-1-8 1234번 줄 C코드 모양 정리

① 5,1,3,5 모양

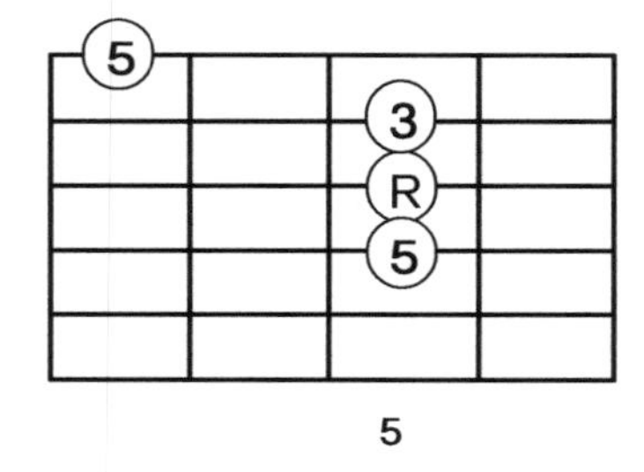

③ 1,3,5,8 모양

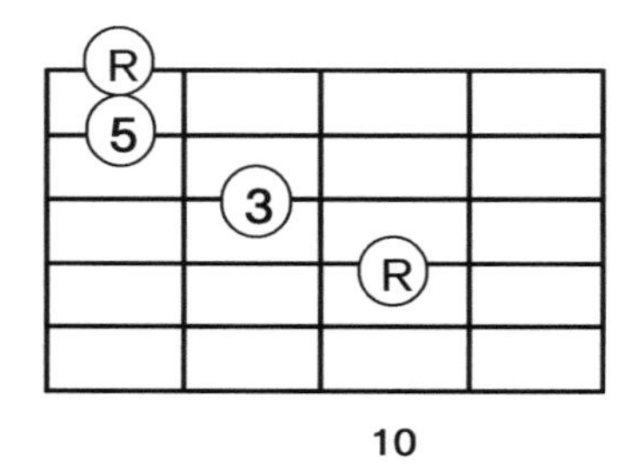

⑤ 3,5,1,3 모양

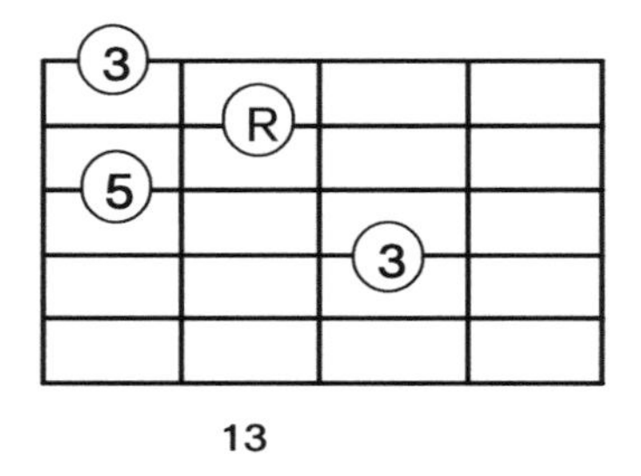

② 5,1,3,8 모양

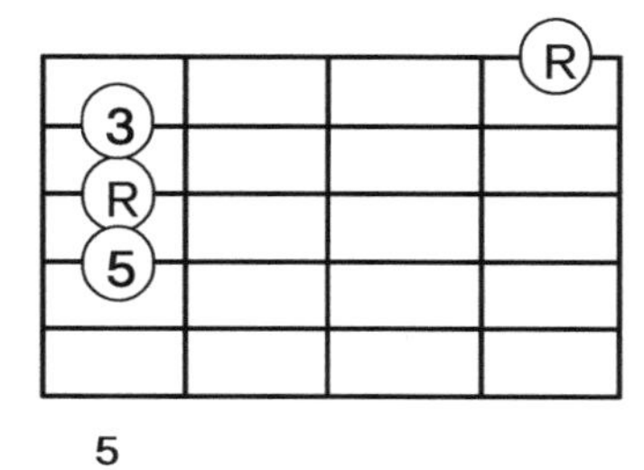

④ 1,5,8,3 모양

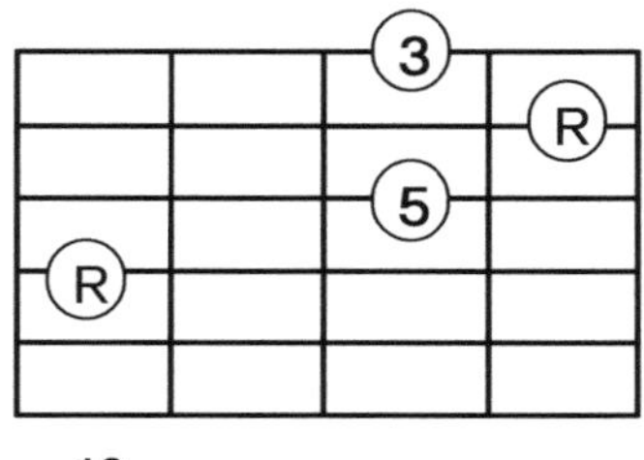

Step3-1-9 4도권으로 메이저 코드톤 234번 줄 연습하기.

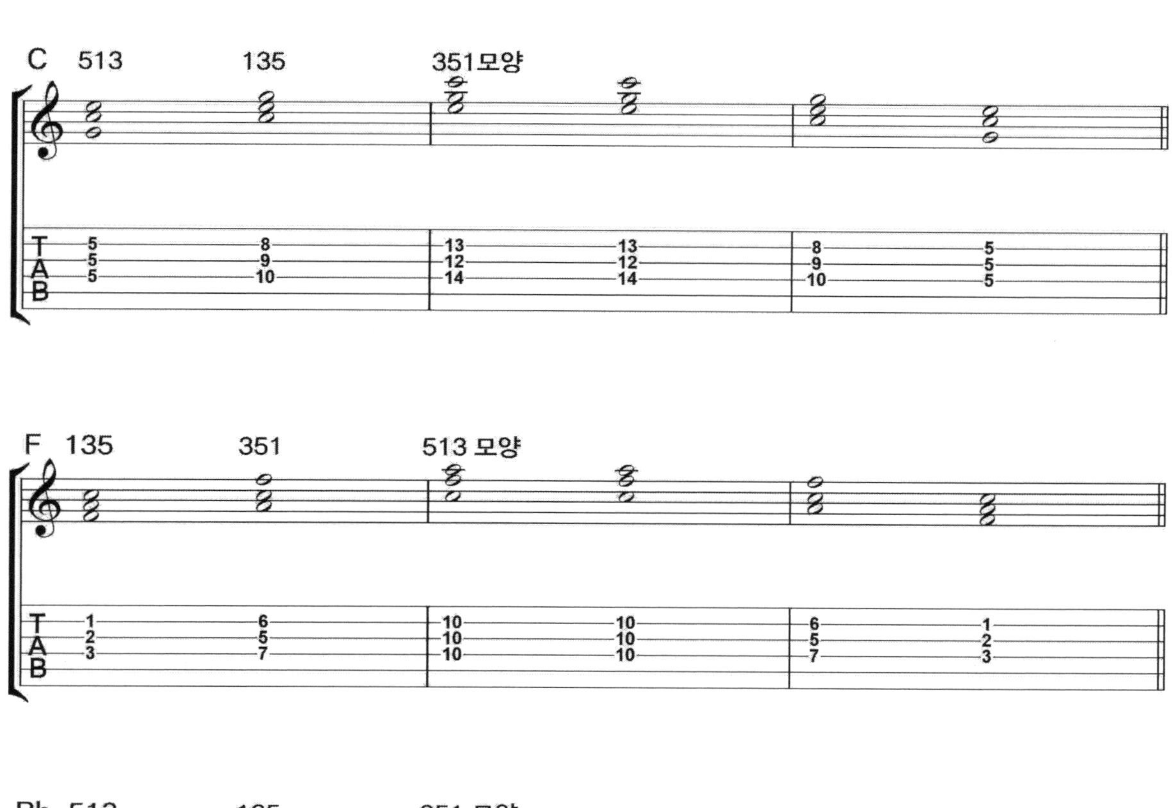

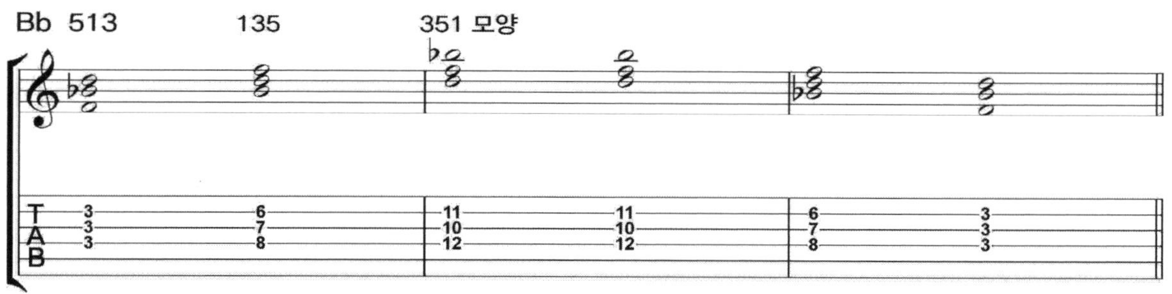

Ab 513
135
351 모양

Db 351
513
135 모양

Gb 135
351
513 모양

B 513
135
351 모양

E 351
513
135 모양
T
A
B
5 4 6
9 9 9
12 13 14
12 13 14
9 9 9
5 4 6

A 513
135
351 모양
T
A
B
2 2 2
5 6 7
10 9 11
10 9 11
5 6 7
2 2 2

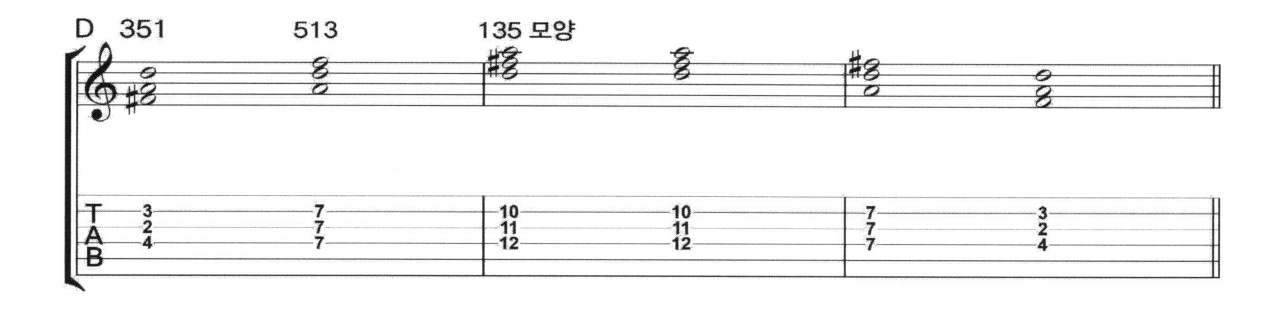
D 351
513
135 모양
T
A
B
3 2 4
7 7 7
10 11 12
10 11 12
7 7 7
3 2 4

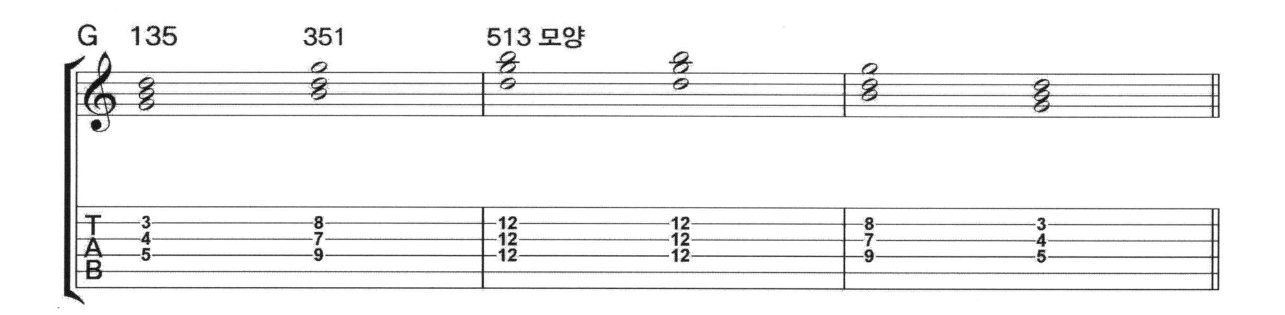
G 135
351
513 모양
T
A
B
3 4 5
8 7 9
12 12 12
12 12 12
8 7 9
3 4 5

Step3-1-10 4도권으로 메이저 코드톤 123번 줄 연습하기.

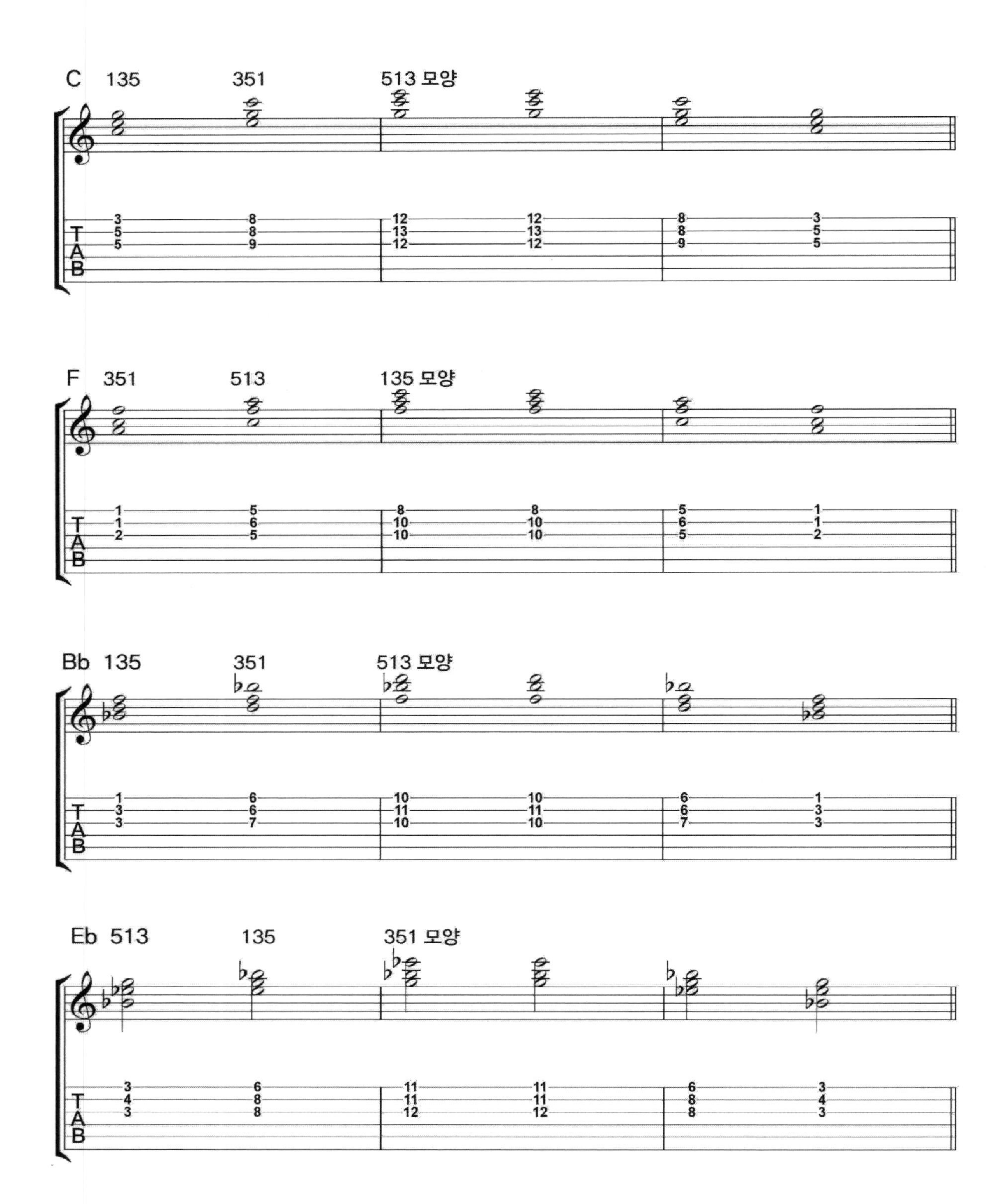

Ab 351
513
135 모양

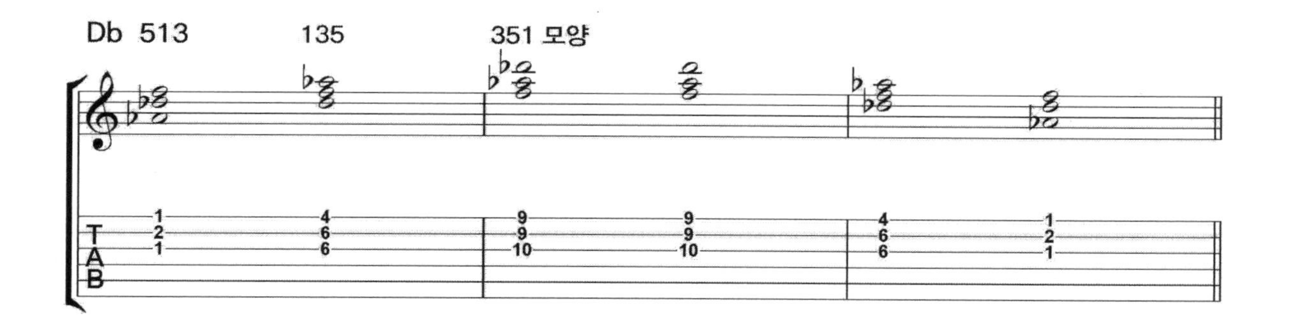
Db 513
135
351 모양

Gb 351
513
135 모양

B 135
351
513 모양

E 513
135
351 모양

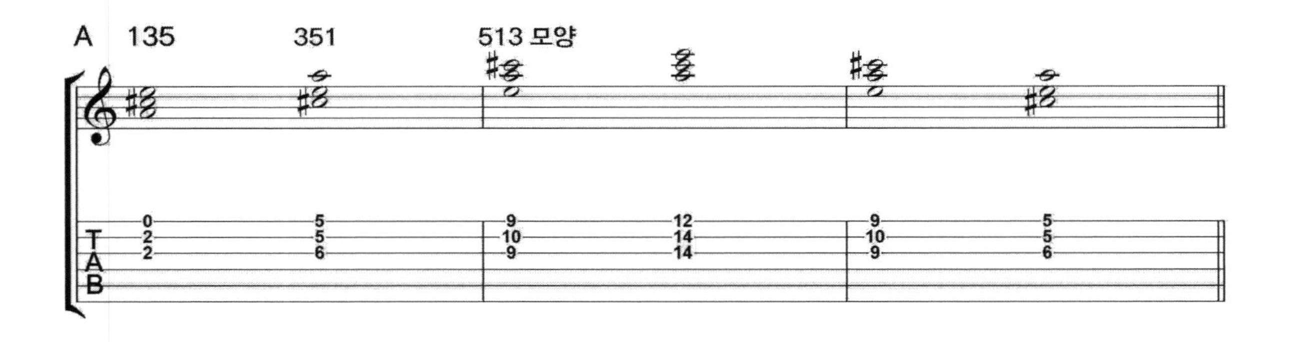
A 135
351
513 모양

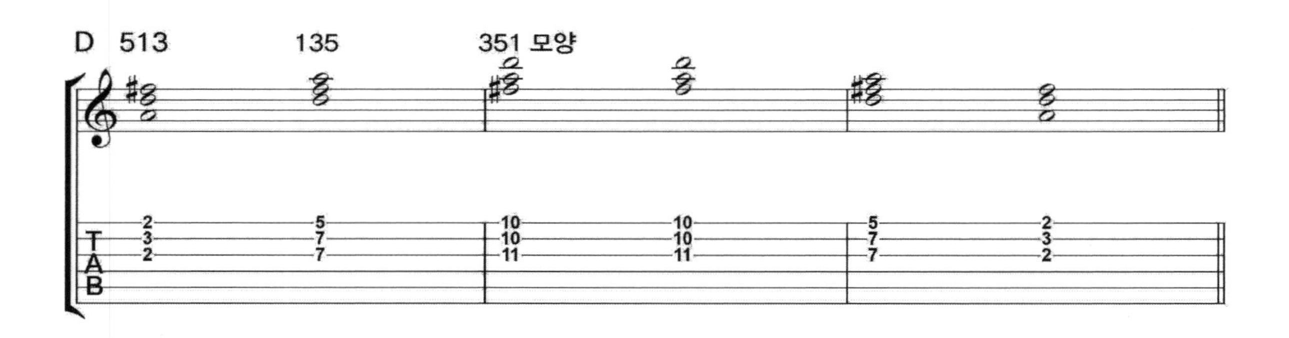
D 513
135
351 모양

G 351
513
135 모양

Step3-1-11 4도권으로 메이저 코드톤 1234번 줄 연습하기.

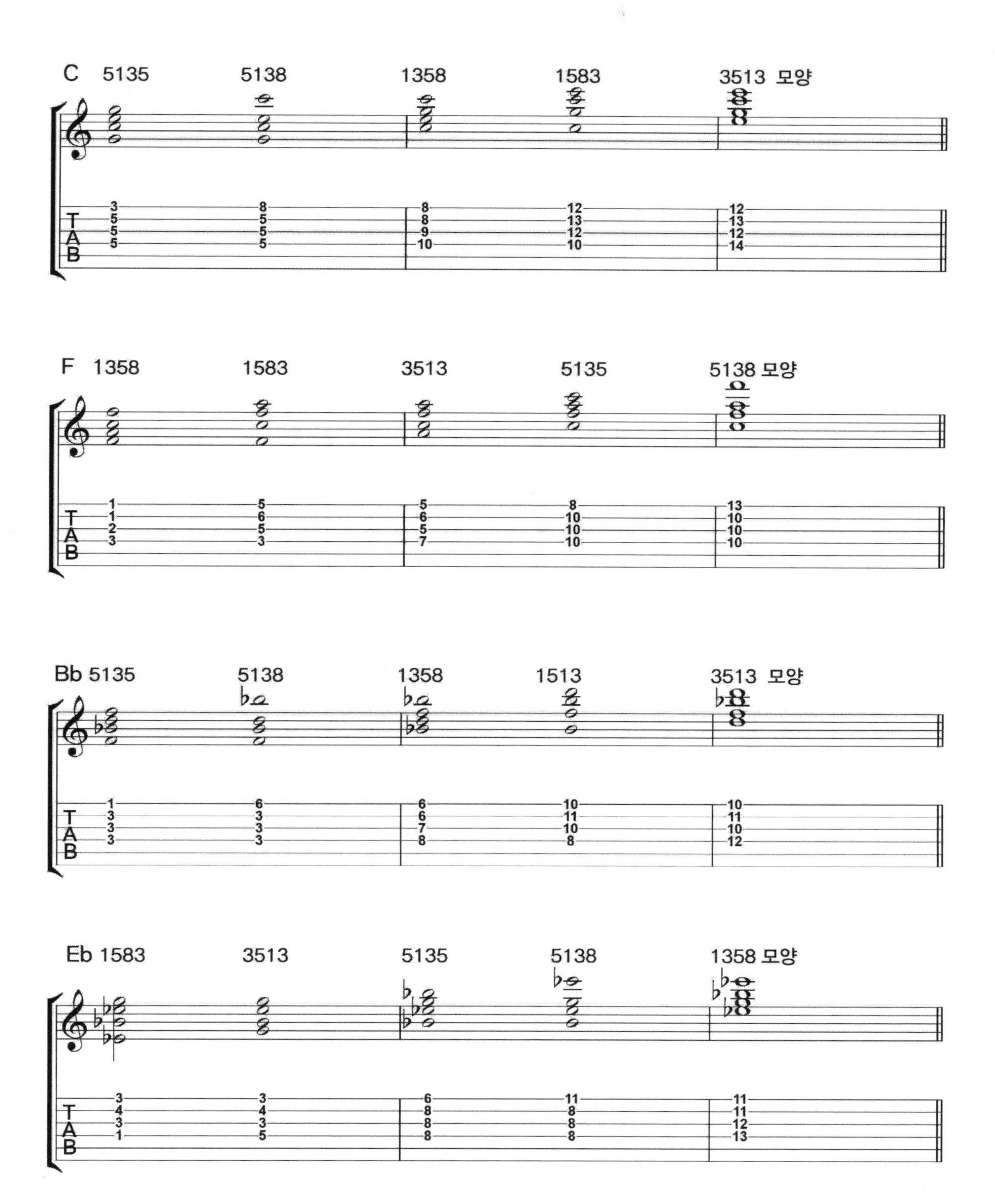

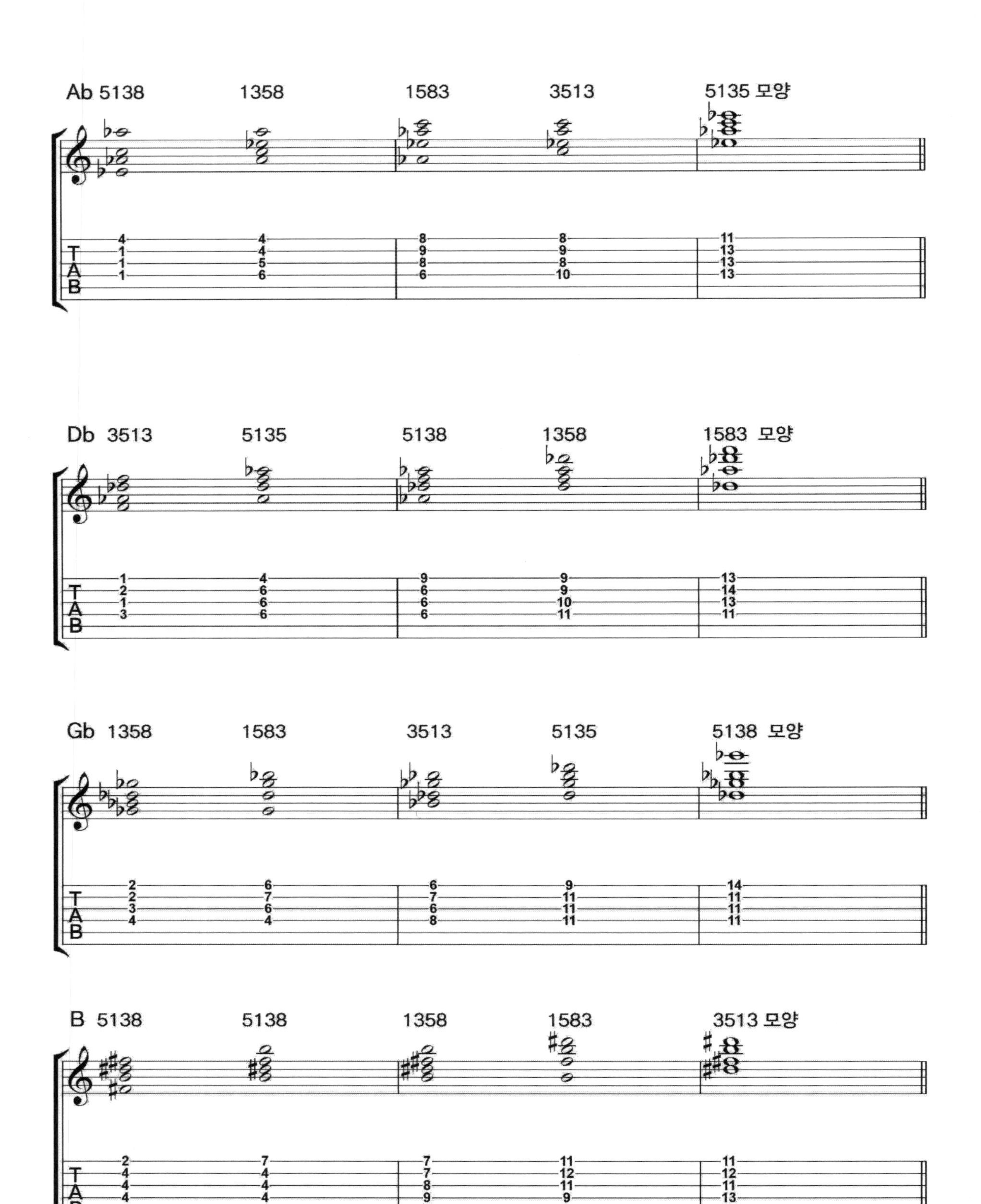
Ab 5138
1358
1583
3513
5135 모양
Db 3513
5135
5138
1358
1583 모양
Gb 1358
1583
3513
5135
5138 모양
B 5138
5138
1358
1583
3513 모양

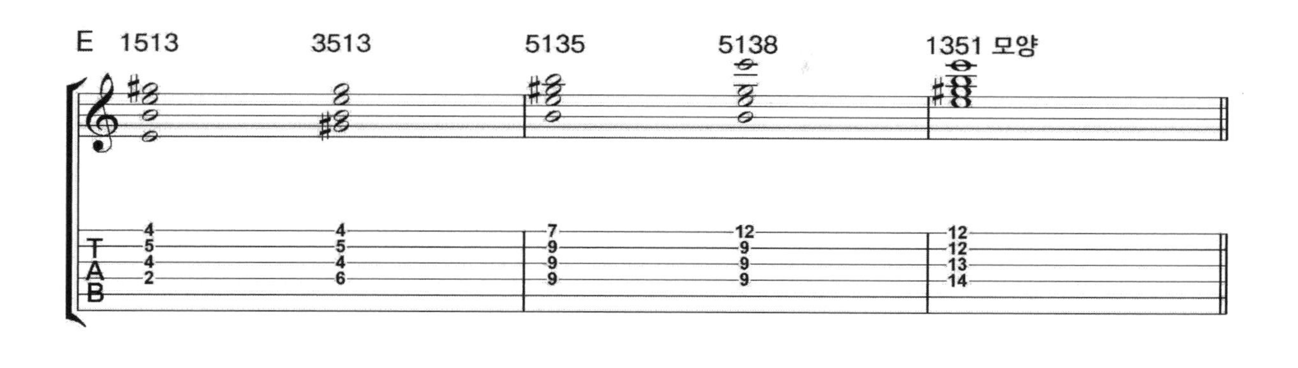
E 1513
3513
5135
5138
1351 모양
TAB
4 5 4 2
4 5 4 6
7 9 9 9
12 9 9 9
12 12 13 14

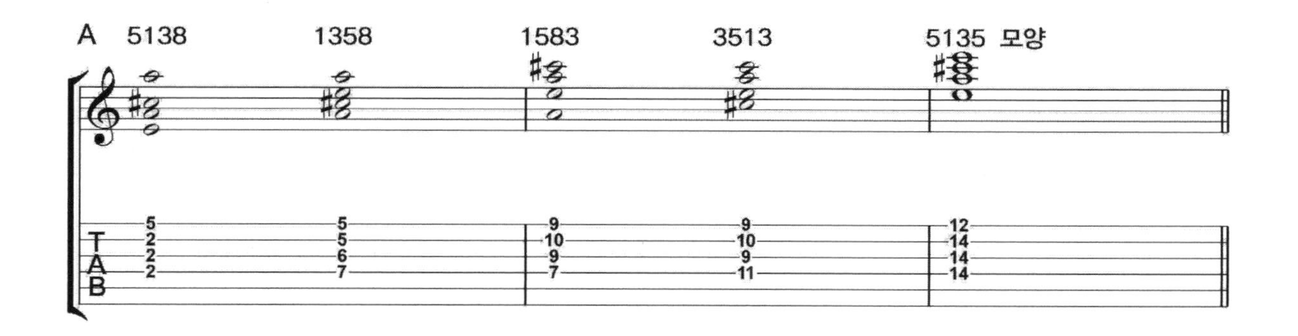
A 5138
1358
1583
3513
5135 모양
TAB
5 2 2 2
5 5 6 7
9 10 9 7
9 10 9 11
12 14 14 14

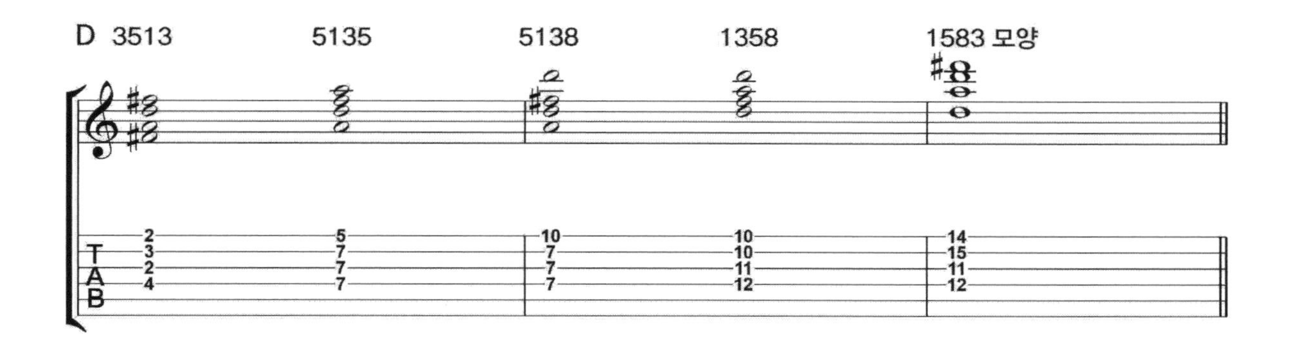
D 3513
5135
5138
1358
1583 모양
TAB
2 3 2 4
5 7 7 7
10 7 7 7
10 10 11 12
14 15 11 12

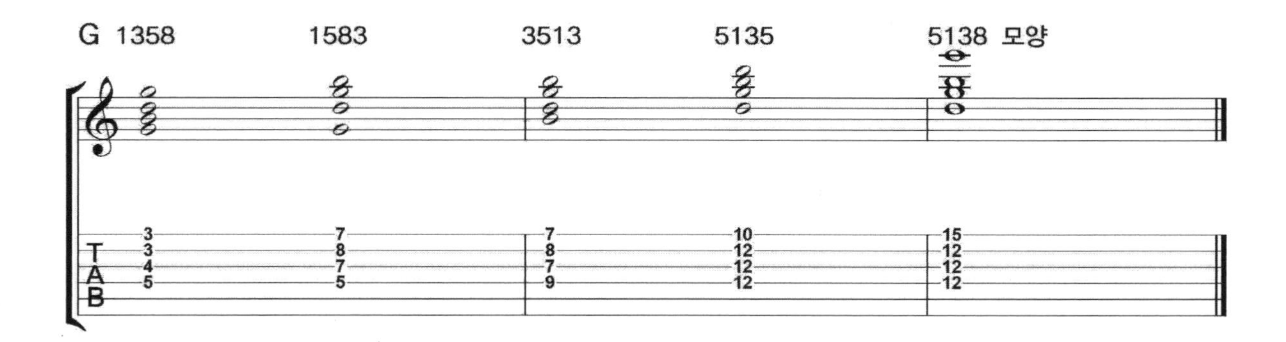
G 1358
1583
3513
5135
5138 모양
TAB
3 3 4 5
7 8 7 5
7 8 7 9
10 12 12 12
15 12 12 12

Step3-1-12 C-G-F-C 코드 진행으로 리듬 연주하면서 찾아보기.

C Major key에 해당하는 주요 3화음인 I(C)-V(G)-IV(F)-I(C)의 코드 진행으로 당긴 음을 이용하여 코드를 연주해 보자.

Step2. 마이너 코드톤 외우기

마이너 코드톤(Minor chord tone)은 근음(Root)으로 부터 단3도, 완전5도 로 구성되어 있다. 그래서 C코드는 '도,미b,솔'이 된다. 메이저 코드를 완벽히 외웠다면 프렛보드에서 3도 음을 한 프렛 음을 내리면 마이너 코드 모양이 된다.

Step3-2-1 5번 3번줄 근음에서 b3도 음 찾기. 2,3,4번줄 (5,1,b3모양)

5번 3번줄 근음의 C 파워코드 모양에서 b3도 음을 찾으면 5,1,b3 모양의 Cm 코드가 된다.

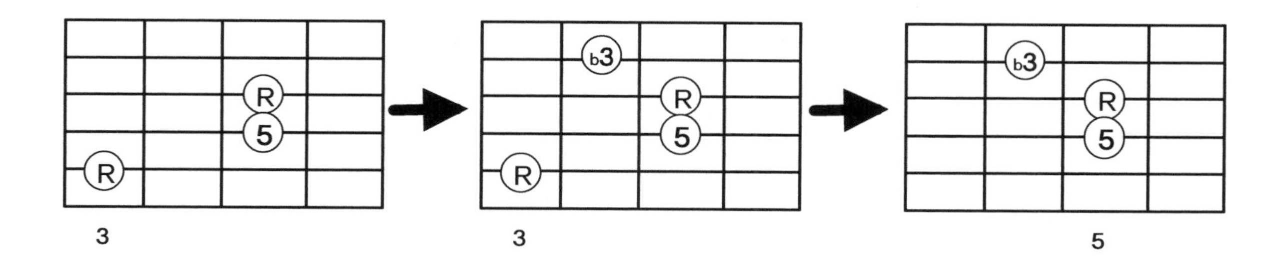

Step3-2-2 6번 4번줄 근음에서 b3도, 5도 음 찾기. 2.3.4번줄 (1,b3,5모양)

6번 4번 줄 근음의 C 파워코드 모양에서 b3도, 5도음을 찾으면 1,b3,5 모양의 Cm 코드가 된다.

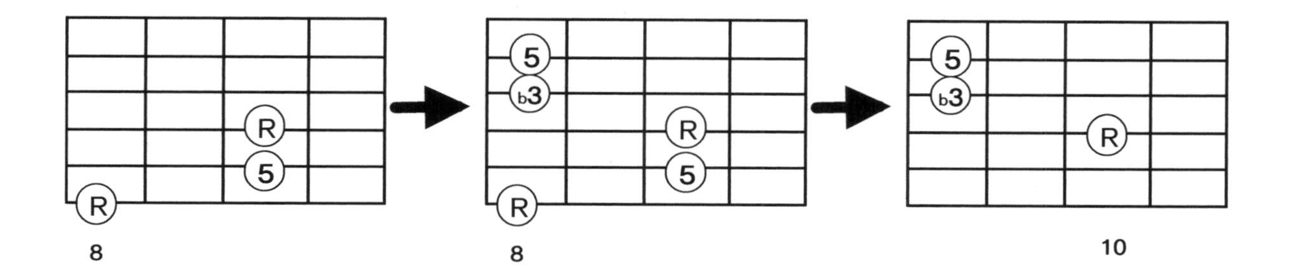

Step3-2-3 4번 2번줄 근음에서 b3도 음 찾기. 2,3,4번줄 (b3,5,1모양)

4번 2번줄 근음의 C 파워코드 모양에서 b3도 음을 찾으면 b3,5,1모양의 Cm 코드가 된다.

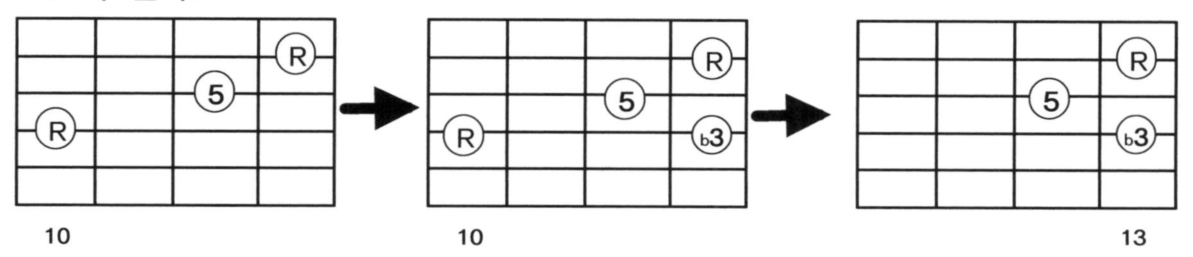

Step3-2-4 5번 3번줄 근음에서 b3도, 5도 음 찾기. 1,2,3번줄 (1,b3,5모양)
5번 3번 줄 근음 중에서 3번 줄 근음의 기준을 잡고 b3도, 5도 음을 찾으면 1,b3,5 모양의 Cm 코드가 된다.

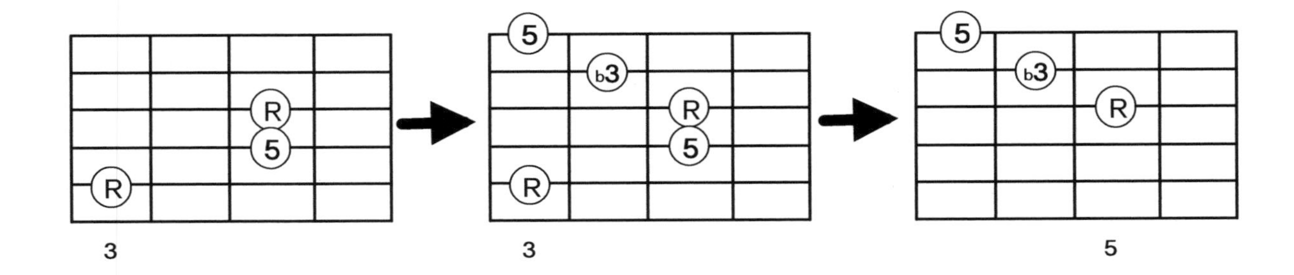

Step3-2-5 6번 4번 1번줄 근음에서 b3도, 5도, 1도 음 찾기. 1.2.3번줄 (b3,5,1모양)
6번, 4번, 1번 줄 근음 중에서 1번 줄 근음의 기준을 잡고 b3도, 5도 음을 찾으면 b3,5,1 모양의 Cm 코드가 된다.

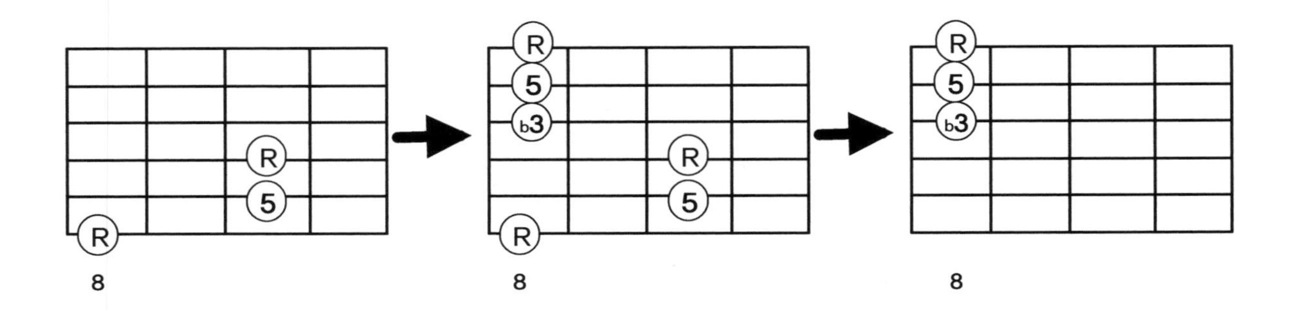

Step3-2-6 4번 2번줄 근음에서 b3도 음 찾기. 1,2,3번줄 (5,1,b3모양)
4번, 2번 줄 근음 중에서 2번 줄 근음의 기준을 잡고 3도 음을 찾으면 5,1,b3 모양의 Cm 코드가 된다.

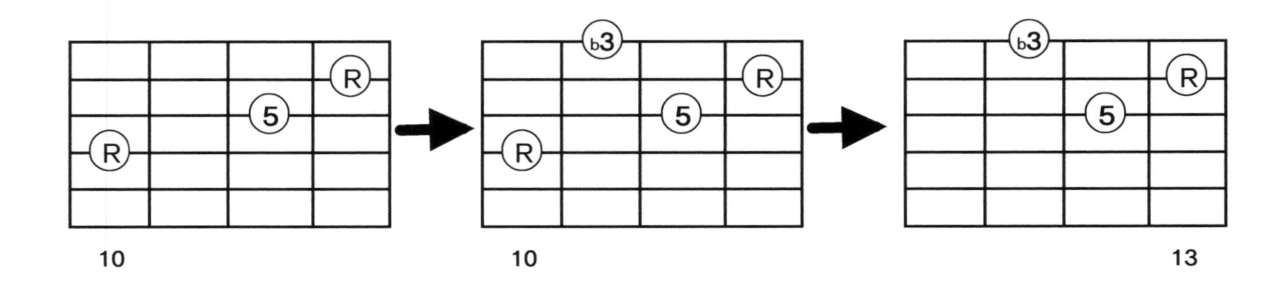

Step3-2-7 123번줄 234번줄 Cm 코드 모양 정리

① 234번 줄 5,1,b3 모양

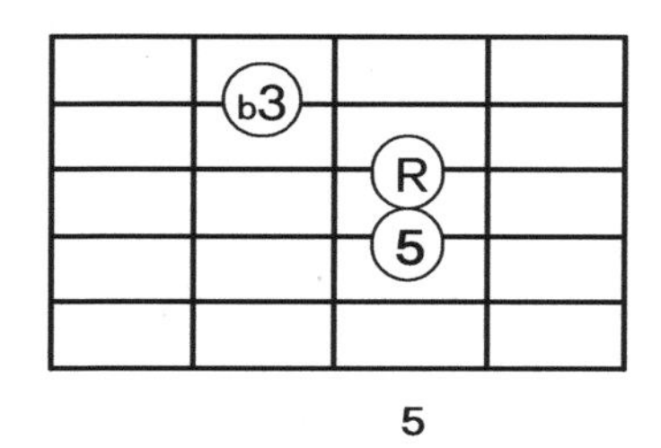

② 234번 줄 1,b3,5 모양

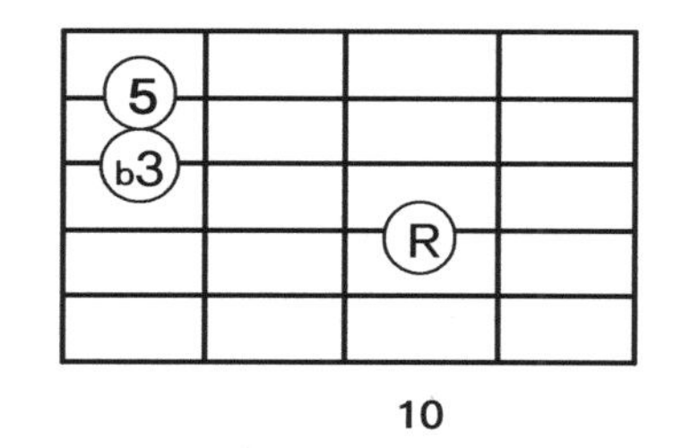

③ 234번 줄 b3,5,1 모양

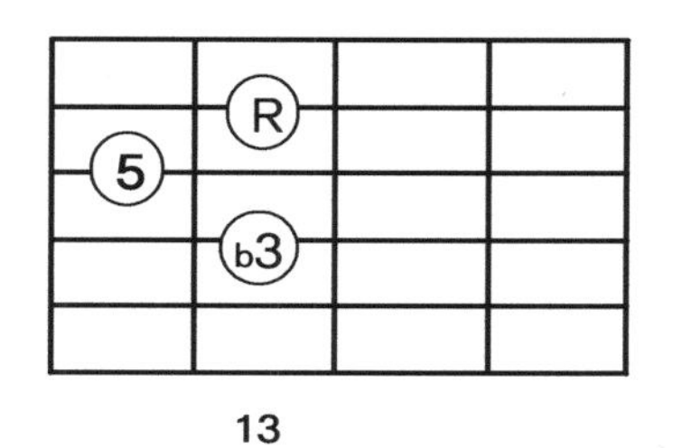

① 123번 줄 1,b3,5 모양

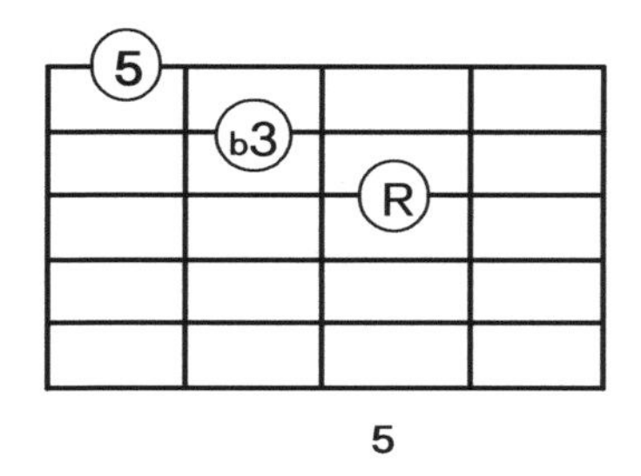

② 123번 줄 b3,5,1 모양

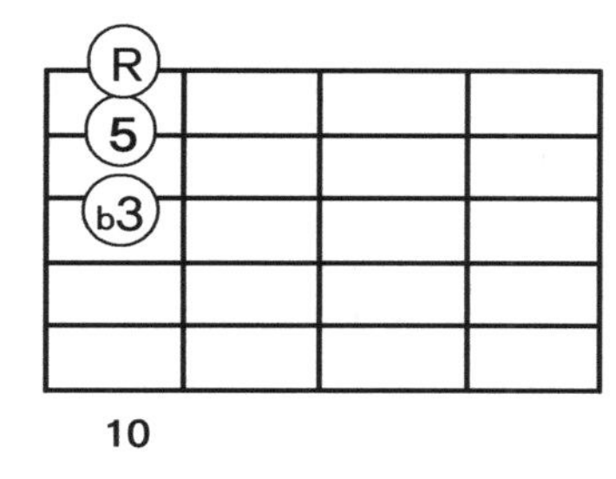

③ 123번 줄 5,1,b3 모양

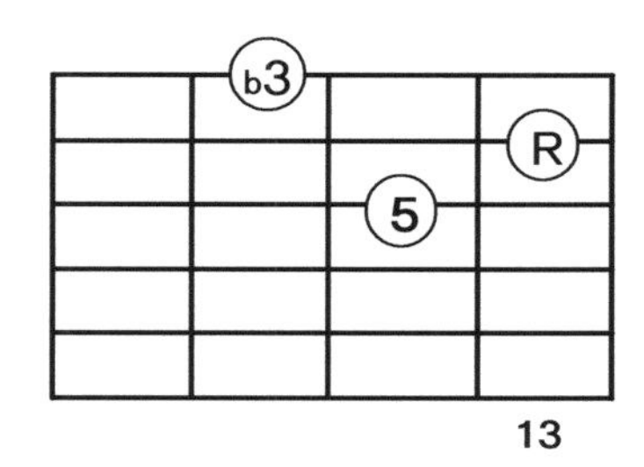

Step3-1-8 1234번 줄 Cm 코드 모양 정리

① 5,1,b3,5 모양

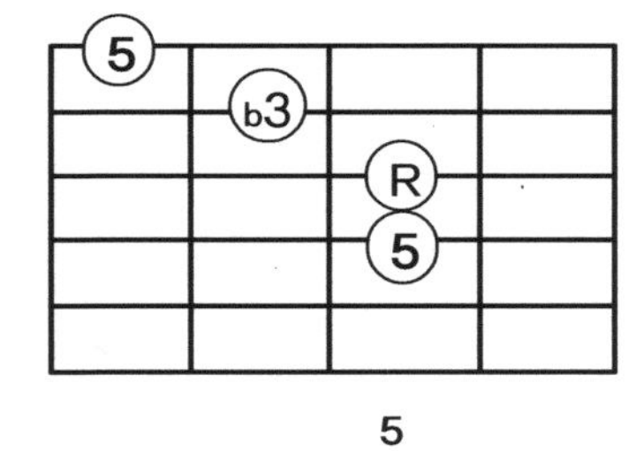

③ 1,b3,5,8 모양

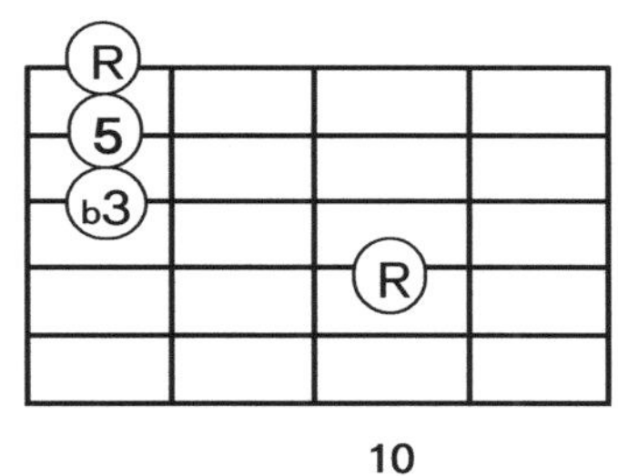

⑤ b3,5,1,b3 모양

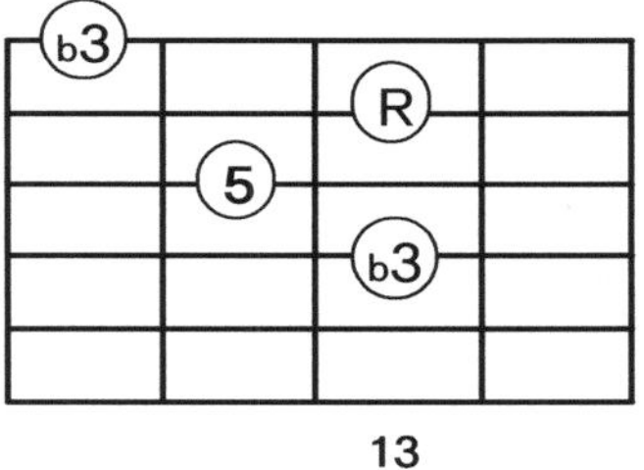

② 5,b3,5,8 모양

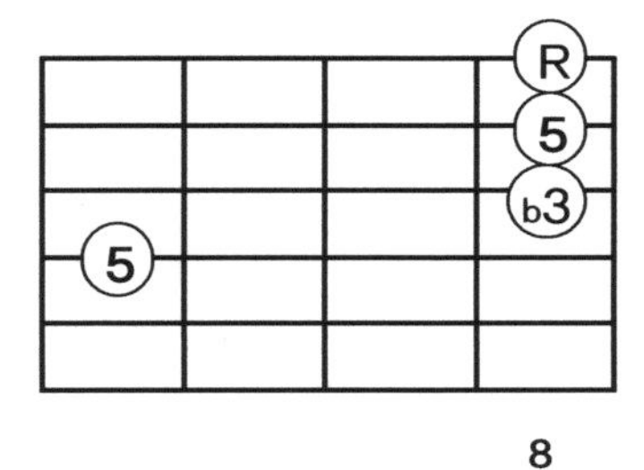

④ 1,5,8,b3 모양

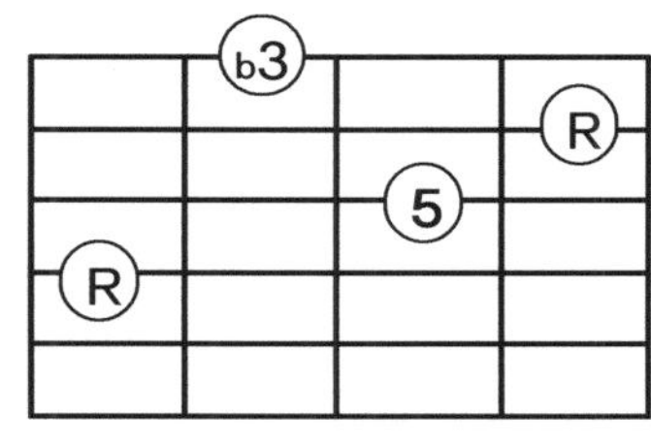

Step3-2-8 4도권으로 마이너 코드톤 234번 줄 연습하기.

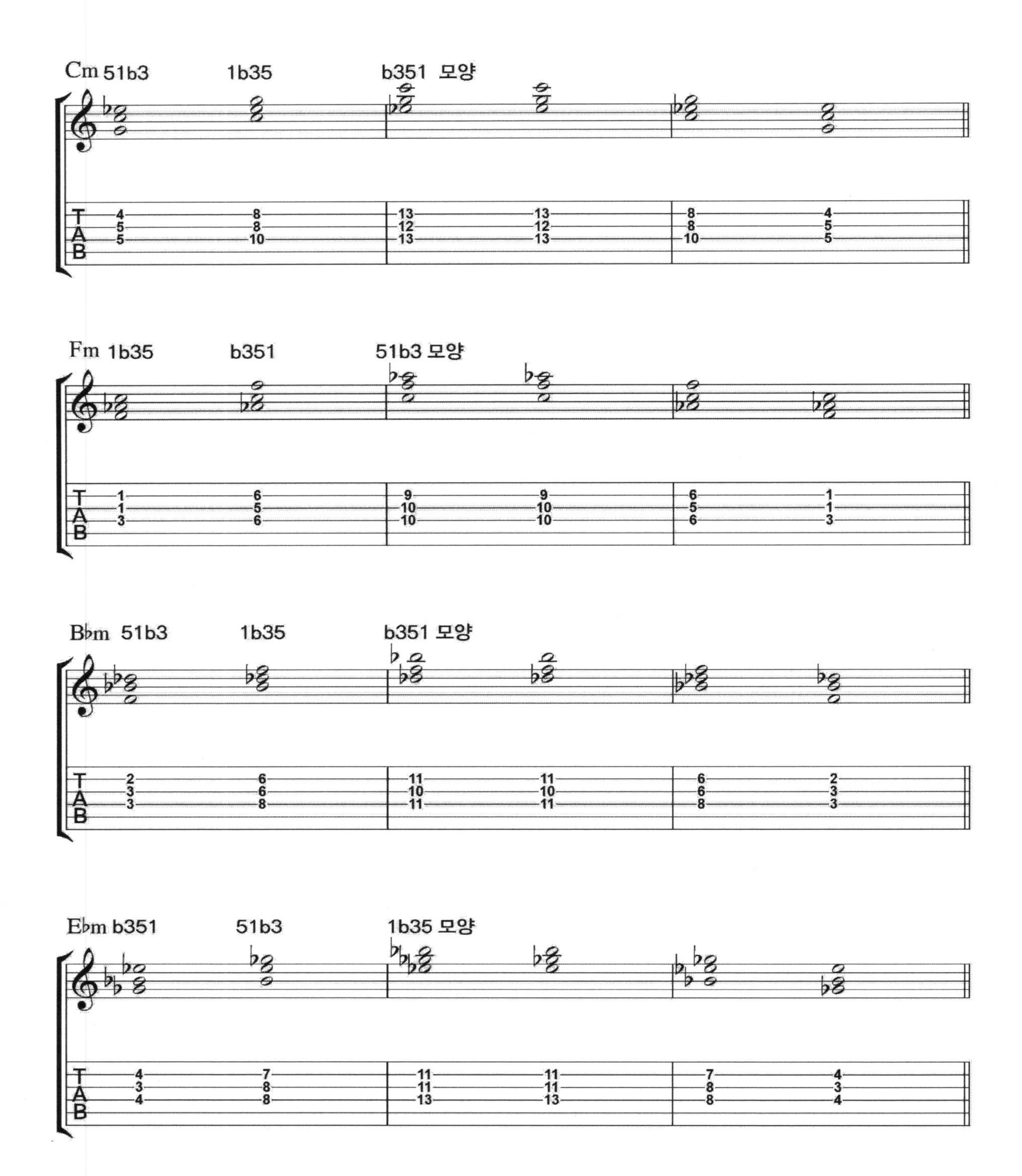

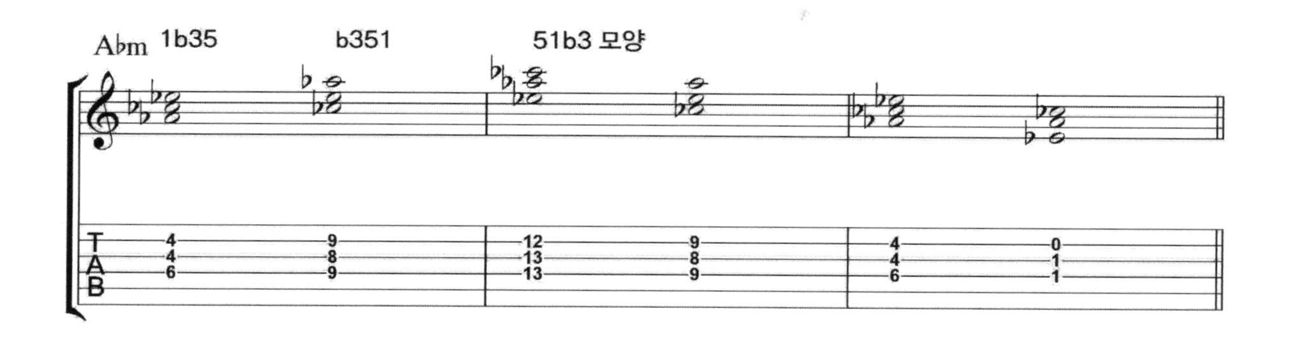
A♭m 1b35
b351
51b3 모양
T
A
B
4 4 6
9 8 9
12 13 13
9 8 9
4 4 6
0 1 1

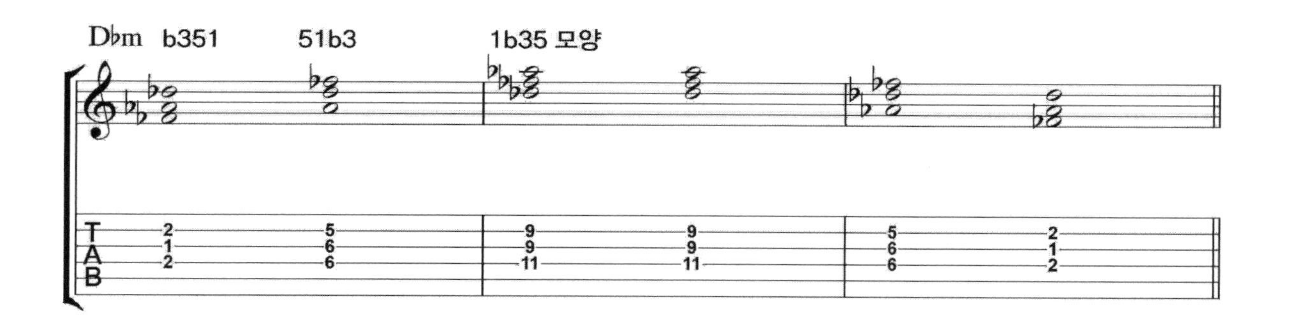
D♭m b351
51b3
1b35 모양
T
A
B
2 1 2
5 6 6
9 9 11
9 9 11
5 6 6
2 1 2

G♭m 1b35
b351
51b3 모양
T
A
B
2 2 4
7 6 7
10 11 11
10 11 11
7 6 7
2 2 4

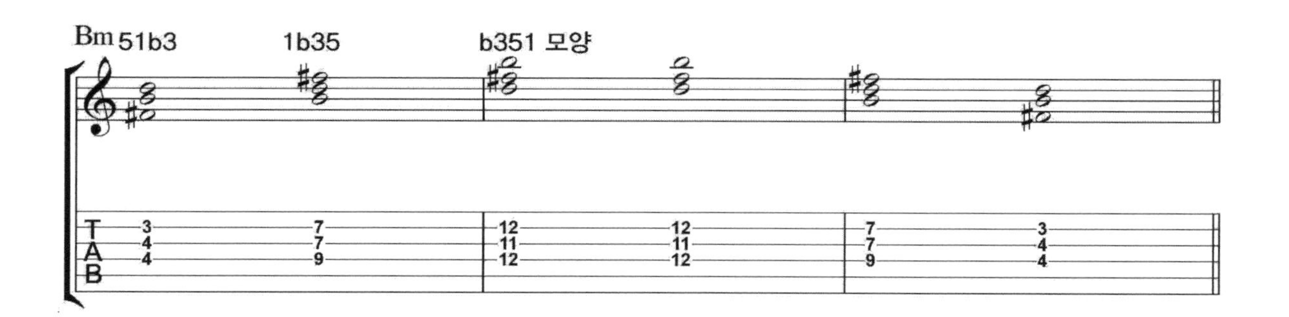
Bm 51b3
1b35
b351 모양
T
A
B
3 4 4
7 7 9
12 11 12
12 11 12
7 7 9
3 4 4

Em b351
51b3
1b35 모양

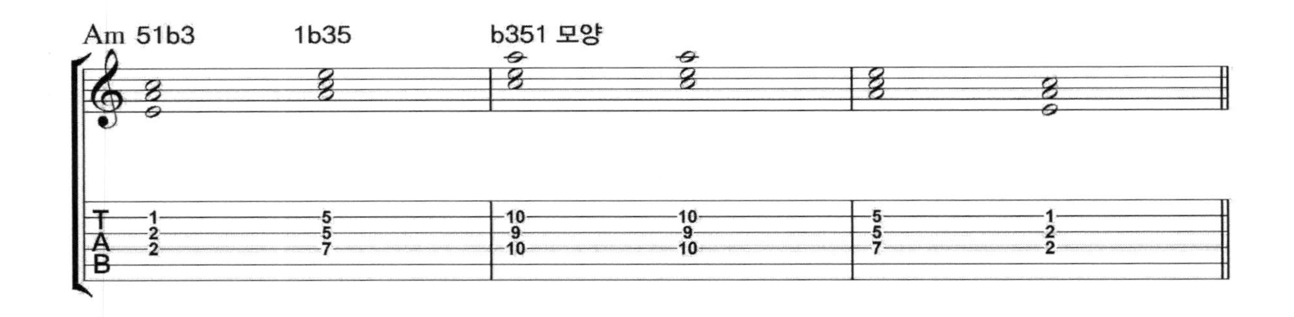
Am 51b3
1b35
b351 모양

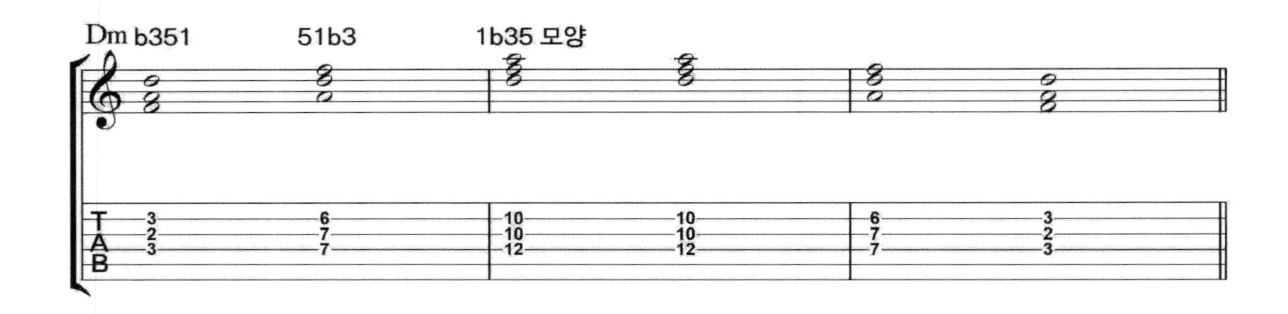
Dm b351
51b3
1b35 모양

Gm 1b35
b351
51b3 모양

Step3-2-9 4도권으로 마이너 코드톤 123번 줄 연습하기.

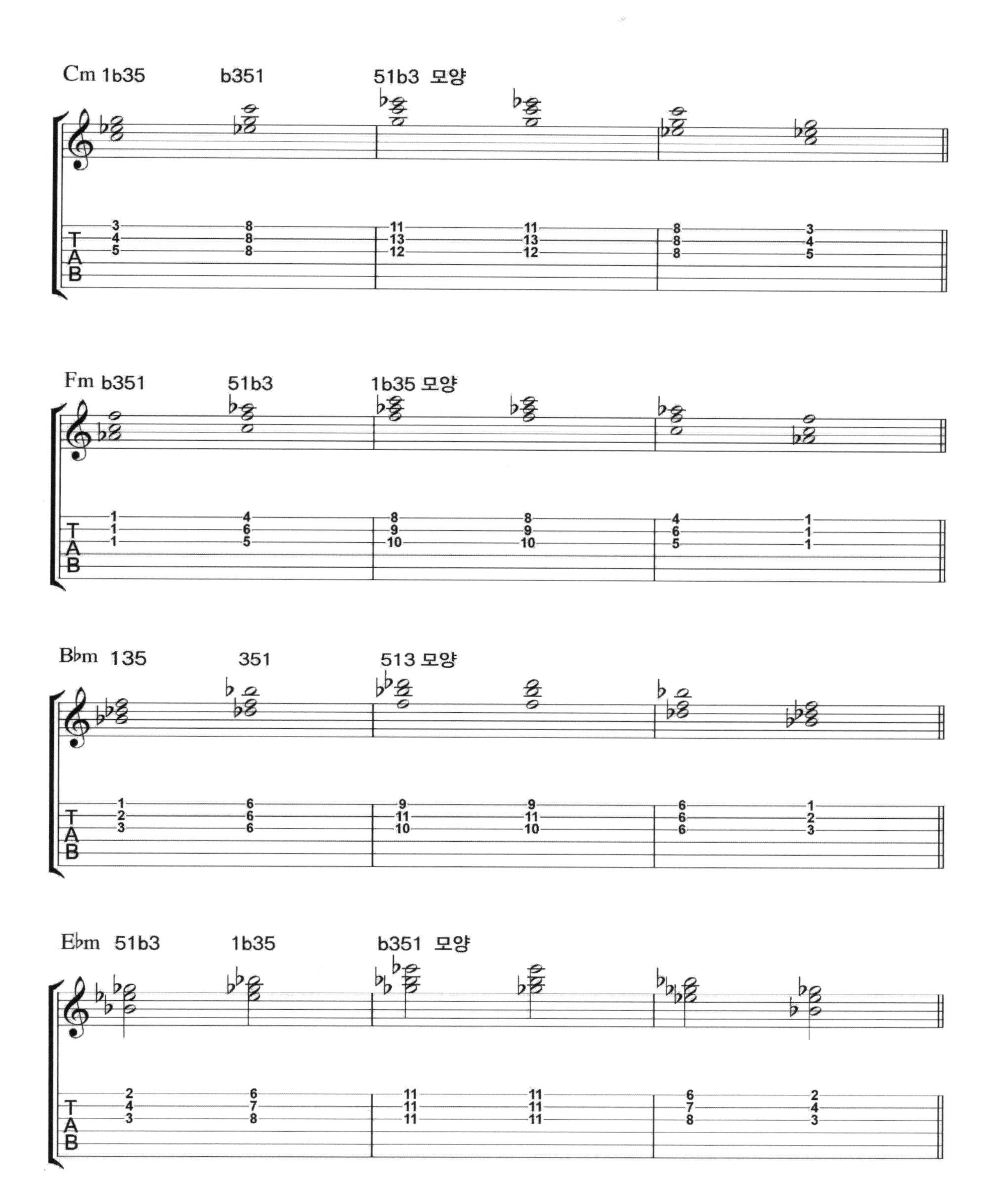

A♭m b351
51b3
1b35 모양

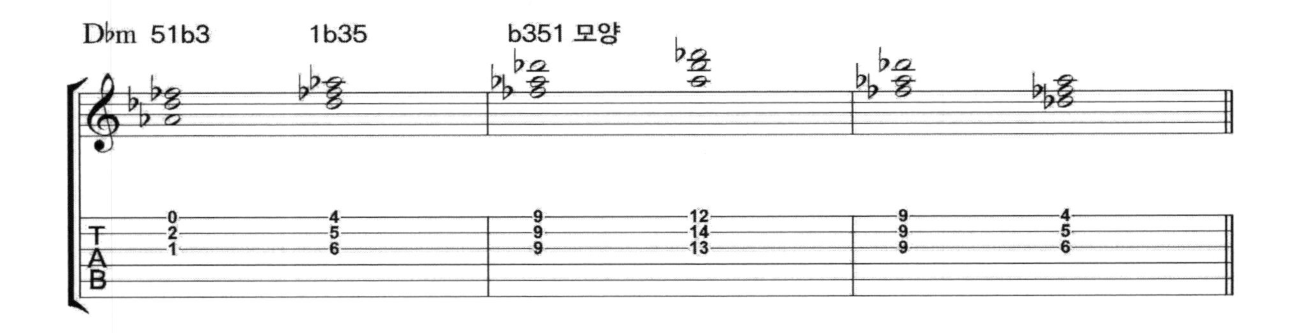
D♭m 51b3
1b35
b351 모양

G♭m b351
51b3
1b35 모양

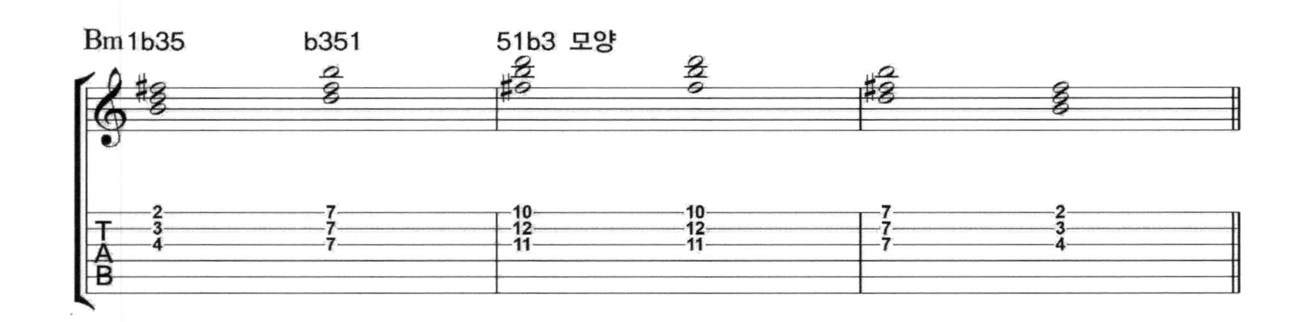
Bm 1b35
b351
51b3 모양

Em 51b3
1b35
b351 모양
T
A
B

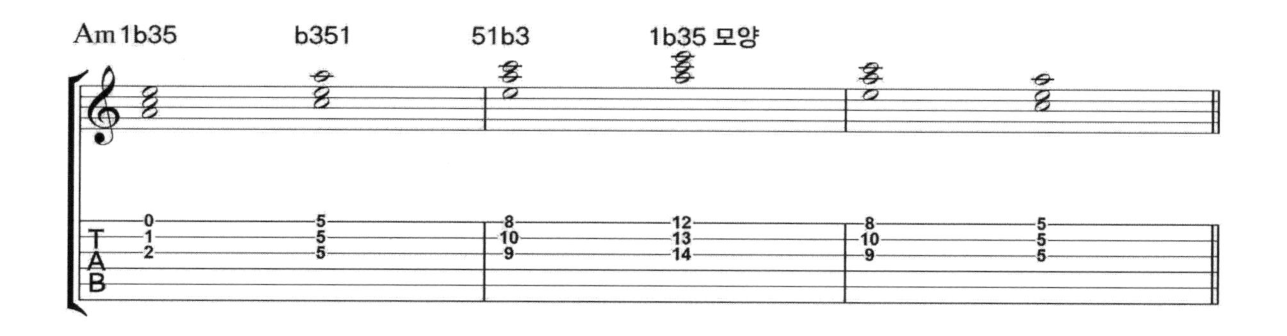
Am 1b35
b351
51b3
1b35 모양
T
A
B

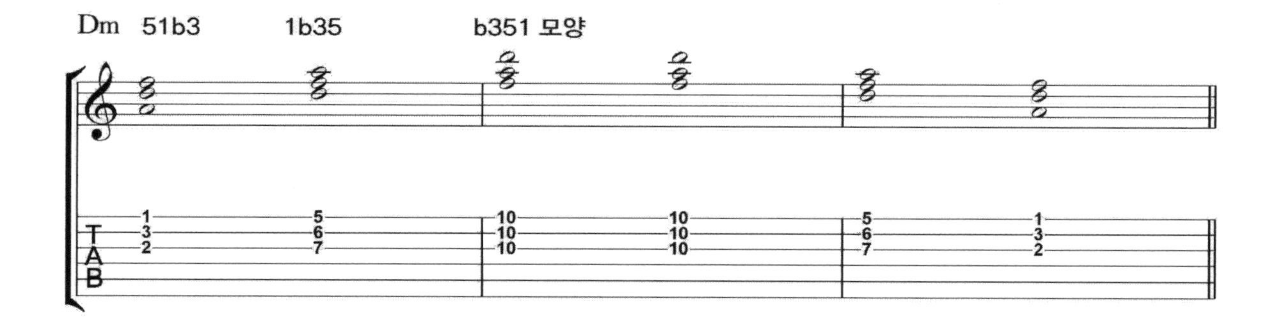
Dm 51b3
1b35
b351 모양
T
A
B

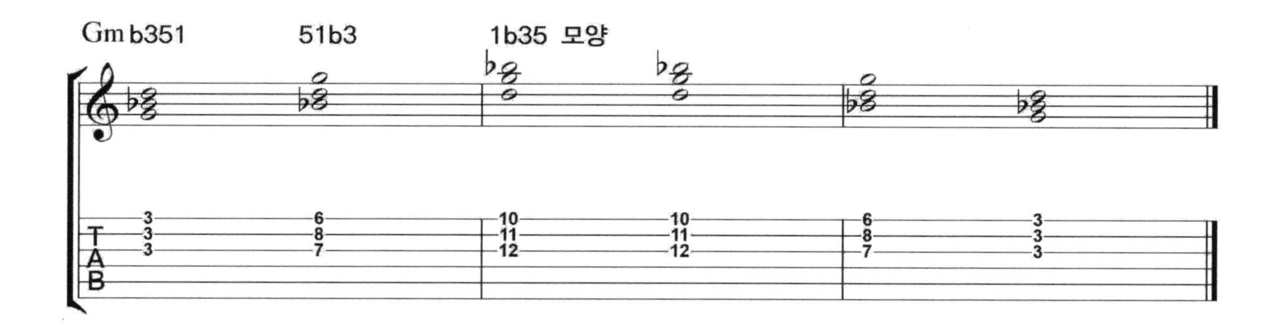
Gm b351
51b3
1b35 모양
T
A
B

Step3-2-10 4도권으로 마이너 코드톤 1234번 줄 연습하기.

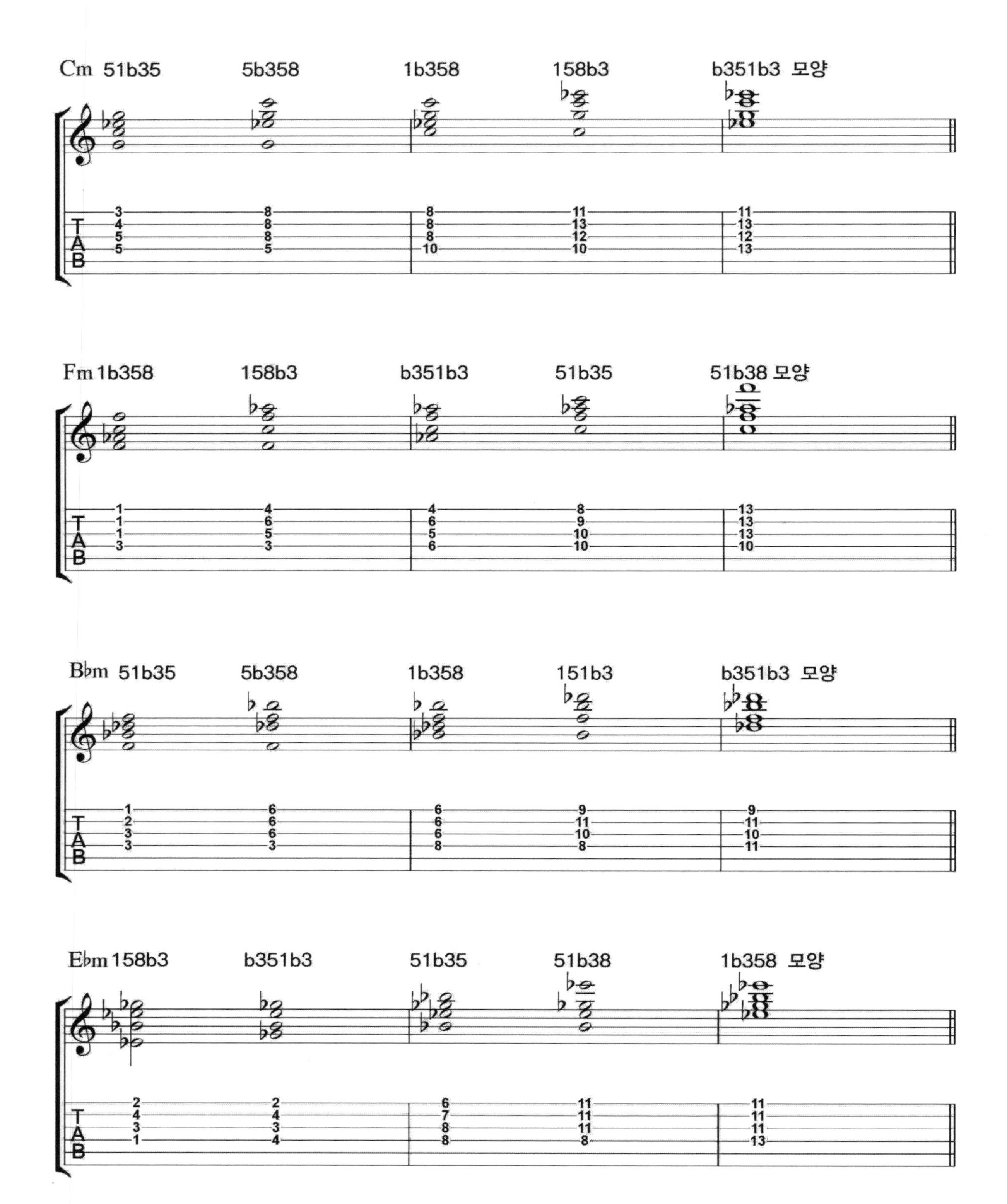

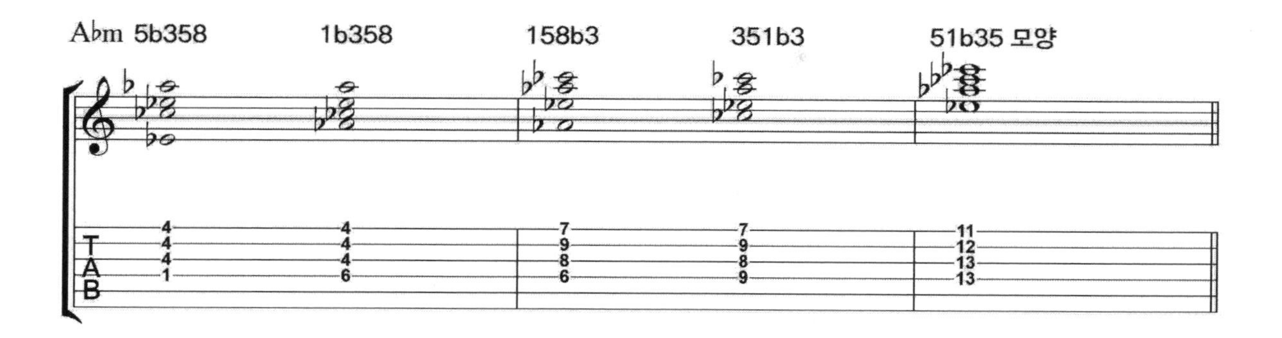
A♭m 5b358
1b358
158b3
351b3
51b35 모양

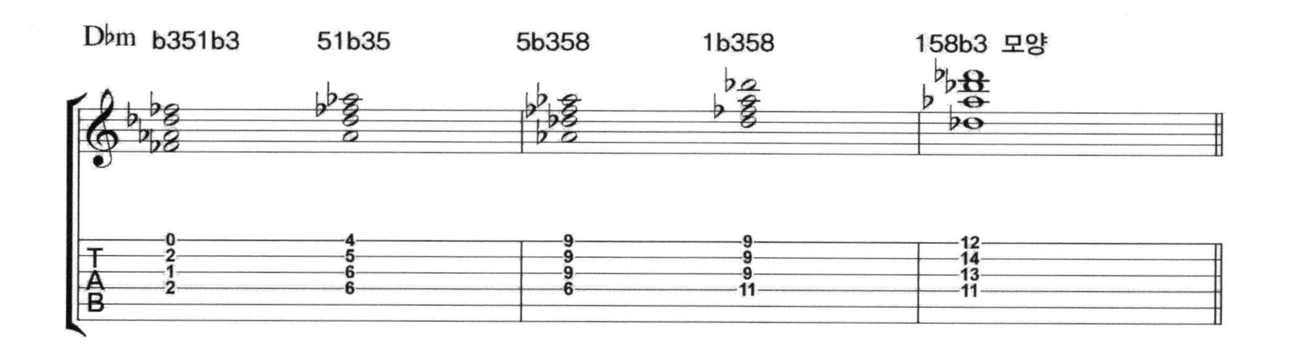
D♭m b351b3
51b35
5b358
1b358
158b3 모양

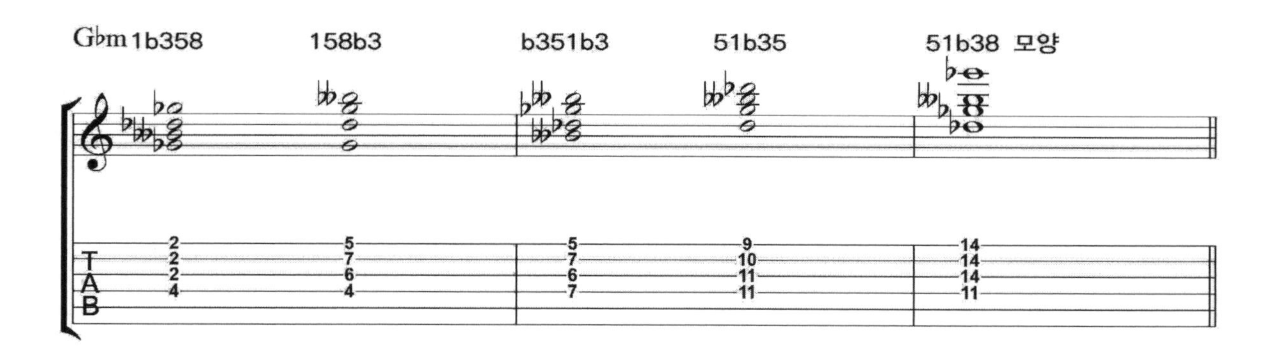
G♭m 1b358
158b3
b351b3
51b35
51b38 모양

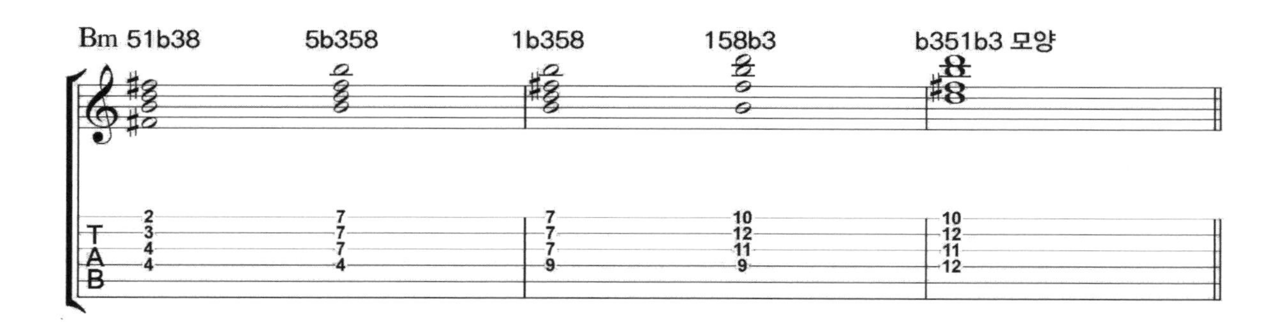
Bm 51b38
5b358
1b358
158b3
b351b3 모양

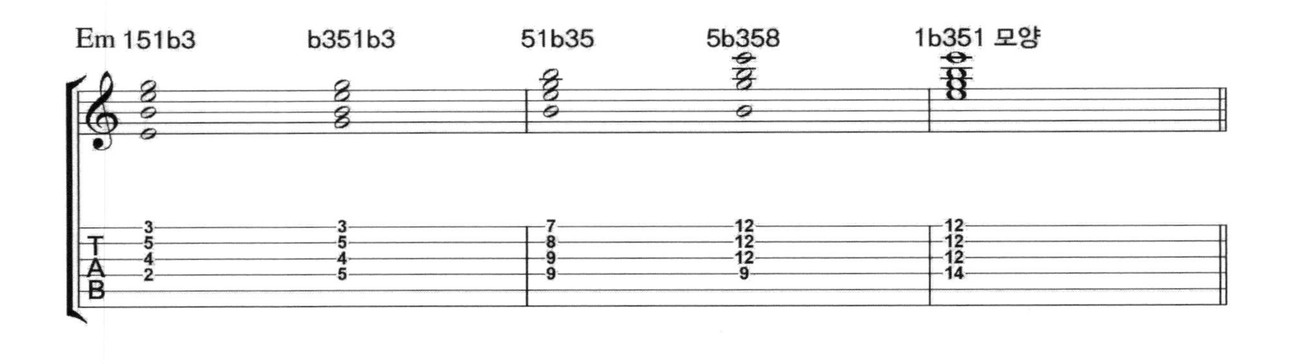
Em 151b3
b351b3
51b35
5b358
1b351 모양
T
A
B

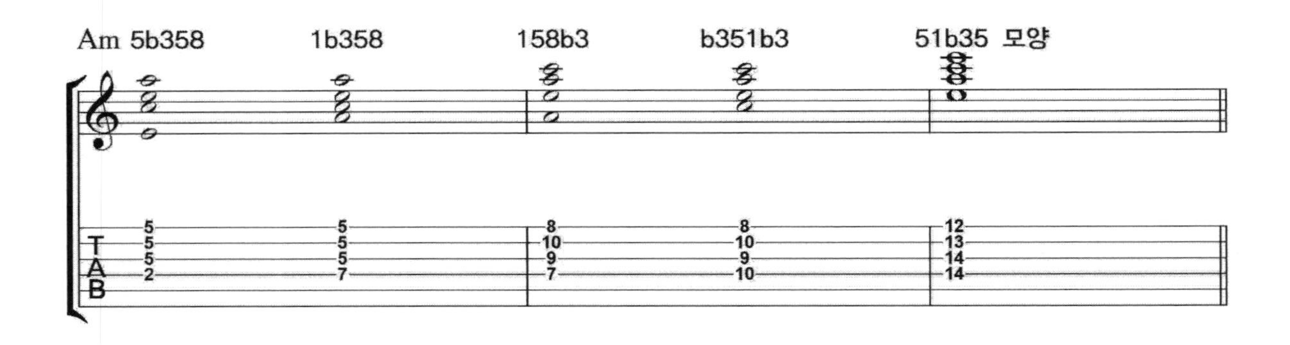
Am 5b358
1b358
158b3
b351b3
51b35 모양
T
A
B

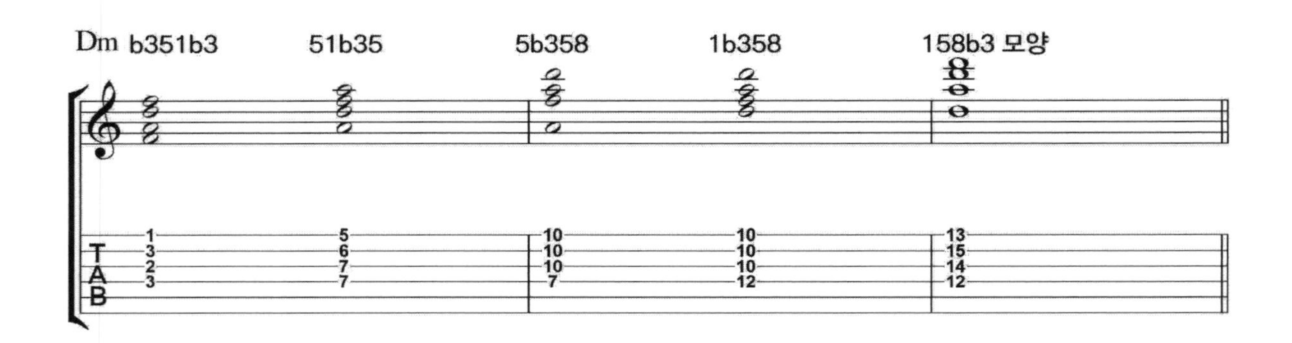
Dm b351b3
51b35
5b358
1b358
158b3 모양
T
A
B

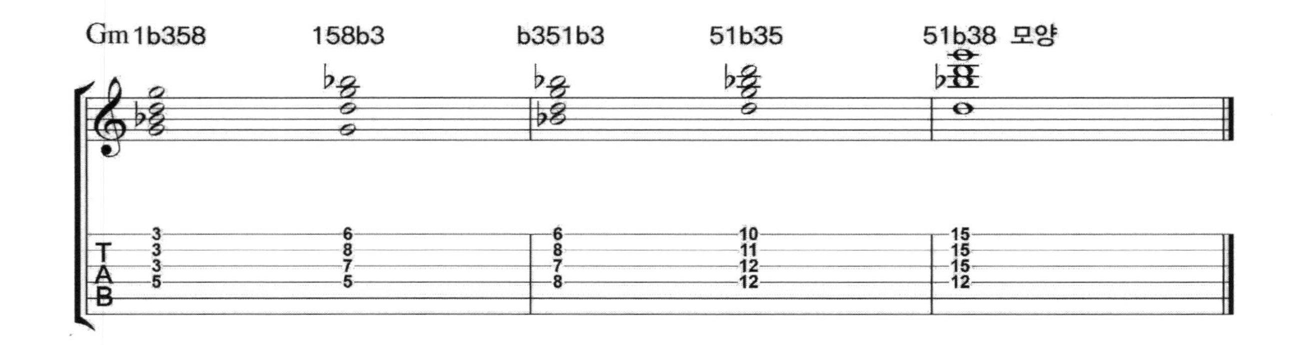
Gm 1b358
158b3
b351b3
51b35
51b38 모양
T
A
B

Step3-2-11 Am-Em-Dm 코드 진행으로 리듬 연주하면서 찾아보기.

C Major key에 해당하는 버금 3화음인 VIm(Am)-IIIm(Em)-IIm(Dm)-VIm(Am)의 코드 진행으로 당긴 음을 이용하여 코드를 연주해 보자.

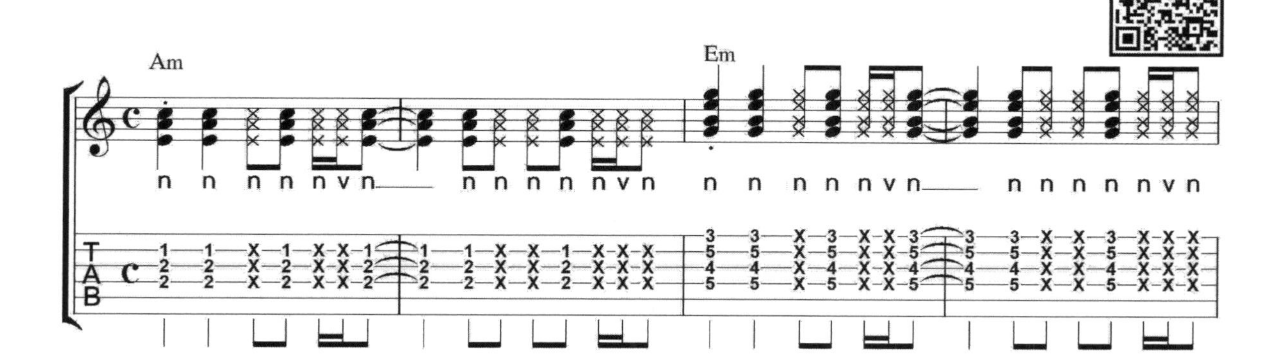

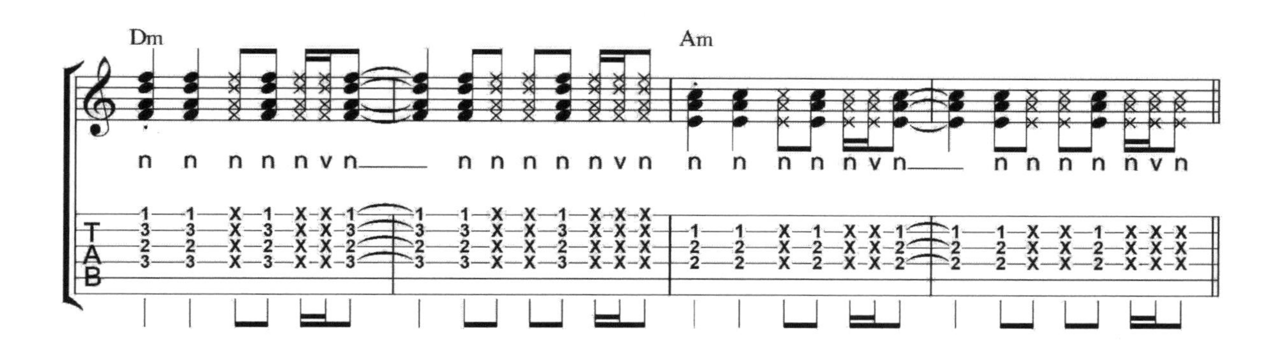

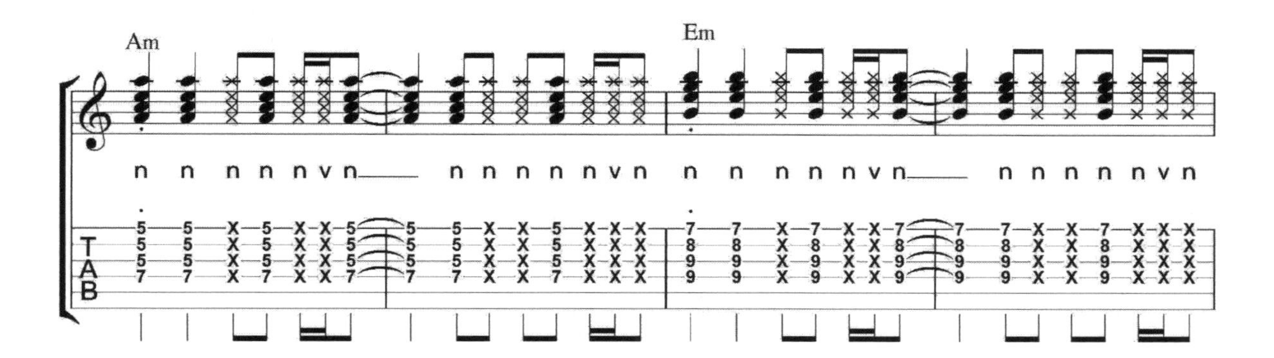

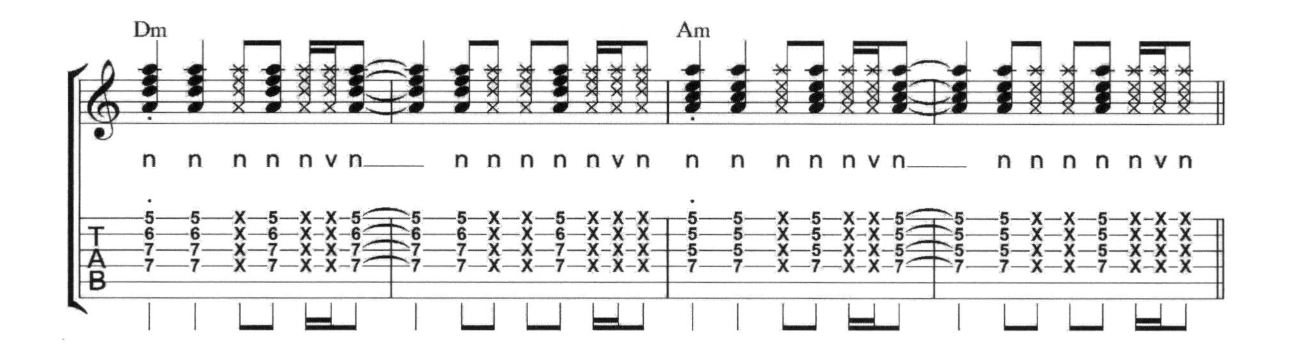

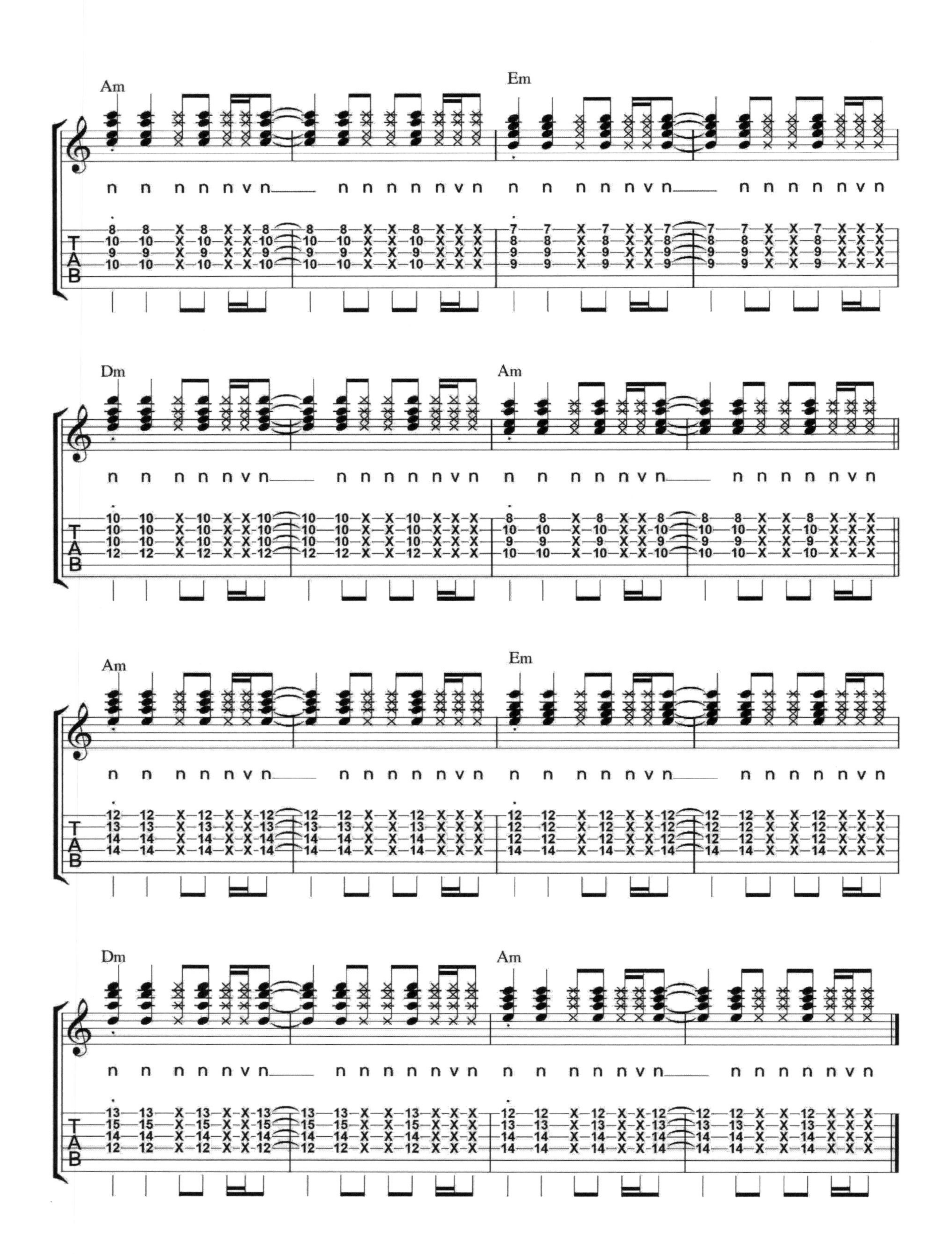
Am
Em
Dm
Am
Am
Em
Dm
Am

Step3-2-12 C Major key에 해당하는 다이아토닉 코드 연주하기.

메이저 코드와 마이너 코드를 배운 토대로 C Major key에 해당하는 다이아토닉 코드를 프렛 별로 찾아서 연주해 보자.

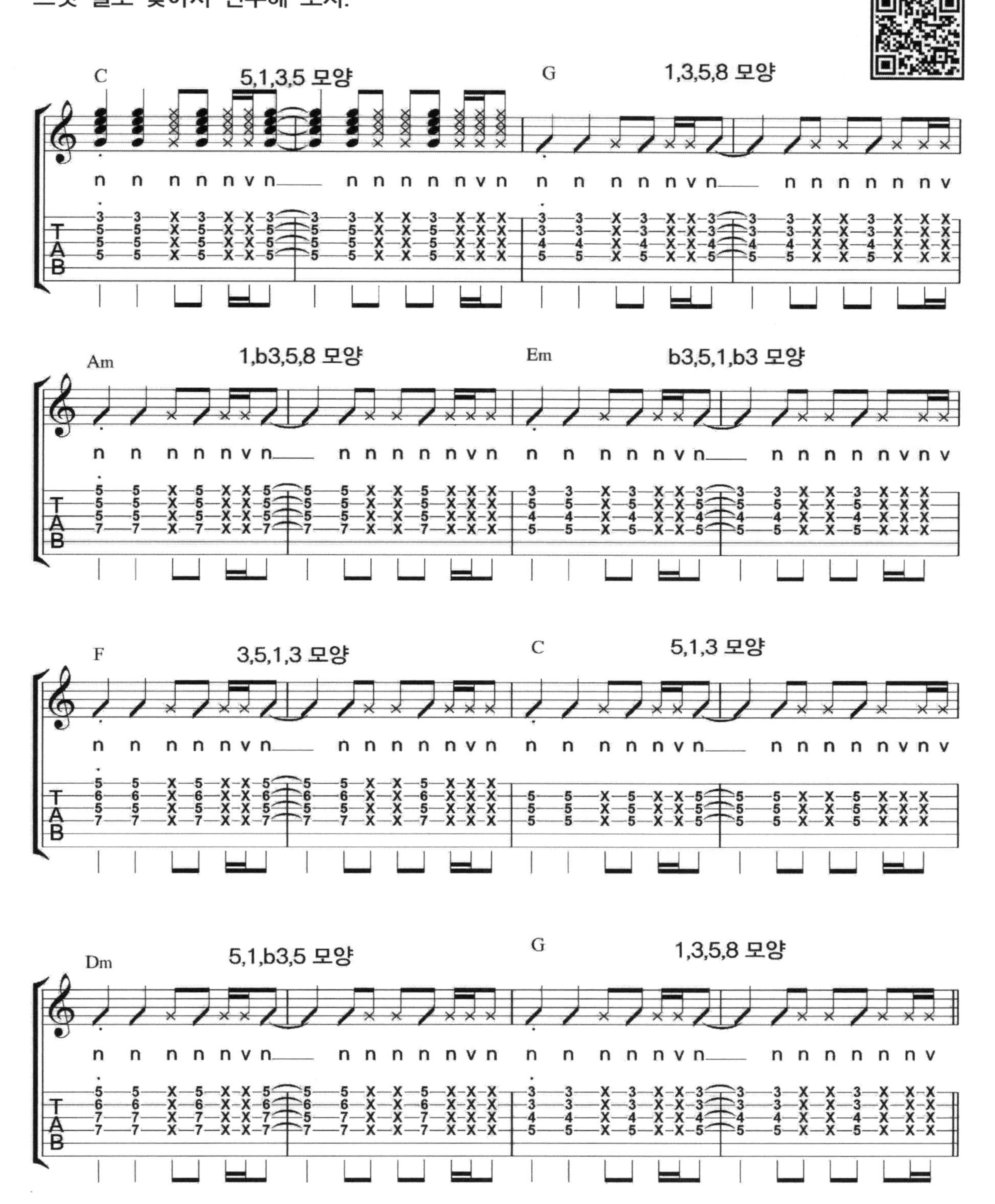

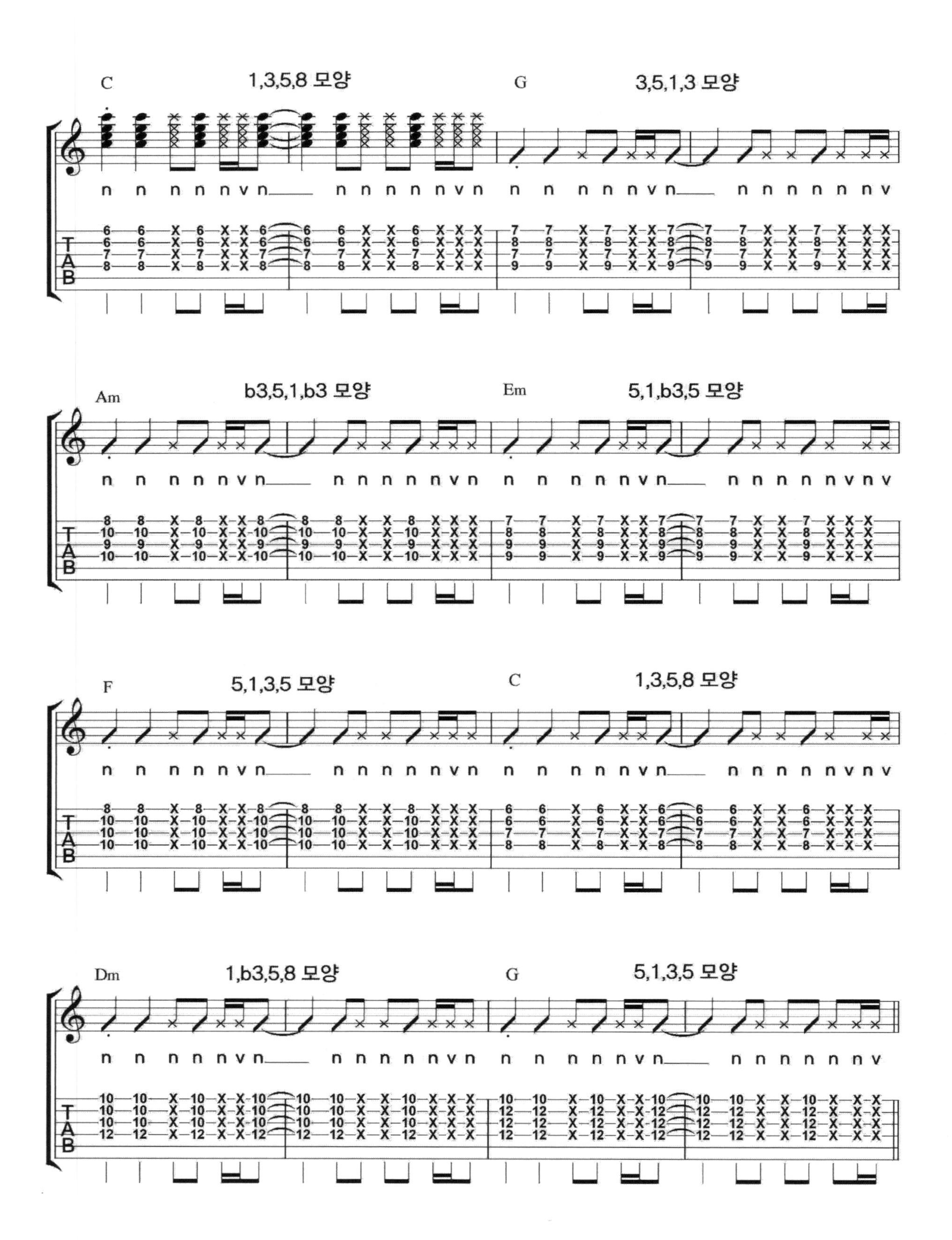
C
1,3,5,8 모양
G
3,5,1,3 모양
Am
b3,5,1,b3 모양
Em
5,1,b3,5 모양
F
5,1,3,5 모양
C
1,3,5,8 모양
Dm
1,b3,5,8 모양
G
5,1,3,5 모양

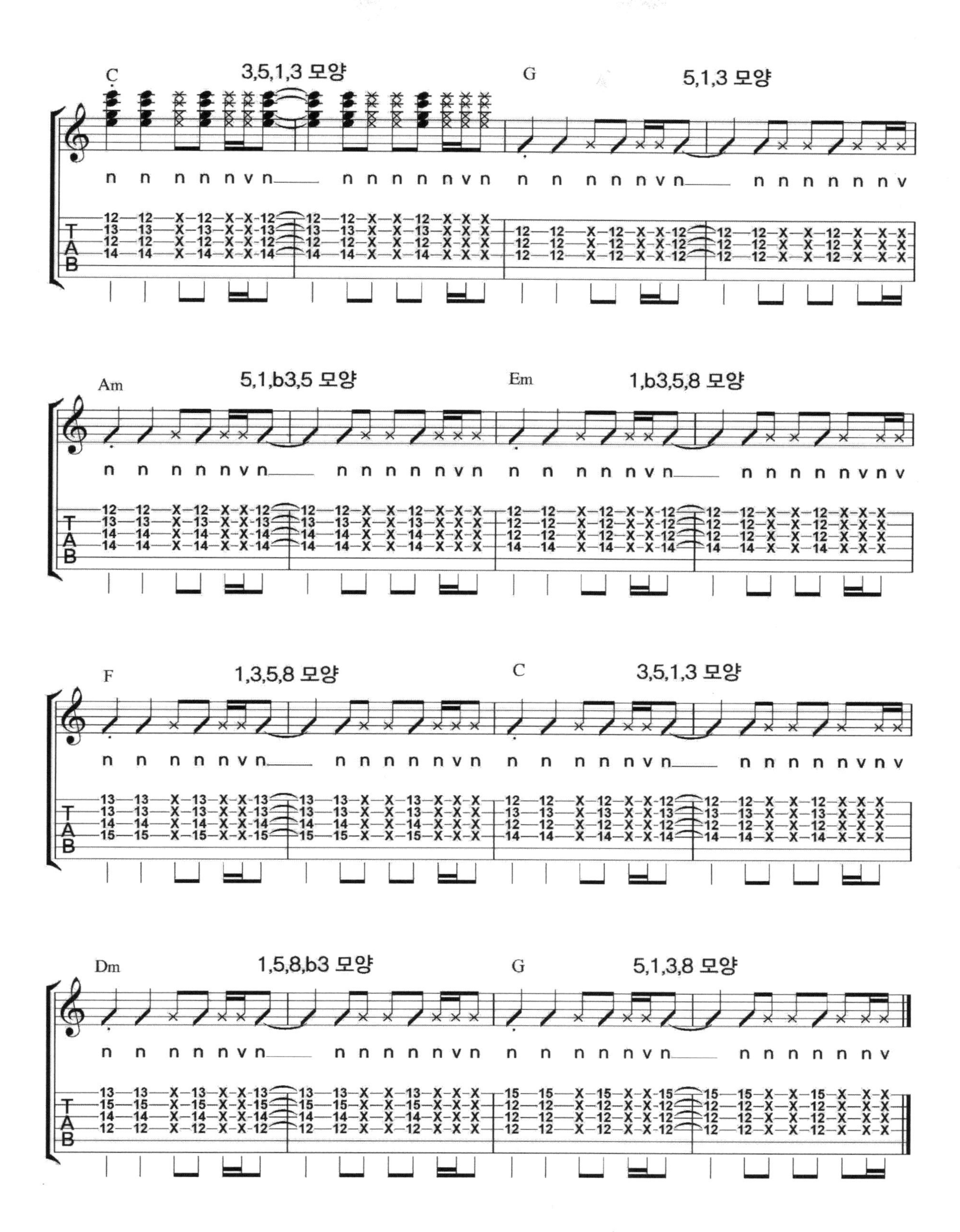
C
3,5,1,3 모양
G
5,1,3 모양
Am
5,1,b3,5 모양
Em
1,b3,5,8 모양
F
1,3,5,8 모양
C
3,5,1,3 모양
Dm
1,5,8,b3 모양
G
5,1,3,8 모양

Step3. 디미니쉬 코드톤 외우기

디미니쉬 코드톤(Diminish Chord tone)은 근 음(Root)으로 부터 단3도, 감5도 로 구성되어 있다. 즉 메이저코드에서 3도, 5도가 b 된 것이며, C 디미니쉬 코드는 '도, 미b, 솔b'이 된다.

Step3-3-1 3번줄 근음의 디미니쉬 코드 2,3,4번줄 (b5,1,b3 모양)

234번줄 기준에서 5,1,3모양의 메이저, 마이너, 디미니쉬 코드로 변하는 모양은 아래와 같다.

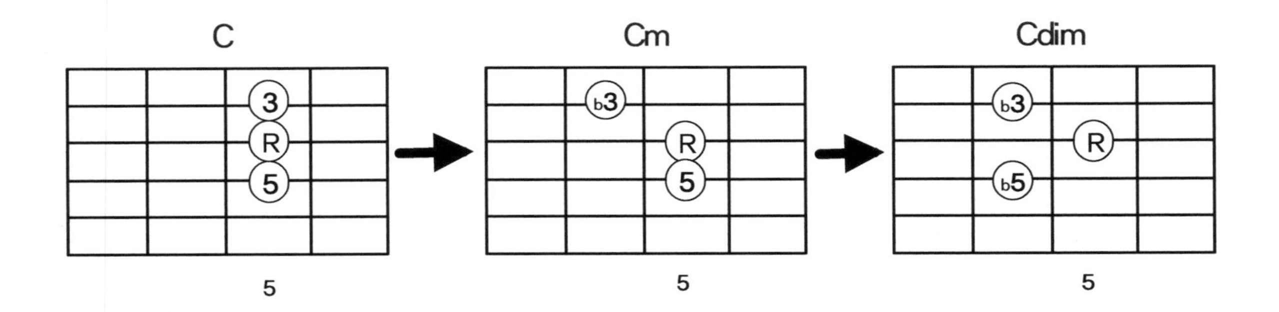

Step3-3-2 4번줄 근음의 디미니쉬 코드 2,3,4번줄 (1, b3, b5모양)

234번줄 기준에서 1,3,5모양의 메이저, 마이너, 디미니쉬 코드로 변하는 모양은 아래와 같다.

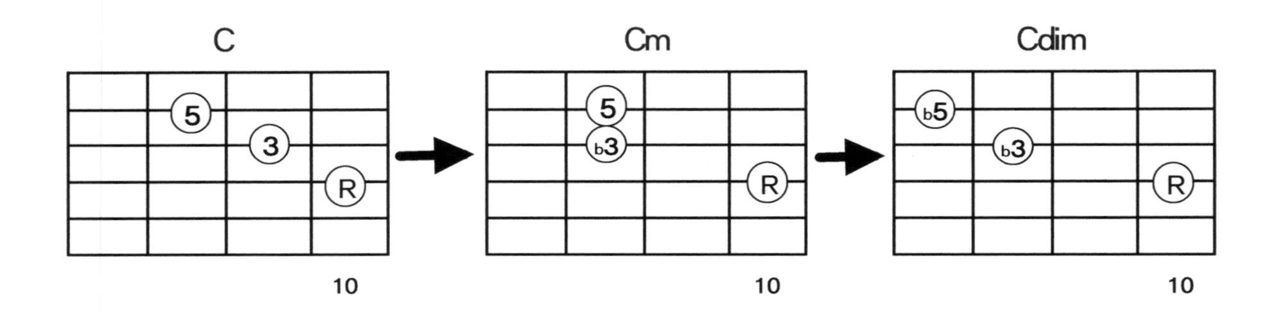

Step3-3-2 2번줄 근음의 디미니쉬 코드 2,3,4번줄 (b3, b5, 1 모양)

234번줄 기준에서 3,5,1모양의 메이저, 마이너, 디미니쉬 코드로 변하는 모양은 아래와 같다.

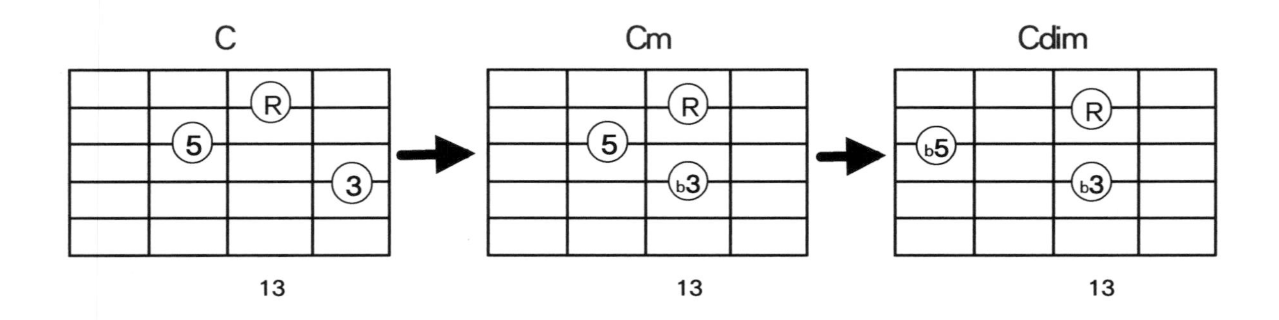

Step3-3-4 3번줄 근음의 디미니쉬 코드 (1,b3,b5 모양)

123번줄 기준에서 1,3,5 모양의 메이저, 마이너, 디미니쉬 코드로 변하는 모양은 아래와 같다.

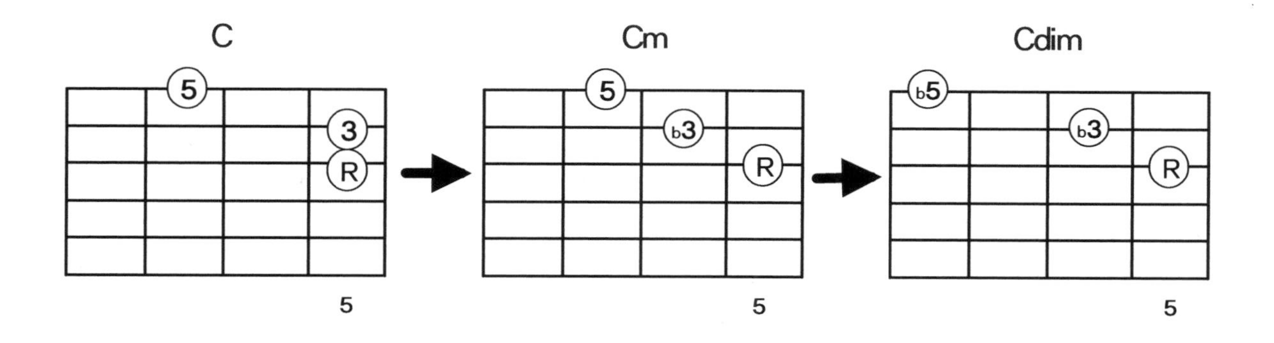

Step3-3-5 1번줄 근음의 디미니쉬 코드 (b3,b5,1 모양)

123번줄 기준에서 3,5,1 모양의 메이저, 마이너, 디미니쉬 코드로 변하는 모양은 아래와 같다.

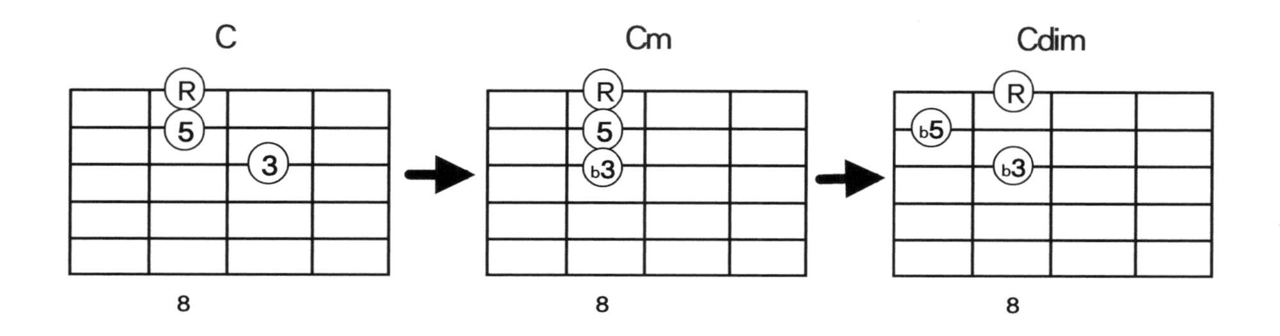

Step3-3-6 1번줄 근음의 디미니쉬 코드 (b3,b5,1 모양)

123번줄 기준에서 3,5,1 모양의 메이저, 마이너, 디미니쉬 코드로 변하는 모양은 아래와 같다.

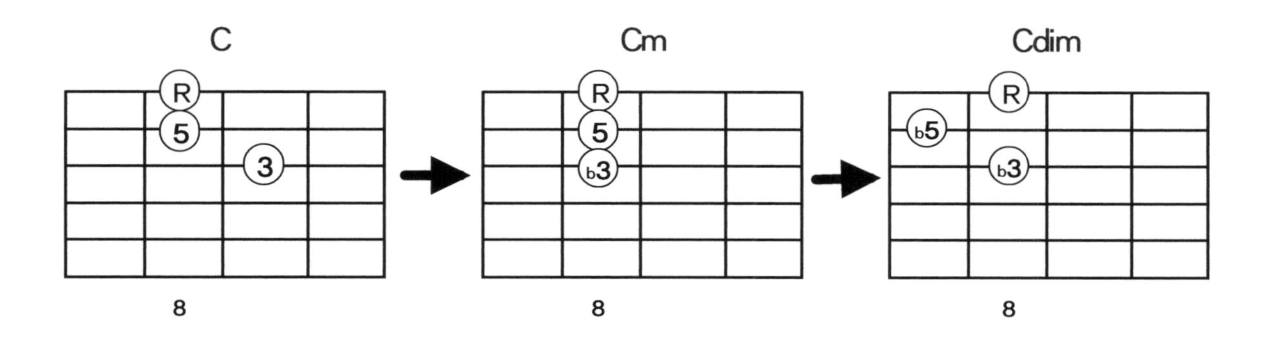

Step3-3-7 123번줄 234번줄 Cdim 코드 모양 정리

① 234번 줄 b5,1,b3 모양

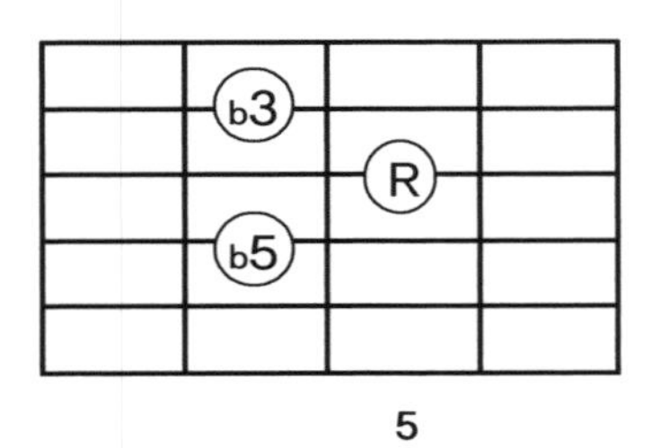

② 234번 줄 1,b3,b5 모양

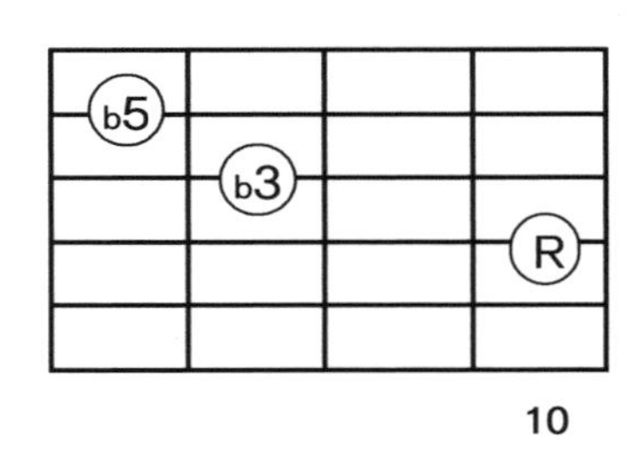

③ 234번 줄 b3,b5,1 모양

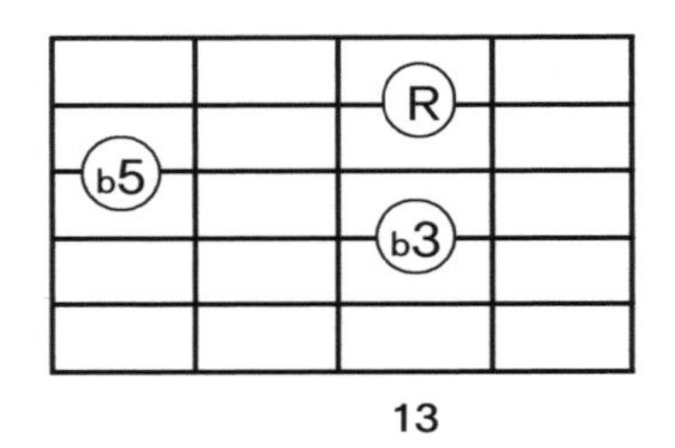

① 123번 줄 1,b3,b5 모양

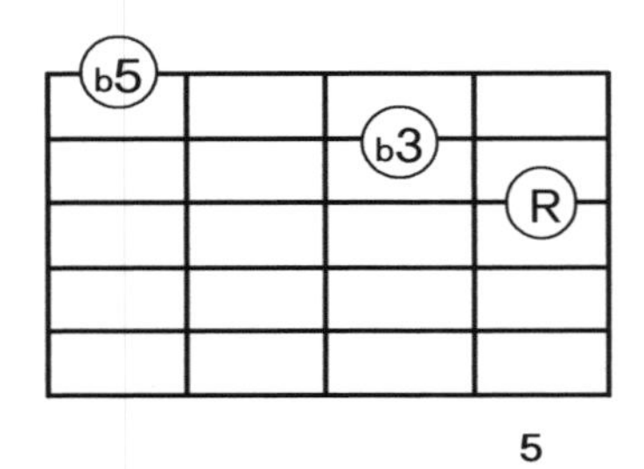

② 123번 줄 b3,b5,1 모양

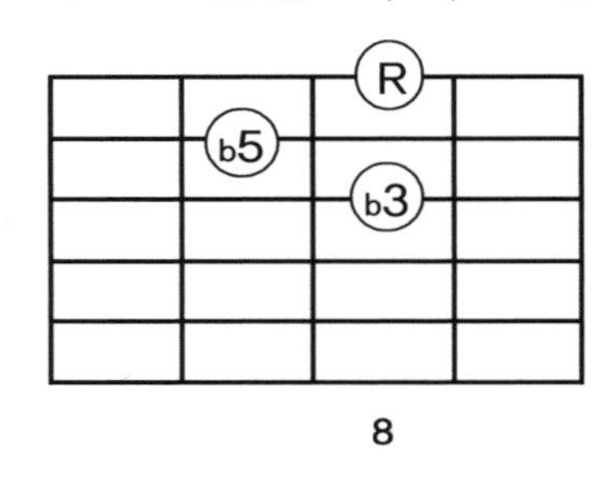

③ 123번 줄 b5,1,b3 모양

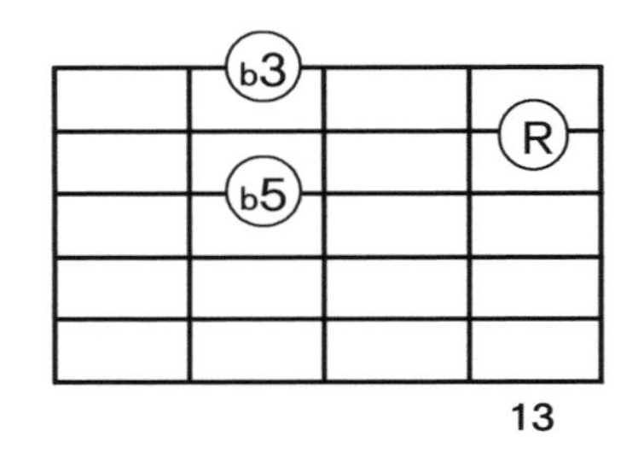

Step3-3-8[13] 4개의 줄로 구성된 $C^{\varnothing 7}$ 코드 모양 정리

① b3,b7,1,b5 모양

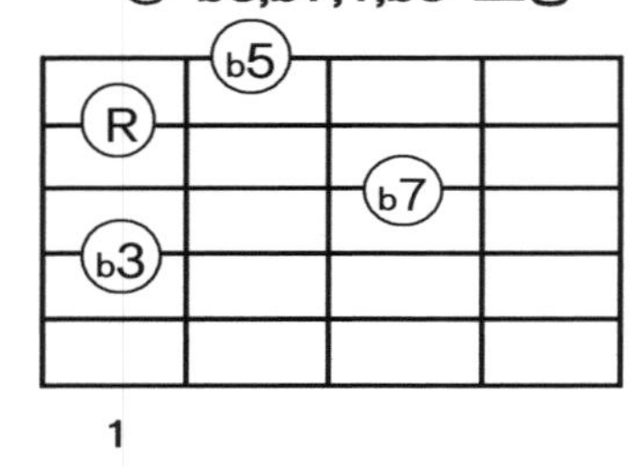

② 1,b5,b7,b3 모양

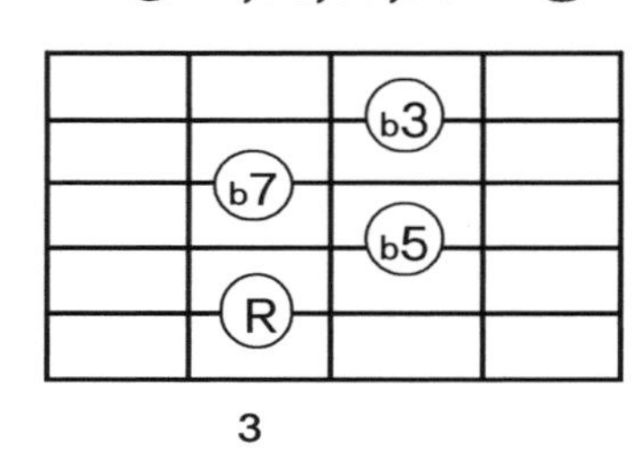

③ b5,1,b3,b7 모양

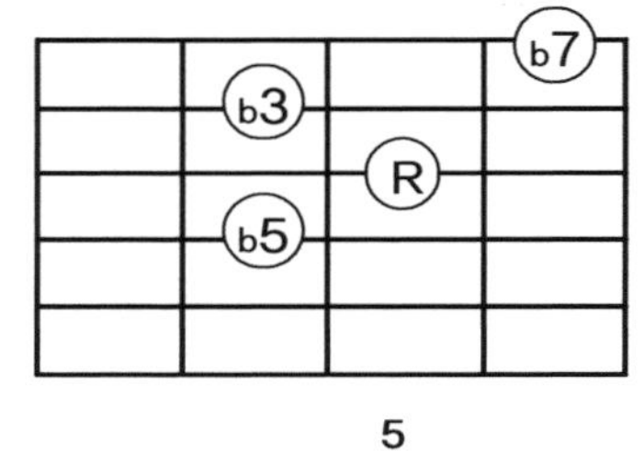

④ 1,b7,b3,b5 모양

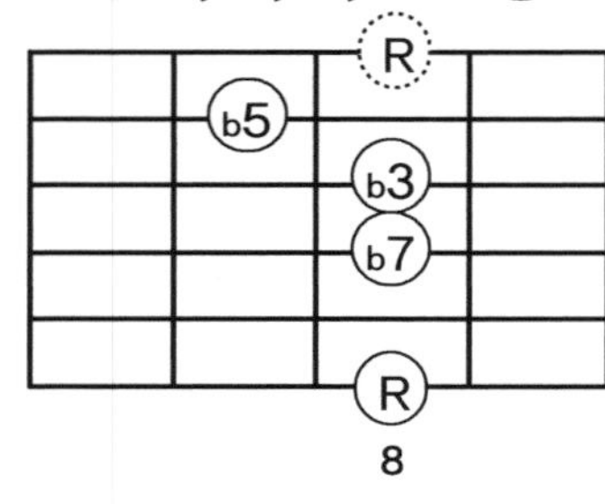

⑤ 1,b5,b7,b3 모양

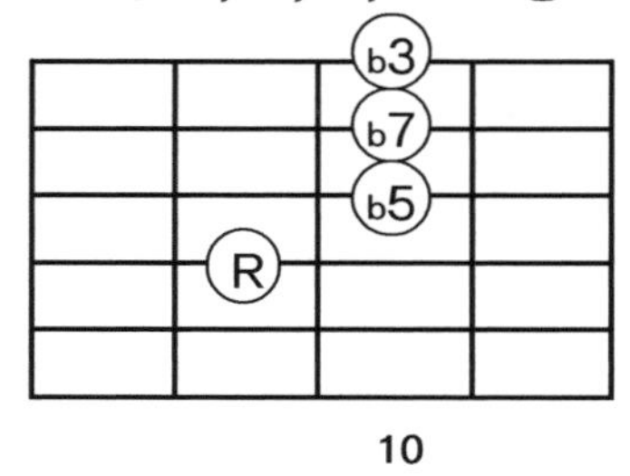

⑥ b3,b5,1,b3 모양

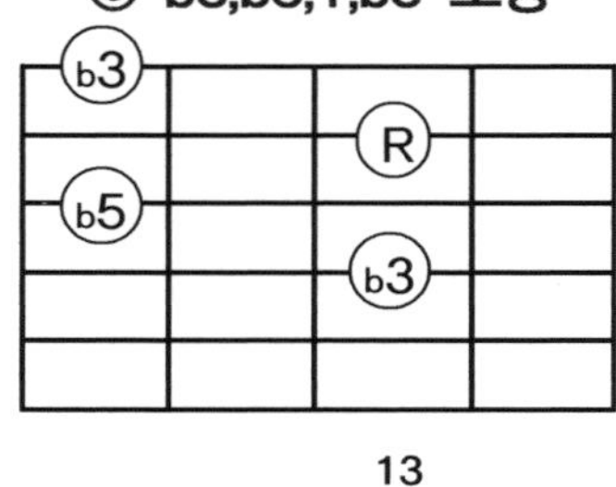

---

13) 3화음으로 구성된 Cdim 코드는 1234번 줄만으로는 잡기가 힘들기 때문에 7^{th}코드를 추가하여 $C^{\varnothing 7}$코드로 대체하였다. ④번의 모양은 ®이 두개가 있는데 둘 중에 하나를 선택하여 모양을 잡아보자.

Step3-3-9 4도권으로 디미니쉬 코드톤 234번 줄 연습하기.

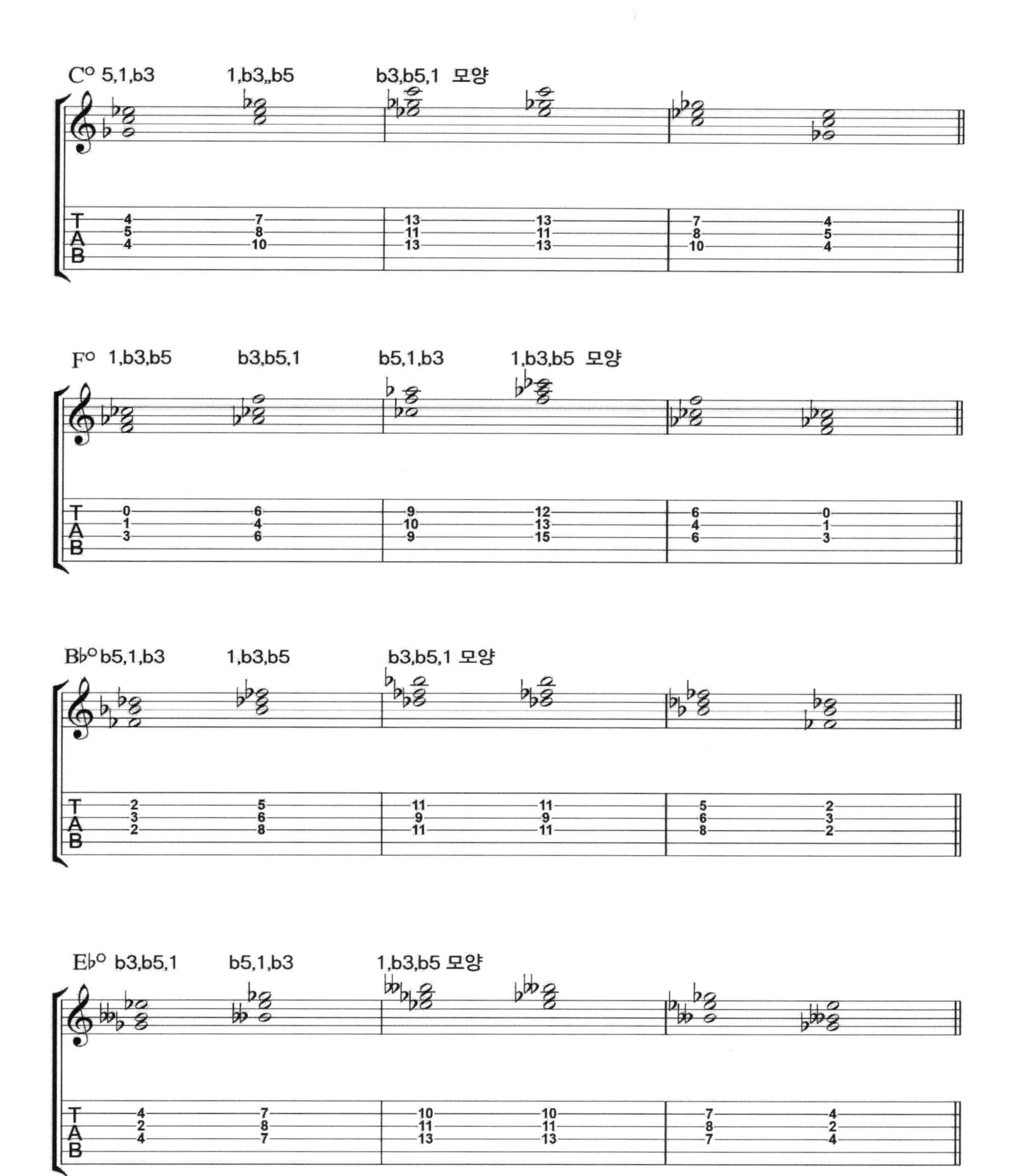

A♭o 1,b3,b5
b3,b5,1
b5,1,b3 모양
T
A
B
3 4 6
9 7 9
12 13 12
12 13 12
9 7 9
3 4 6

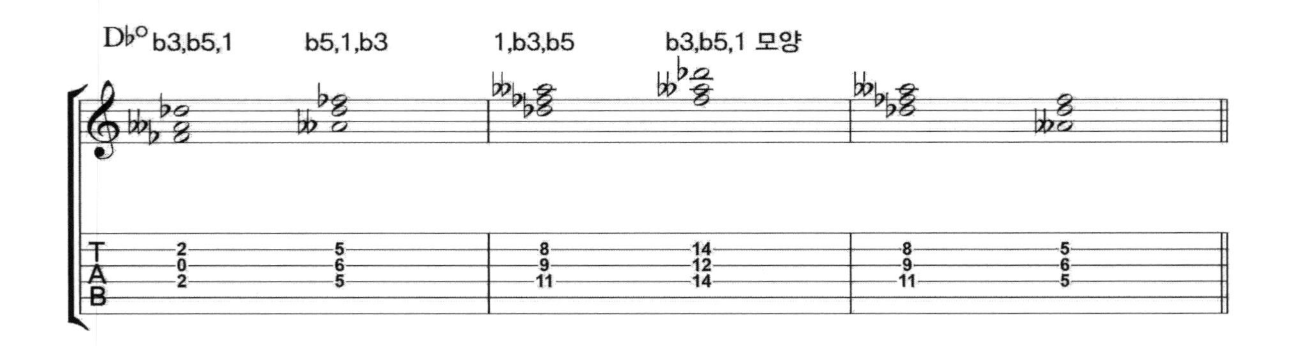
D♭o b3,b5,1
b5,1,b3
1,b3,b5
b3,b5,1 모양
T
A
B
2 0 2
5 6 5
8 9 11
14 12 14
8 9 11
5 6 5

G♭o 1,b3,b5
b3,b5,1
b5,1,b3 모양
T
A
B
1 2 4
7 5 7
10 11 10
10 11 10
7 5 7
1 2 4

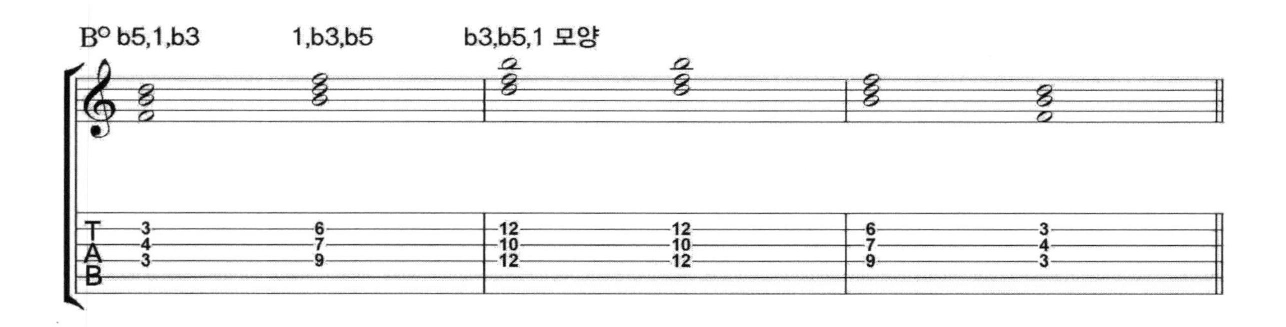
Bo b5,1,b3
1,b3,b5
b3,b5,1 모양
T
A
B
3 4 3
6 7 9
12 10 12
12 10 12
6 7 9
3 4 3

E° b3,b5,1
b5,1,b3
1,b3,b5 모양

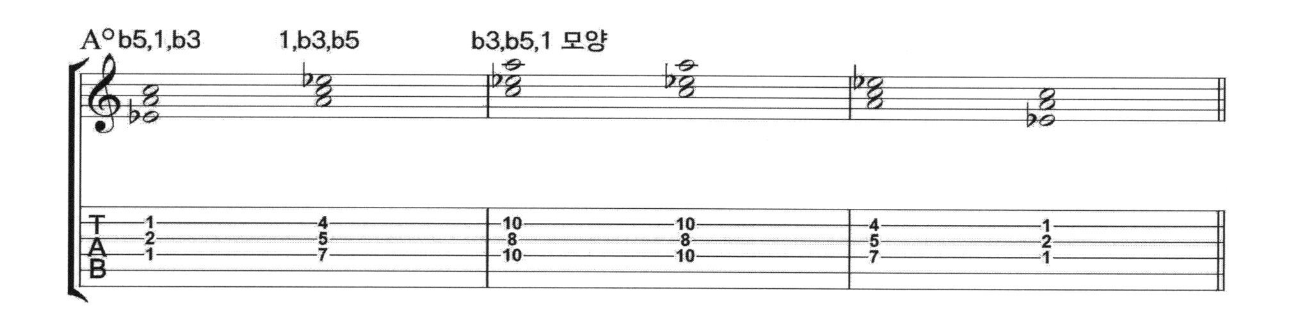
A° b5,1,b3
1,b3,b5
b3,b5,1 모양

D° b3,b5,1
b5,1,b3
1,b3,b5 모양

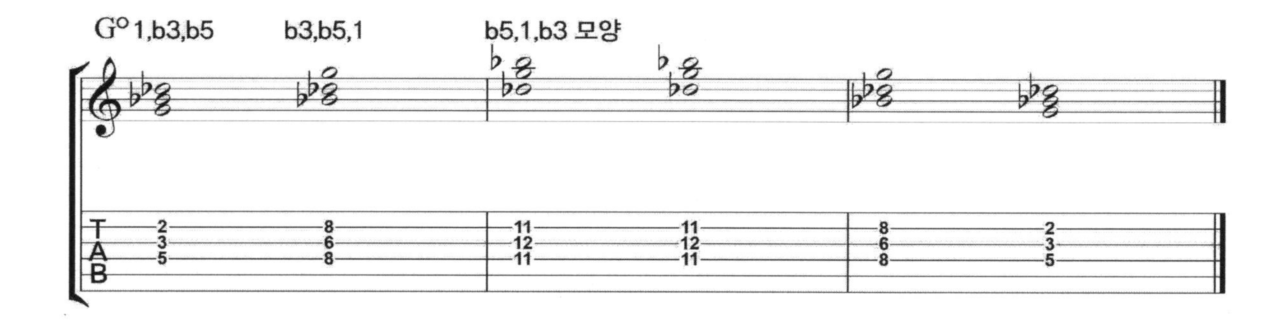
G° 1,b3,b5
b3,b5,1
b5,1,b3 모양

Step3-3-10 4도권으로 디미니쉬 코드톤 123번 줄 연습하기.

Ab° b3,b5,1 b5,1,b3 1,b3,b5 모양

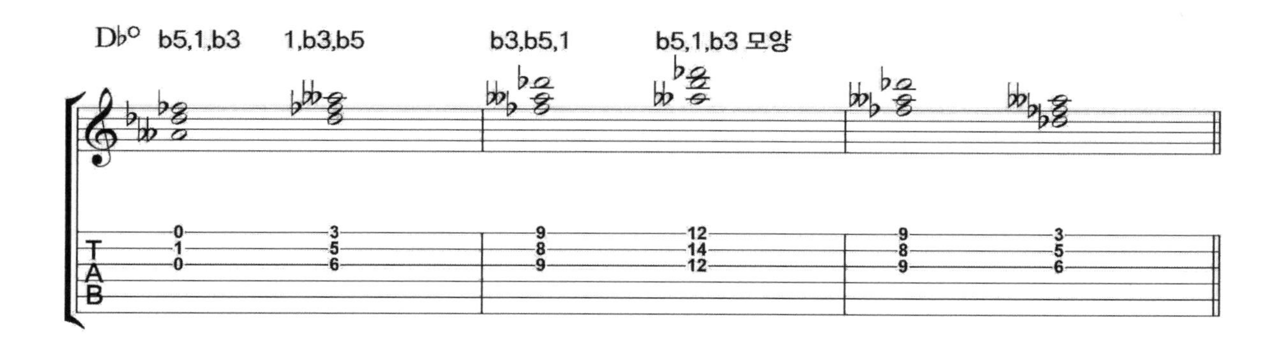
Db° b5,1,b3 1,b3,b5 b3,b5,1 b5,1,b3 모양

Gb° b3,b5,1 b5,1,b3 1,b3,b5 모양

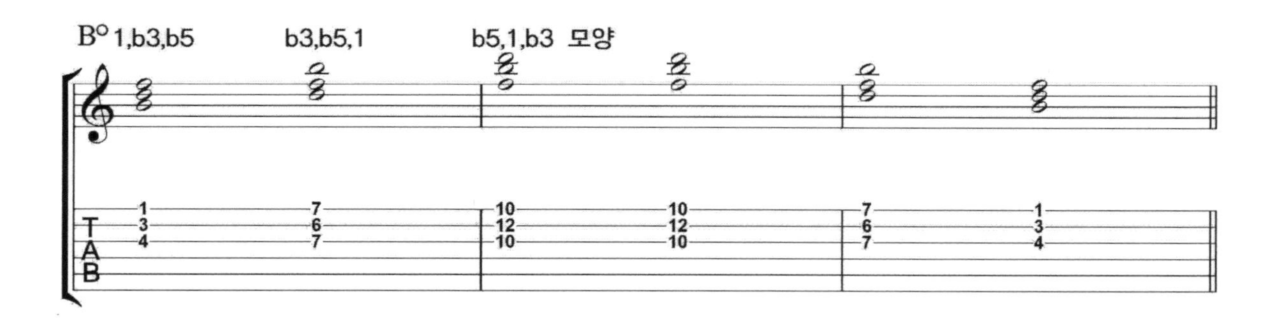
B° 1,b3,b5 b3,b5,1 b5,1,b3 모양

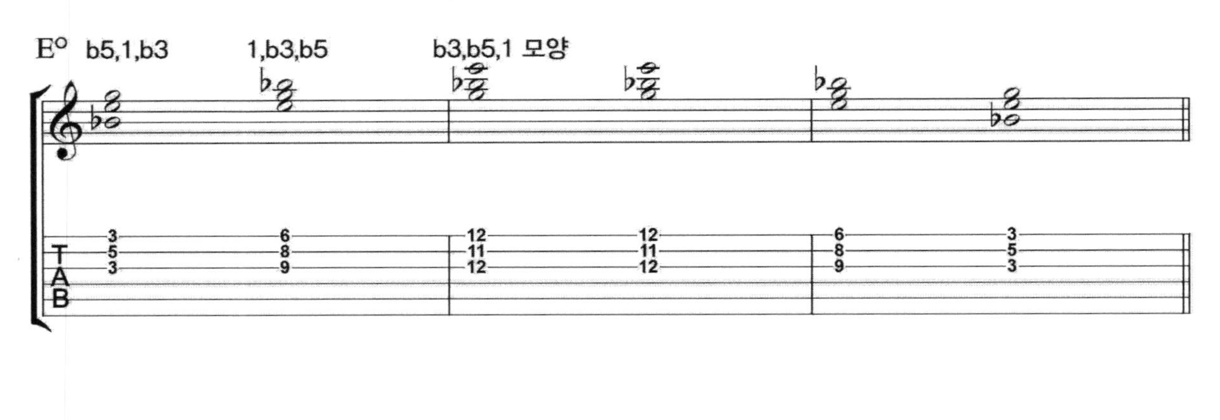
E° b5,1,b3
1,b3,b5
b3,b5,1 모양
TAB

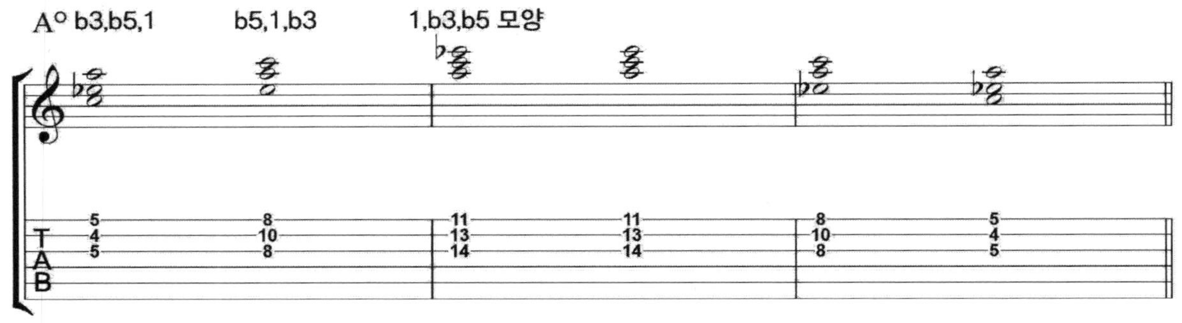
A° b3,b5,1
b5,1,b3
1,b3,b5 모양
TAB

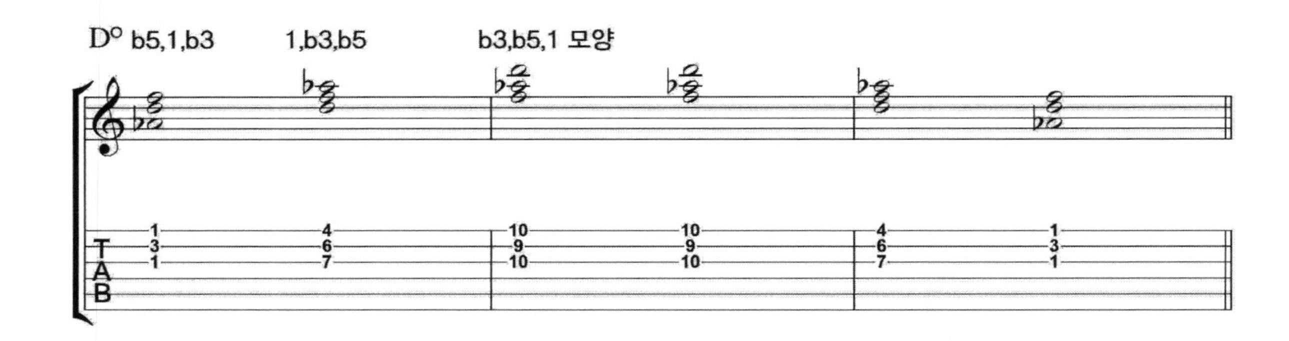
D° b5,1,b3
1,b3,b5
b3,b5,1 모양
TAB

G° b3,b5,1
b5,1,b3
1,b3,b5 모양
TAB

Step3-3-11 메이저, 마이너, 디미니쉬 코드 정리하기. (234번 줄 기준)

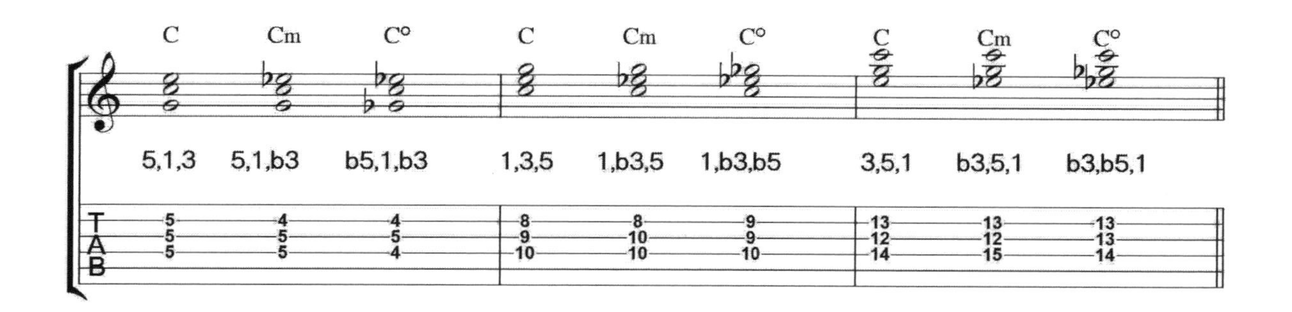

F Fm F° F Fm F° F Fm F°
1,3,5 1,b3,5 1,b3,b5 3,5,1 b3,5,1 b3,b5,1 5,1,3 5,1,b3 b5,1,b3
TAB

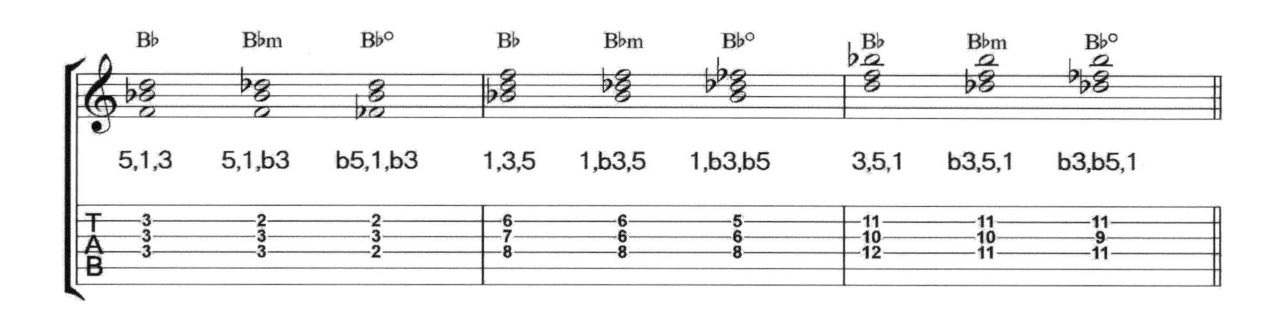

E♭ E♭m E♭° E♭ E♭m E♭° E♭ E♭m E♭°
3,5,1 b3,5,1 b3,b5,1 5,1,3 5,1,b3 b5,1,b3 1,3,5 1,b3,5 1,b3,b5
TAB

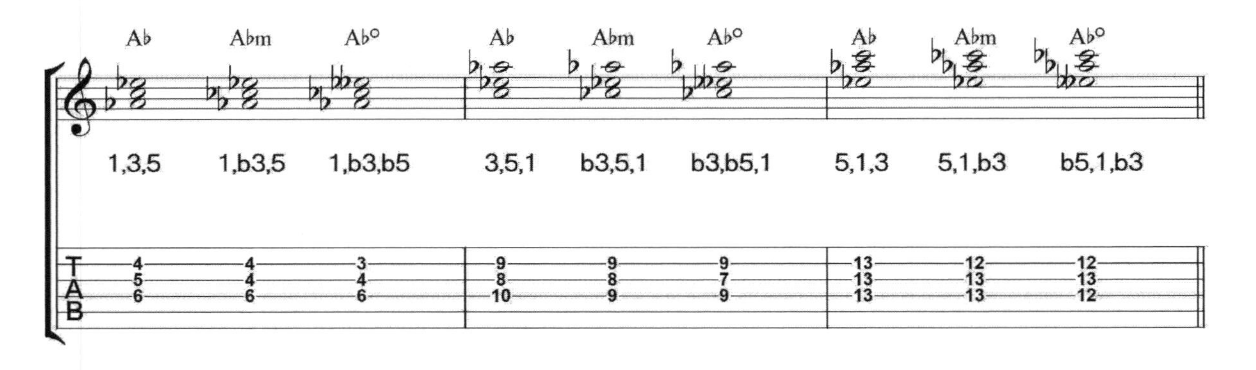
A♭ A♭m A♭° A♭ A♭m A♭° A♭ A♭m A♭°
1,3,5 1,b3,5 1,b3,b5 3,5,1 b3,5,1 b3,b5,1 5,1,3 5,1,b3 b5,1,b3

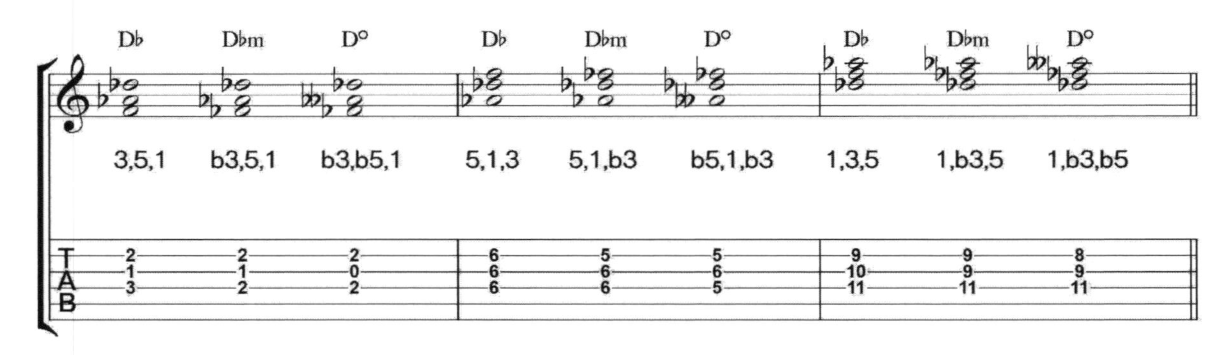
D♭ D♭m D° D♭ D♭m D° D♭ D♭m D°
3,5,1 b3,5,1 b3,b5,1 5,1,3 5,1,b3 b5,1,b3 1,3,5 1,b3,5 1,b3,b5

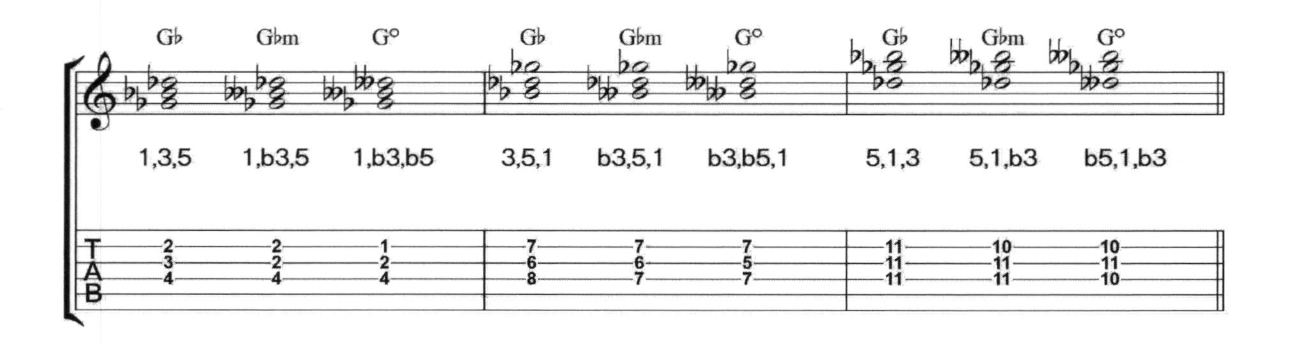
G♭ G♭m G° G♭ G♭m G° G♭ G♭m G°
1,3,5 1,b3,5 1,b3,b5 3,5,1 b3,5,1 b3,b5,1 5,1,3 5,1,b3 b5,1,b3

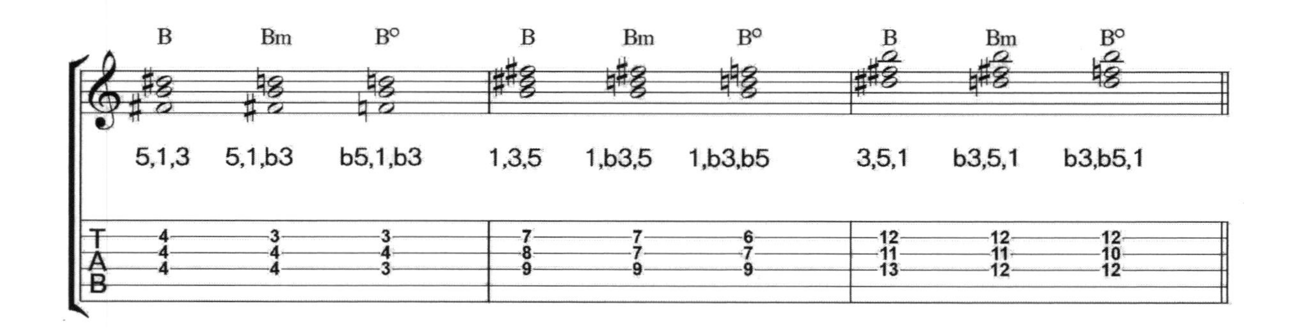
B Bm B° B Bm B° B Bm B°
5,1,3 5,1,b3 b5,1,b3 1,3,5 1,b3,5 1,b3,b5 3,5,1 b3,5,1 b3,b5,1

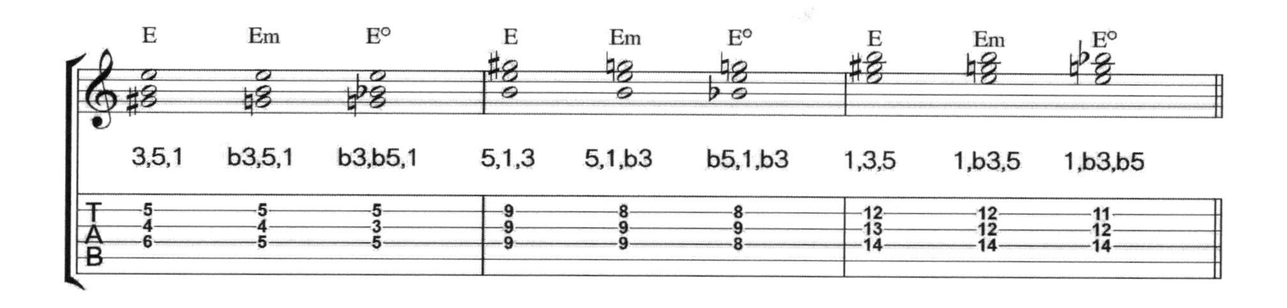

A	Am	A°	A	Am	A°	A	Am	A°
5,1,3	5,1,b3	b5,1,b3	1,3,5	1,b3,5	1,b3,b5	3,5,1	b3,5,1	b3,b5,1
2	1	1	5	5	4	10	10	10
2	2	2	6	5	5	9	9	8
2	2	1	7	7	7	11	10	10

D	Dm	D°	D	Dm	D°	D	Dm	D°
3,5,1	b3,5,1	b3,b5,1	5,1,3	5,1,b3	b5,1,b3	1,3,5	1,b3,5	1,b3,b5
3	3	3	7	6	6	10	10	9
2	2	1	7	7	7	11	10	10
4	3	3	7	7	6	12	12	12

G	Gm	G°	G	Gm	G°	G	Gm	G°
1,3,5	1,b3,5	1,b3,b5	3,5,1	b3,5,1	b3,b5,1	5,1,3	5,1,b3	b5,1,b3
3	3	2	8	8	8	12	11	11
4	3	3	7	7	6	12	12	12
5	5	5	9	8	8	12	12	11

Step3-3-12 메이저, 마이너, 디미니쉬 코드 정리하기. (123번 줄 기준)

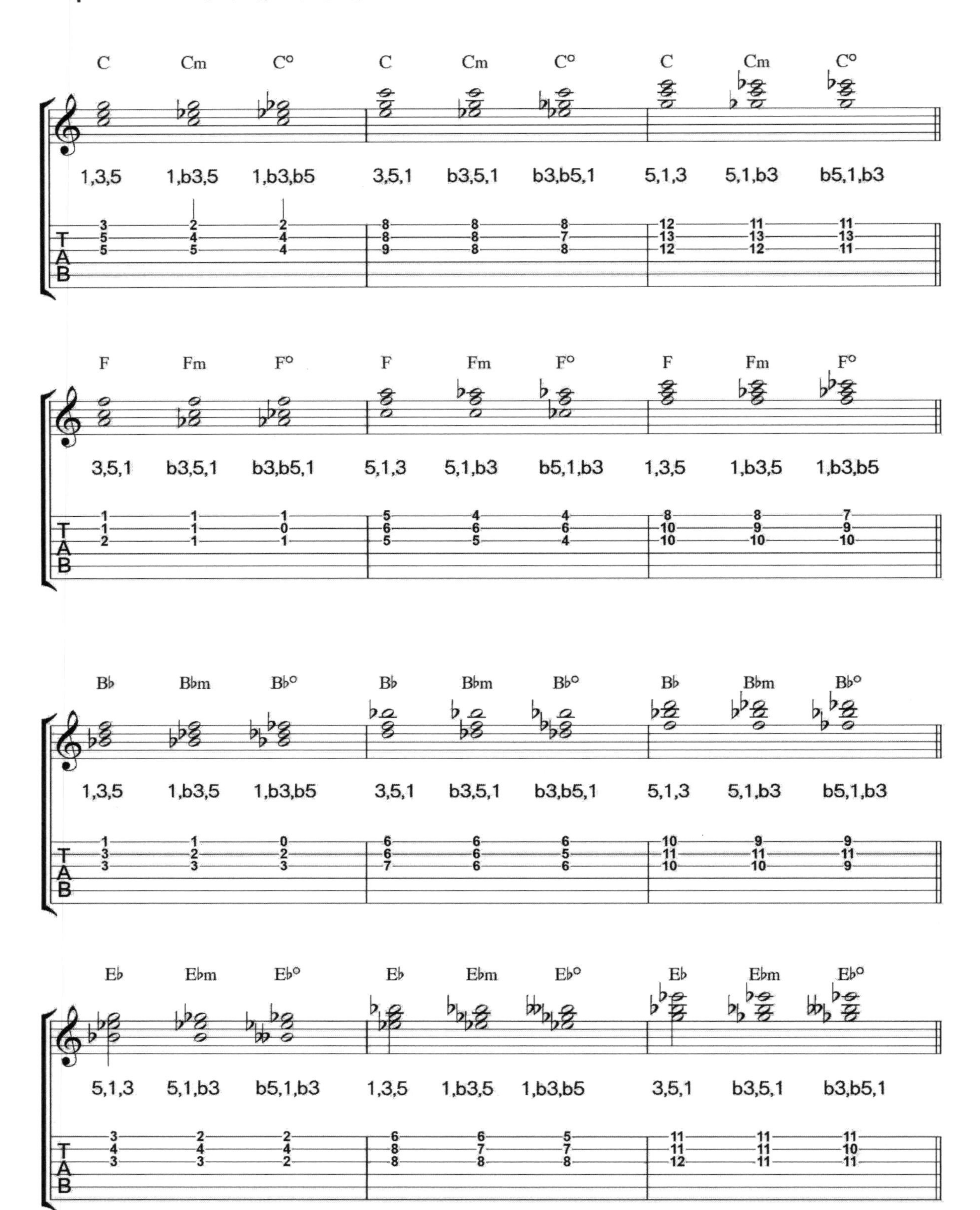

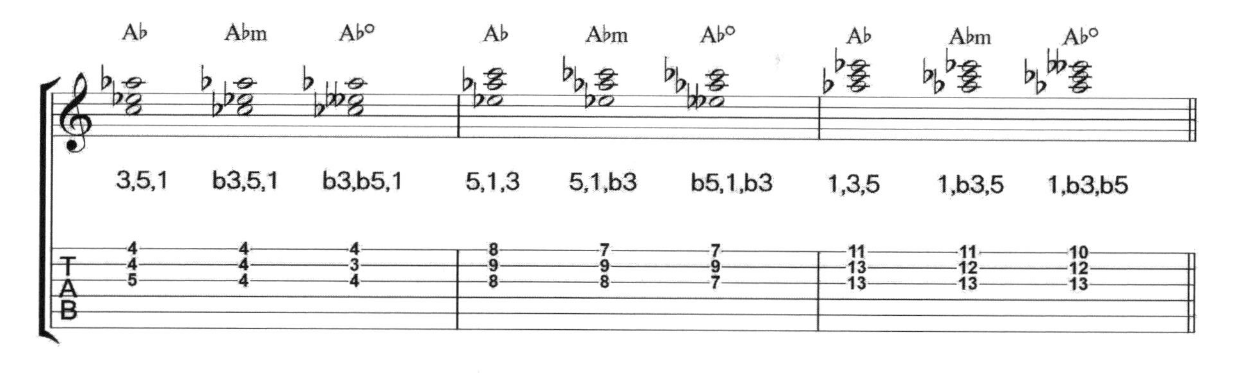
Ab Abm Ab° Ab Abm Ab° Ab Abm Ab°
3,5,1 b3,5,1 b3,b5,1 5,1,3 5,1,b3 b5,1,b3 1,3,5 1,b3,5 1,b3,b5
TAB

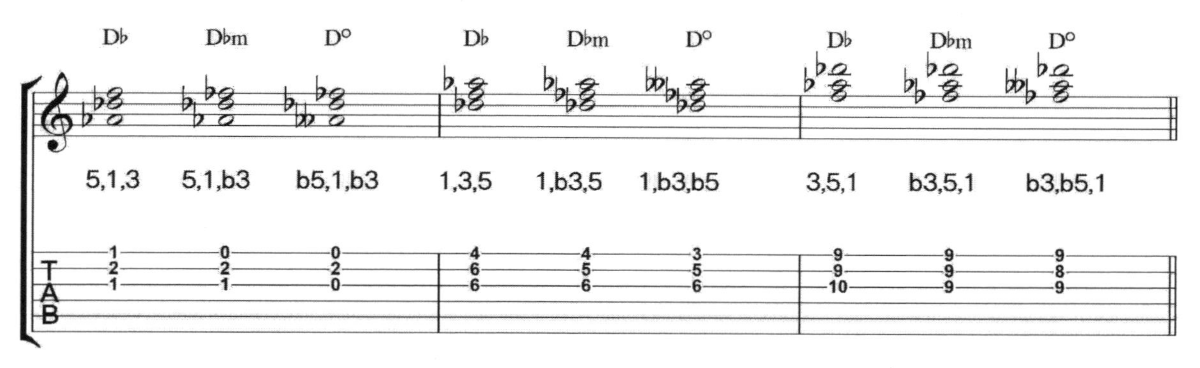
Db Dbm D° Db Dbm D° Db Dbm D°
5,1,3 5,1,b3 b5,1,b3 1,3,5 1,b3,5 1,b3,b5 3,5,1 b3,5,1 b3,b5,1
TAB

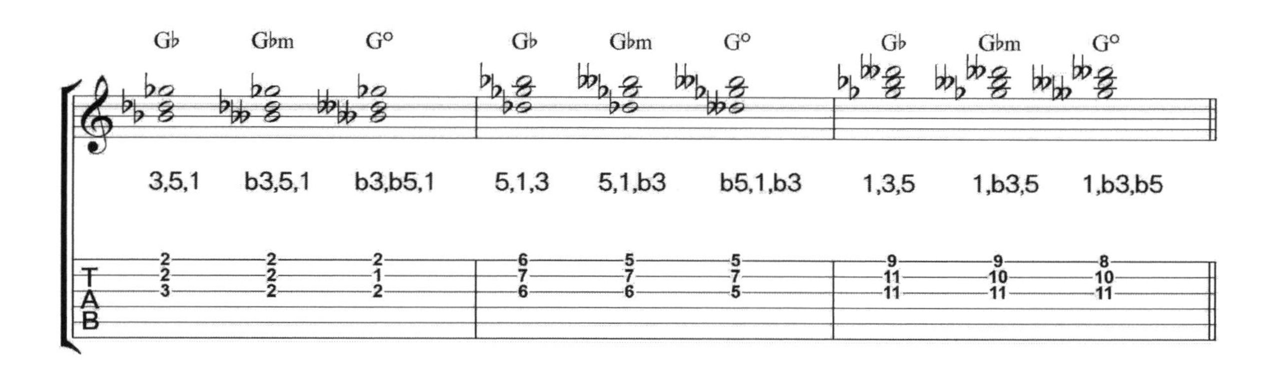
Gb Gbm G° Gb Gbm G° Gb Gbm G°
3,5,1 b3,5,1 b3,b5,1 5,1,3 5,1,b3 b5,1,b3 1,3,5 1,b3,5 1,b3,b5
TAB

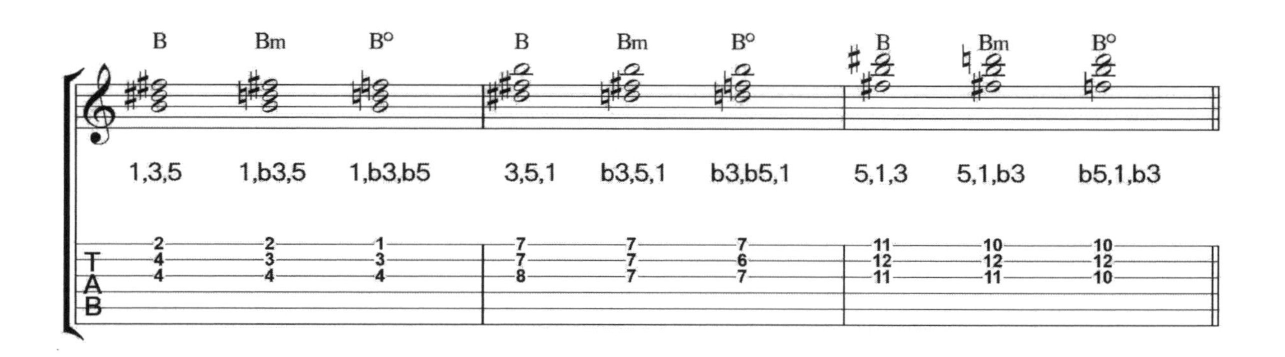
B Bm B° B Bm B° B Bm B°
1,3,5 1,b3,5 1,b3,b5 3,5,1 b3,5,1 b3,b5,1 5,1,3 5,1,b3 b5,1,b3
TAB

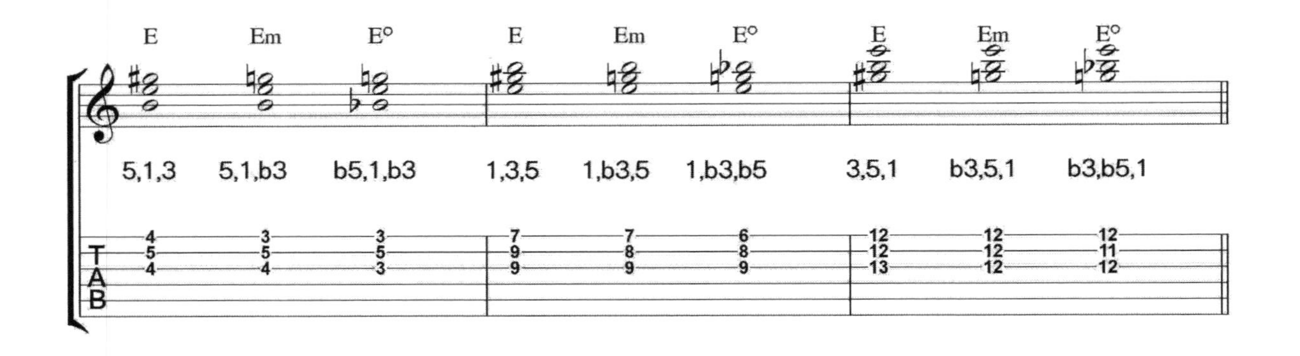
E Em E° E Em E° E Em E°
5,1,3 5,1,b3 b5,1,b3 1,3,5 1,b3,5 1,b3,b5 3,5,1 b3,5,1 b3,b5,1

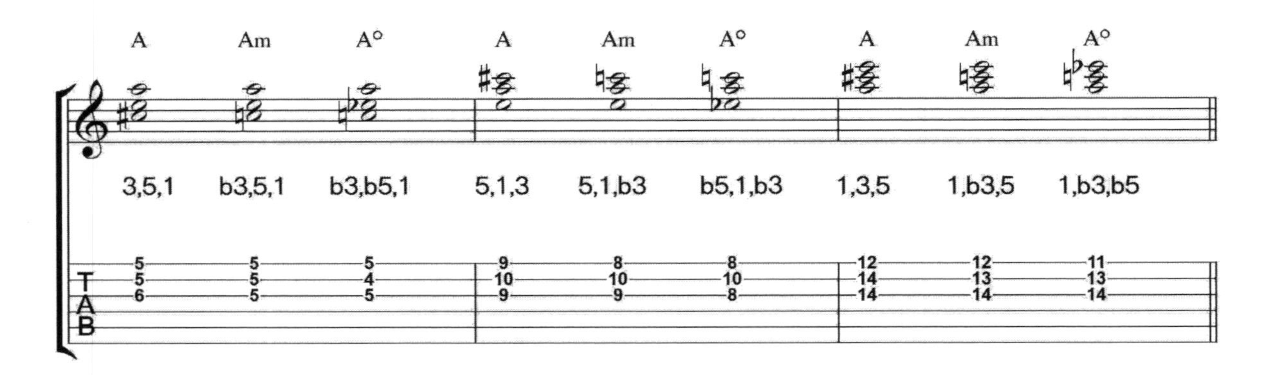
A Am A° A Am A° A Am A°
3,5,1 b3,5,1 b3,b5,1 5,1,3 5,1,b3 b5,1,b3 1,3,5 1,b3,5 1,b3,b5

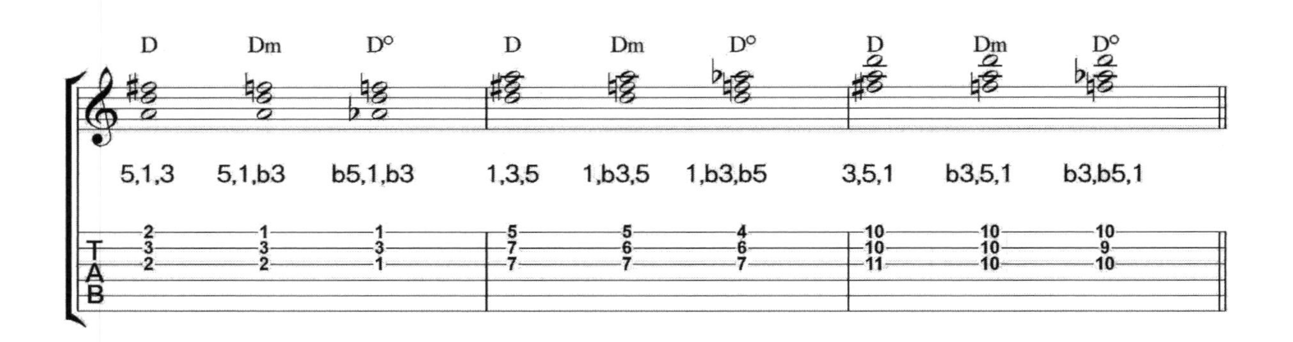
D Dm D° D Dm D° D Dm D°
5,1,3 5,1,b3 b5,1,b3 1,3,5 1,b3,5 1,b3,b5 3,5,1 b3,5,1 b3,b5,1

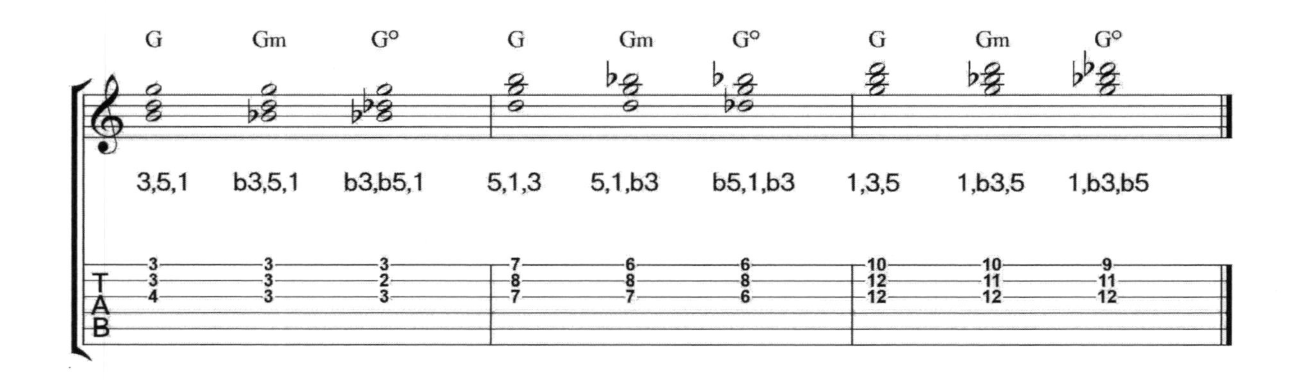
G Gm G° G Gm G° G Gm G°
3,5,1 b3,5,1 b3,b5,1 5,1,3 5,1,b3 b5,1,b3 1,3,5 1,b3,5 1,b3,b5

Step4. sus4와 오그먼트 코드톤 외우기

sus4 코드는 메이저 코드에서 3도가 #된 완전4도(증3도) 음정이 포함된 코드이고 오그먼트(Augment) 코드는 메이저 코드에서 5도가 #된 증5도 음정이 포함된 코드이다. 예로 Csus4 코드는 도, 파, 솔이고 CAug 코드는 도, 미, 솔# 이다.

Step3-4-1 3번줄 근음의 Sus4와 오그먼트 코드 2,3,4번줄 모양

234번 줄 C코드(513) 모양에서 Csus4와 C⁺ 코드의 모양은 아래와 같다.

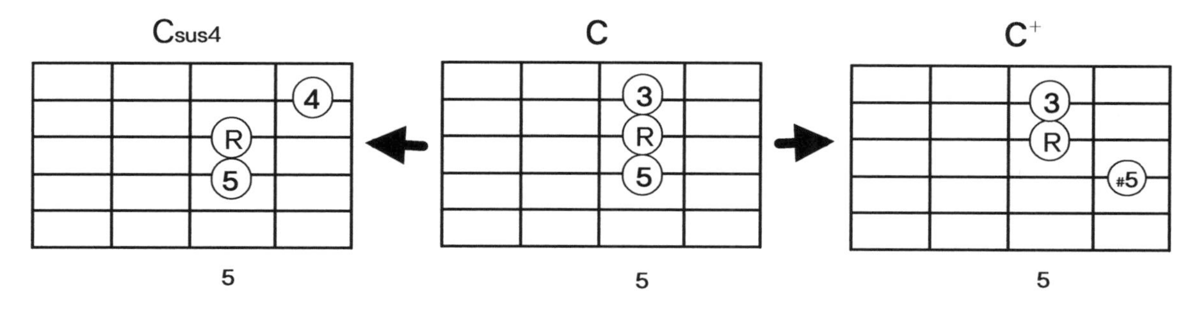

Step3-4-2 4번줄 근음의 Sus4와 오그먼트 코드 2,3,4번줄 모양

234번 줄 C코드(135) 모양에서 Csus4와 C⁺ 코드의 모양은 아래와 같다.

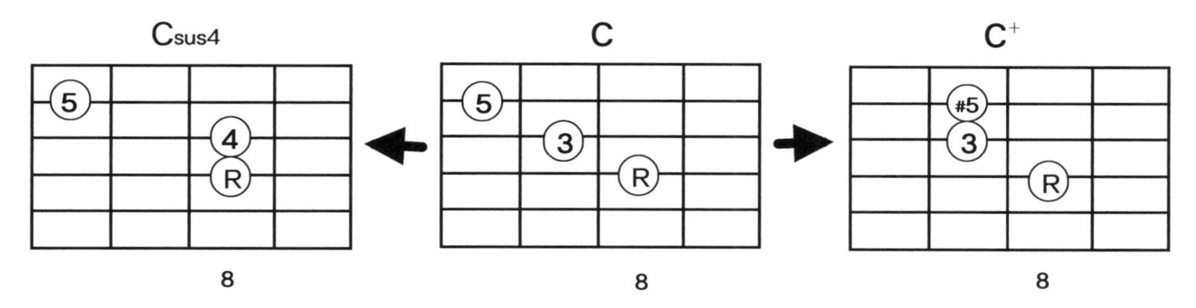

Step3-4-3 2번줄 근음의 Sus4와 오그먼트 코드 2,3,4번줄 모양

234번 줄 C코드(351) 모양에서 Csus4와 C⁺ 코드의 모양은 아래와 같다.

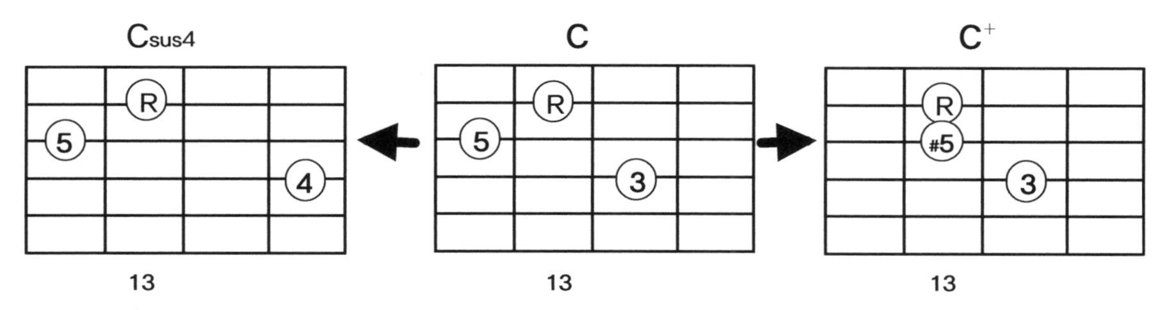

Step3-4-4 3번 줄 근음의 Sus4와 오그먼트 코드 1,2,3번줄 모양

123번 줄 C코드(351) 모양에서 Csus4와 C^{+} 코드의 모양은 아래와 같다.

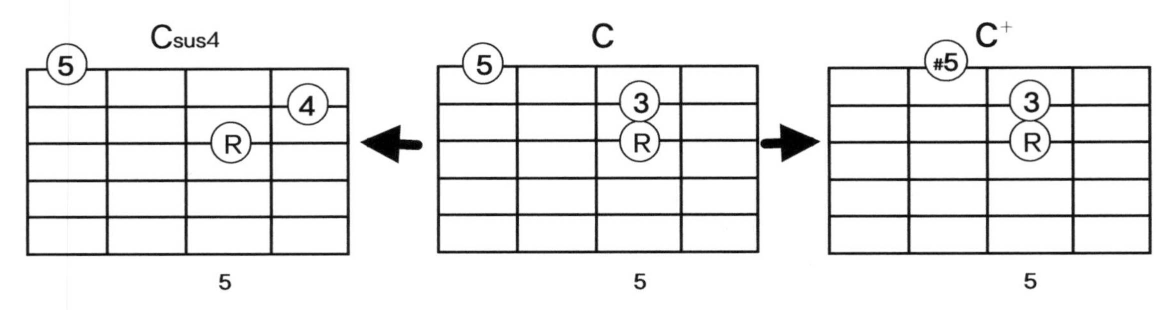

Step3-4-5 1번 줄 근음의 Sus4와 오그먼트 코드 1,2,3번줄 모양

123번 줄 C코드(351) 모양에서 Csus4와 C^{+} 코드의 모양은 아래와 같다.

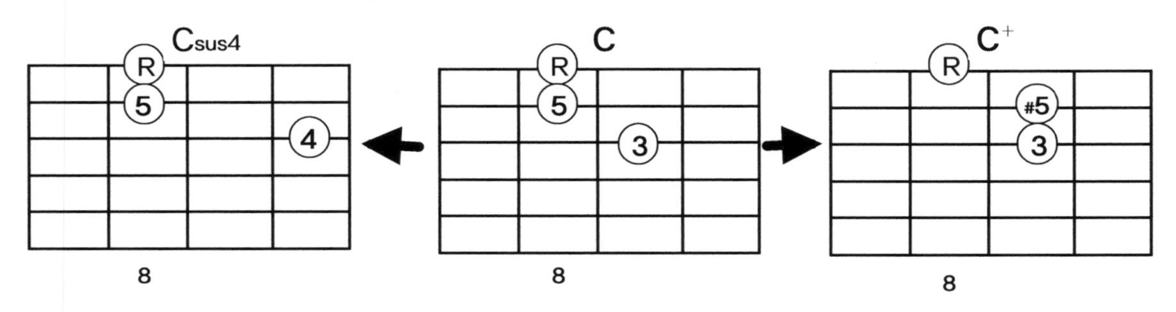

Step3-4-5 2번 줄 근음의 Sus4와 오그먼트 코드 1,2,3번줄 모양

123번 줄 C코드(513) 모양에서 Csus4와 C^{+} 코드의 모양은 아래와 같다.

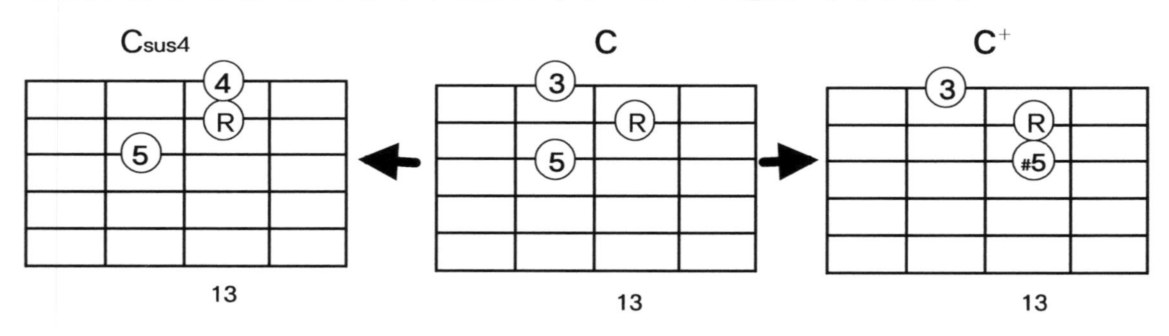

Step3-4-6 1234번 줄 Csus4 코드 모양 정리

① 5143 모양

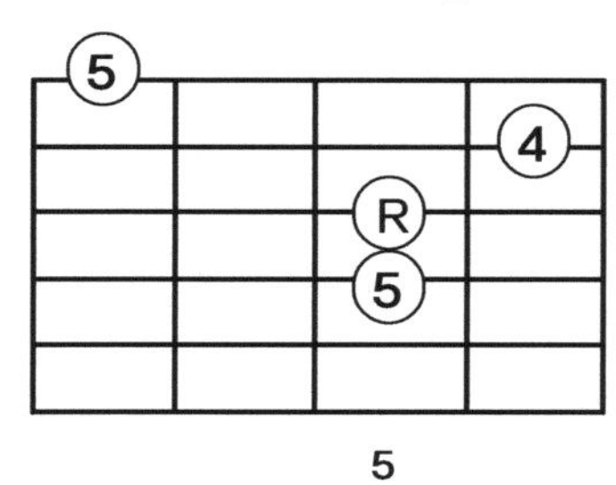

② 5148 모양

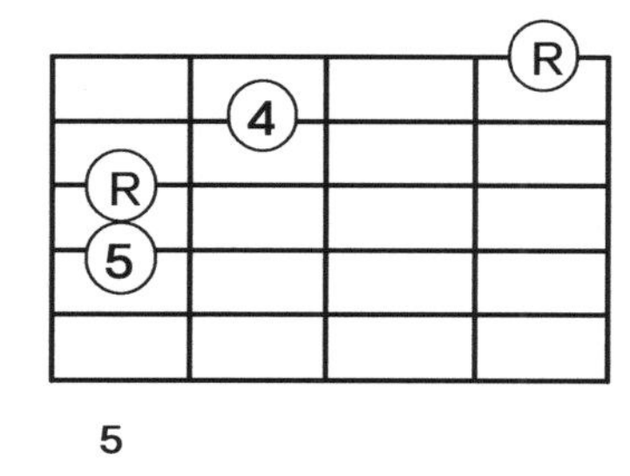

③ 1458 모양

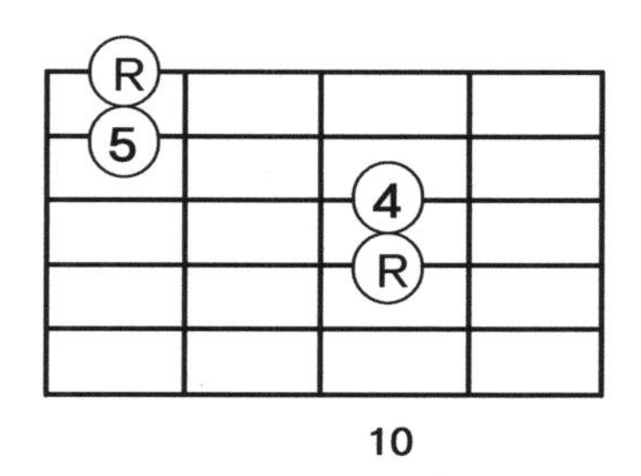

④ 1584 모양

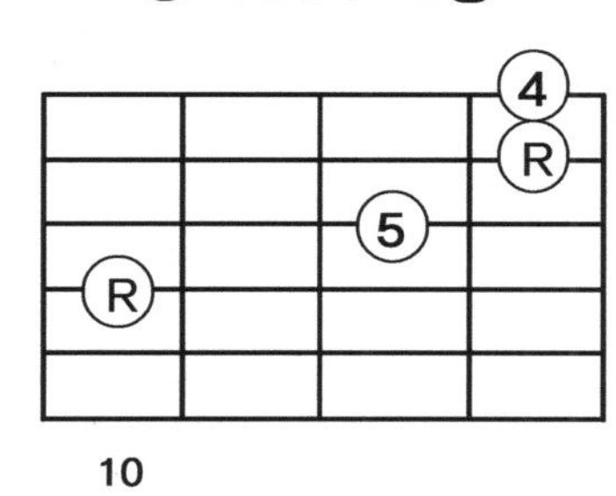

Step3-4-7 1234번 줄 C^{+} 코드 모양 정리

① #5,1,3,#5

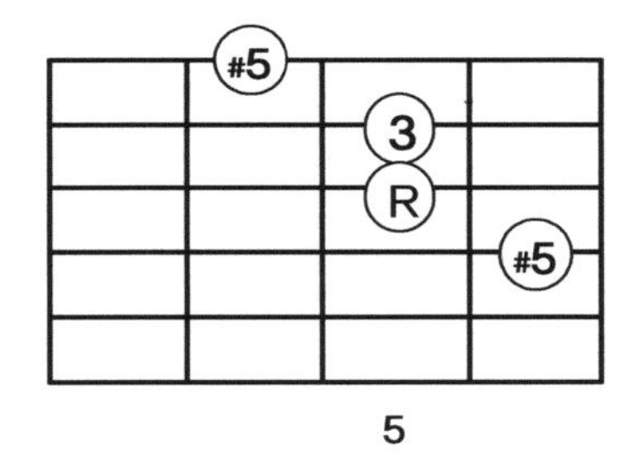

② #5,1,3,8

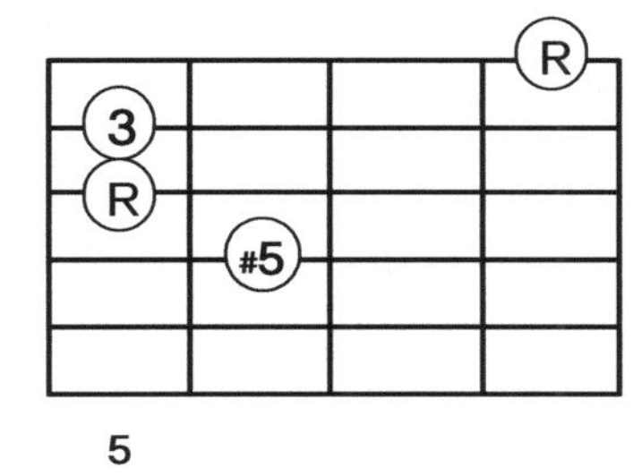

③ 1,3,#5,8

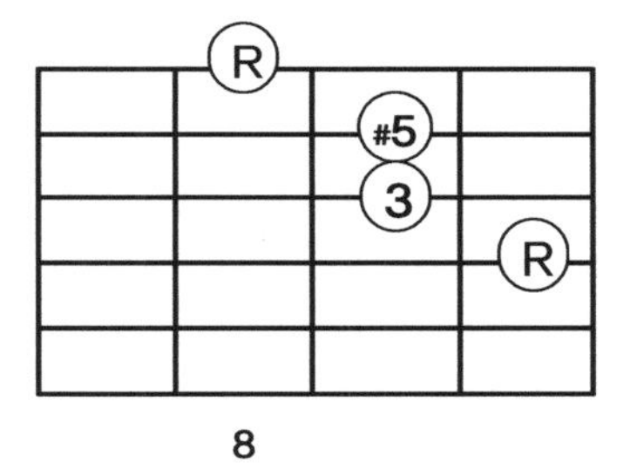

④ 1,#5,8,3

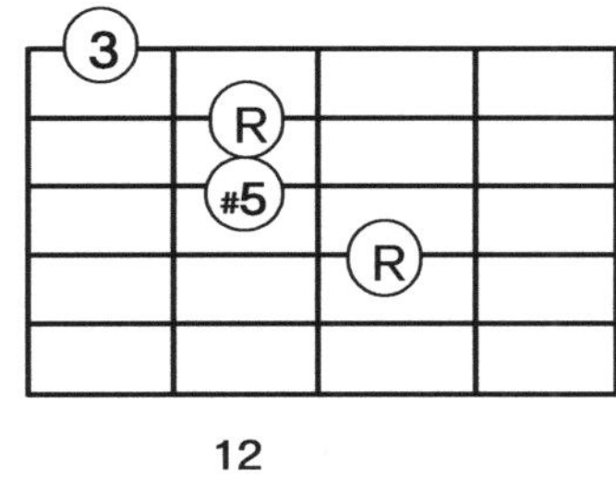

Step3-4-8 4도권으로 sus4와 오그먼트 코드 톤 234번 줄 연습하기.

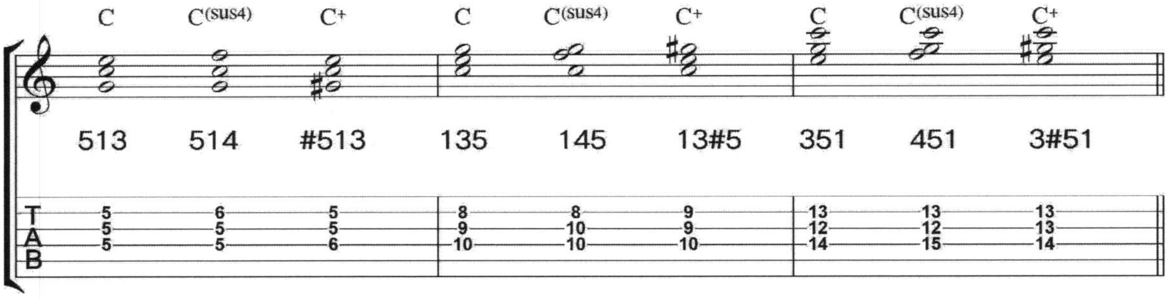

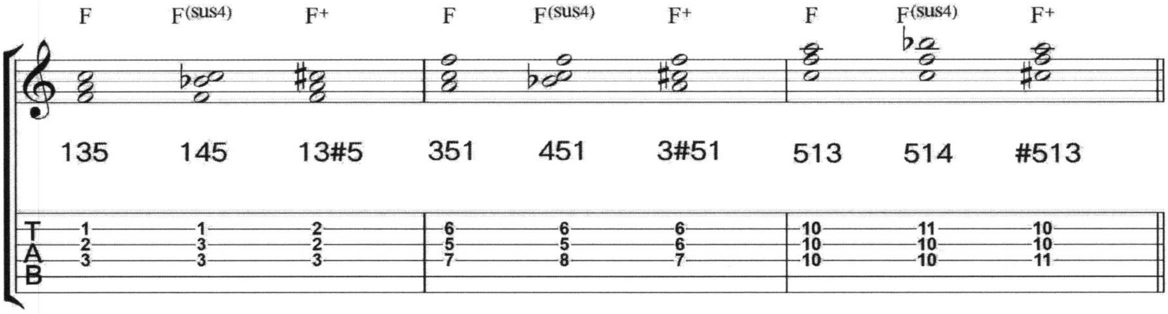

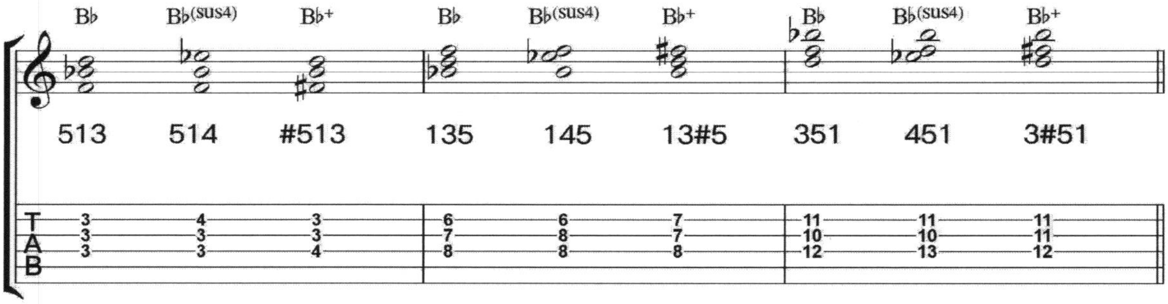

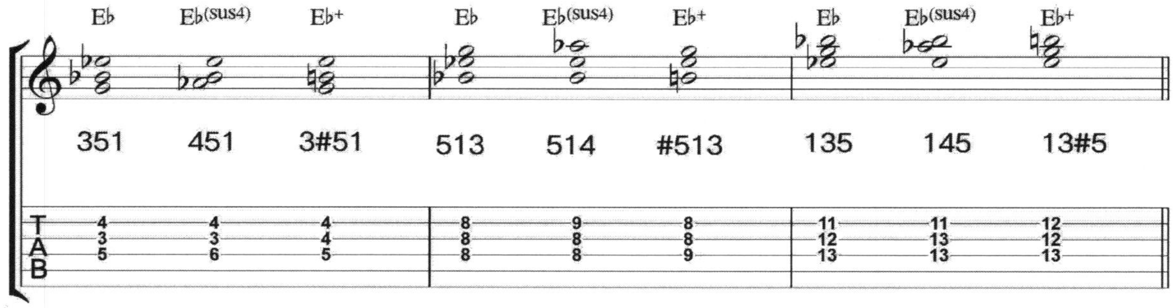

코드	C	C(sus4)	C+	C	C(sus4)	C+	C	C(sus4)	C+
구성음	513	514	#513	135	145	13#5	351	451	3#51
TAB	5-5-5	6-5-5	5-5-6	8-9-10	8-10-10	9-9-10	13-12-14	13-12-15	13-13-14

코드	F	F(sus4)	F+	F	F(sus4)	F+	F	F(sus4)	F+
구성음	135	145	13#5	351	451	3#51	513	514	#513
TAB	1-2-3	1-3-3	2-2-3	6-5-7	6-5-8	6-6-7	10-10-10	11-10-10	10-10-11

코드	B♭	B♭(sus4)	B♭+	B♭	B♭(sus4)	B♭+	B♭	B♭(sus4)	B♭+
구성음	513	514	#513	135	145	13#5	351	451	3#51
TAB	3-3-3	4-3-3	3-3-4	6-7-8	6-8-8	7-7-8	11-10-12	11-10-13	11-11-12

코드	E♭	E♭(sus4)	E♭+	E♭	E♭(sus4)	E♭+	E♭	E♭(sus4)	E♭+
구성음	351	451	3#51	513	514	#513	135	145	13#5
TAB	4-3-5	4-3-6	4-4-5	8-8-8	9-8-8	8-8-9	11-12-13	11-13-13	12-12-13

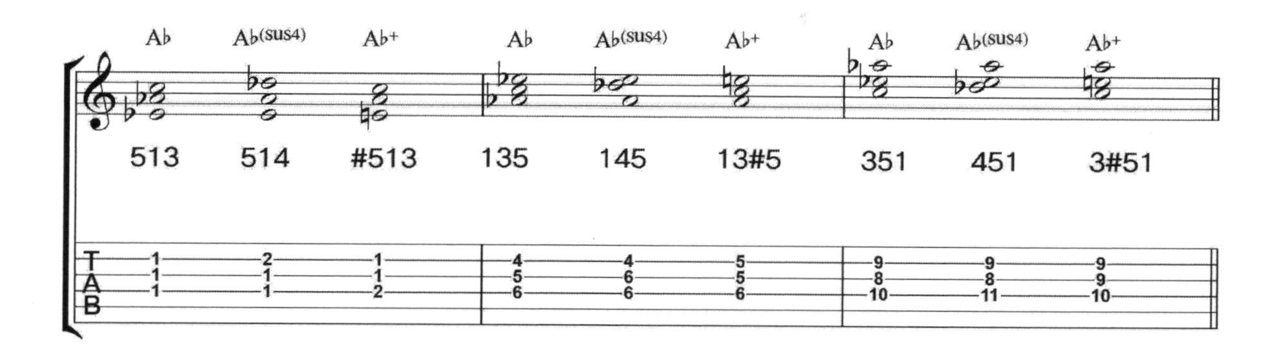

Db Db(sus4) Db+ Db Db(sus4) Db+ Db Db(sus4) Db+

351 451 3#51 513 514 #513 135 145 13#5

TAB

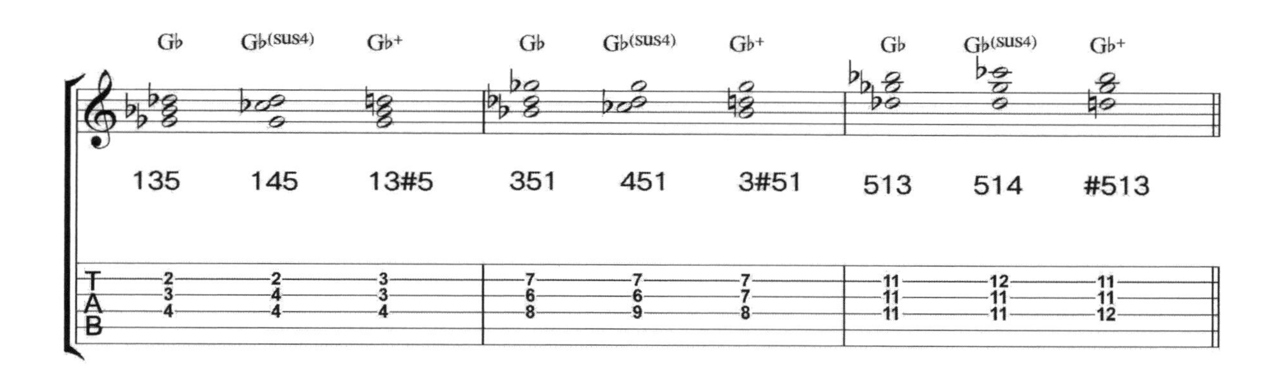

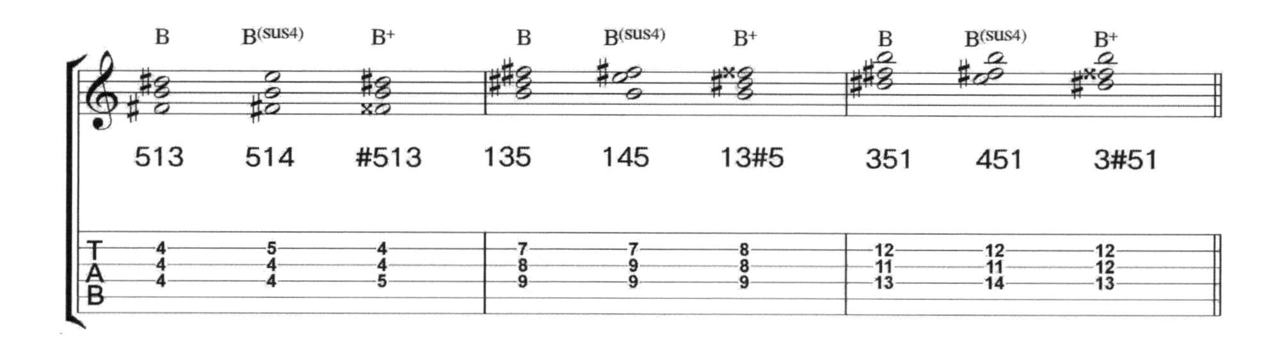

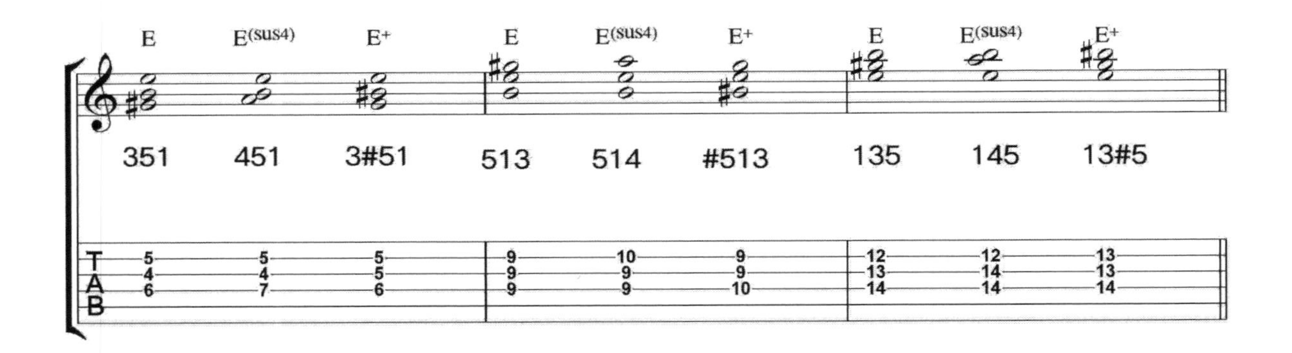
E E(sus4) E+ E E(sus4) E+ E E(sus4) E+
351 451 3#51 513 514 #513 135 145 13#5
TAB

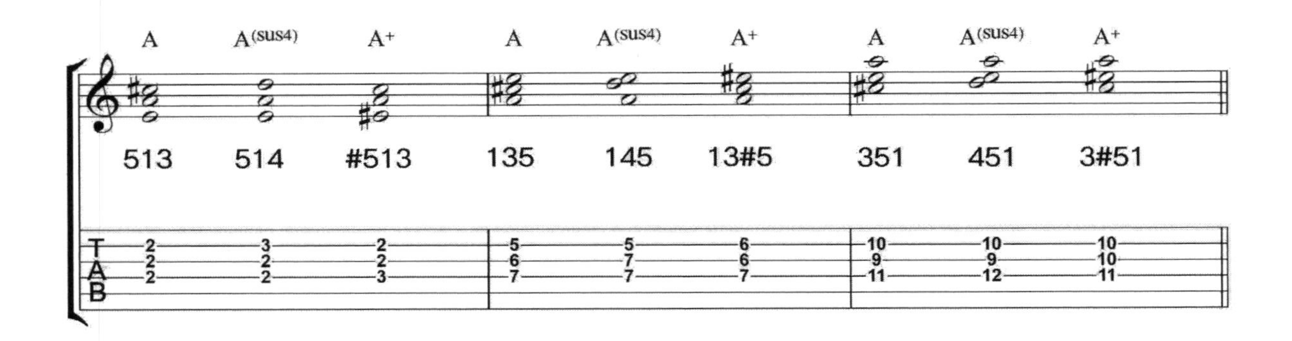
A A(sus4) A+ A A(sus4) A+ A A(sus4) A+
513 514 #513 135 145 13#5 351 451 3#51
TAB

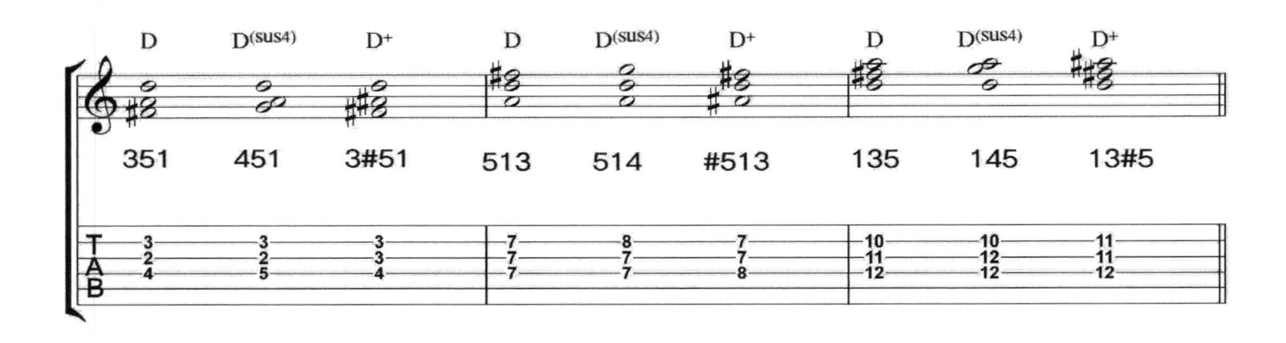
D D(sus4) D+ D D(sus4) D+ D D(sus4) D+
351 451 3#51 513 514 #513 135 145 13#5
TAB

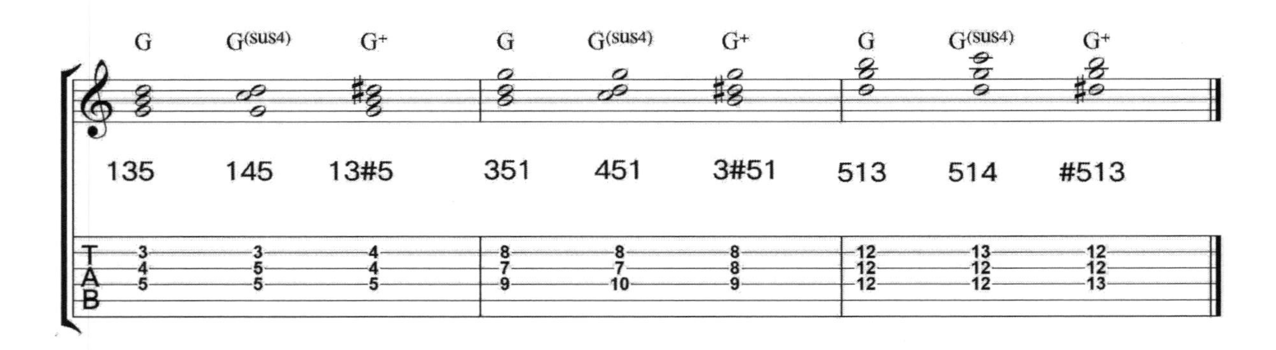
G G(sus4) G+ G G(sus4) G+ G G(sus4) G+
135 145 13#5 351 451 3#51 513 514 #513
TAB

Step3-4-9 4도권으로 sus4와 오그먼트 코드 톤 123번 줄 연습하기.

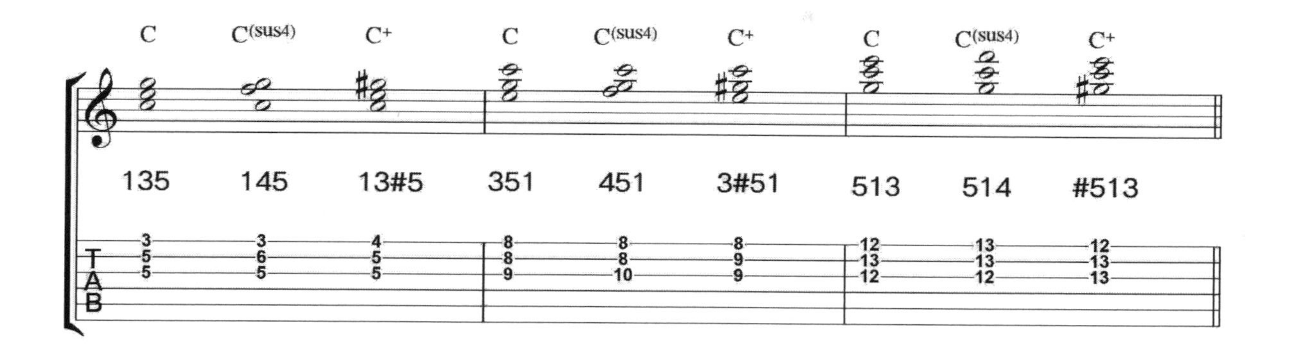

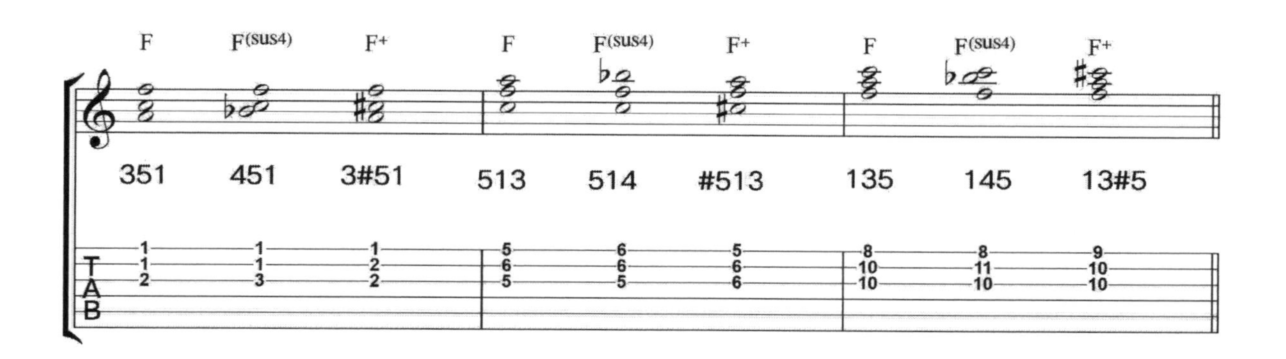

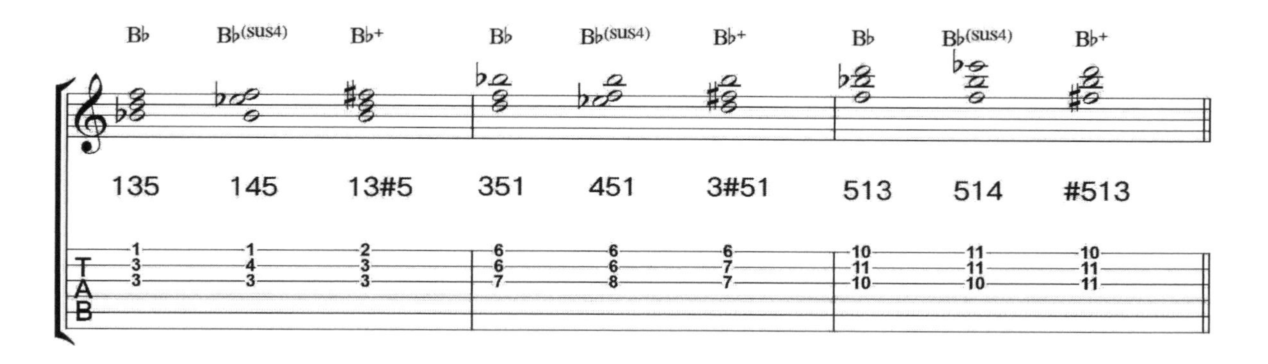

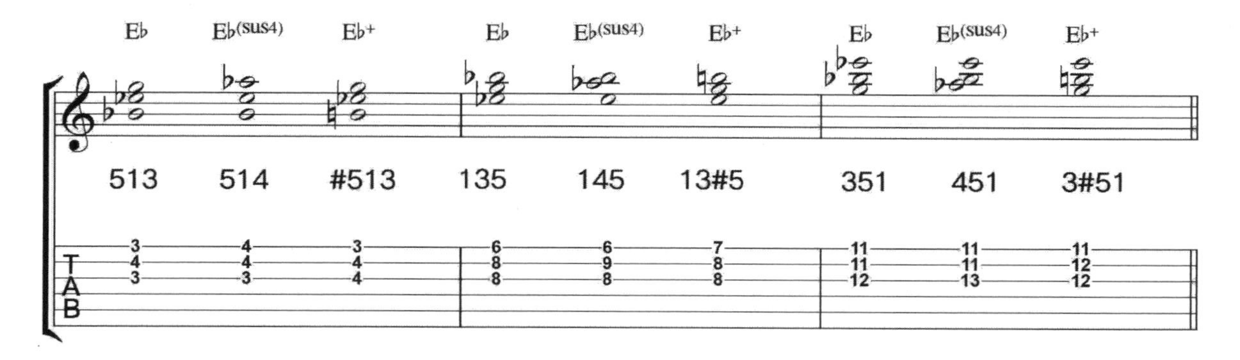

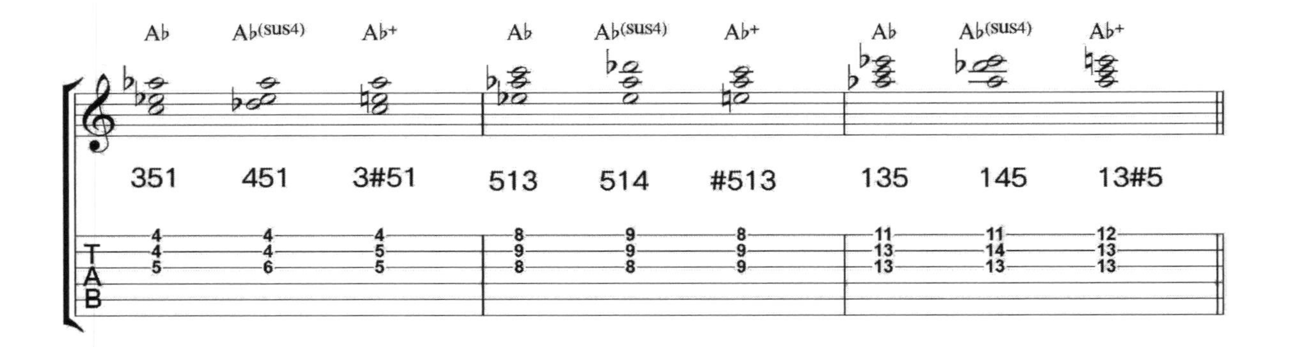
A♭ A♭(sus4) A♭+ A♭ A♭(sus4) A♭+ A♭ A♭(sus4) A♭+
351 451 3#51 513 514 #513 135 145 13#5
T
A
B
4 4 4 8 9 8 11 11 12
4 4 5 9 9 9 13 14 13
5 6 5 8 8 9 13 13 13

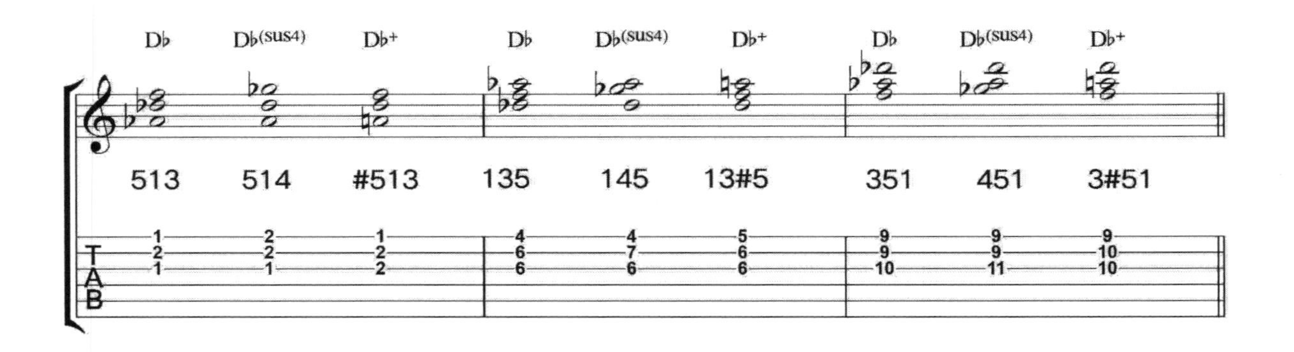
D♭ D♭(sus4) D♭+ D♭ D♭(sus4) D♭+ D♭ D♭(sus4) D♭+
513 514 #513 135 145 13#5 351 451 3#51
T
A
B
1 2 1 4 4 5 9 9 9
2 2 2 6 7 6 9 9 10
1 1 2 6 6 6 10 11 10

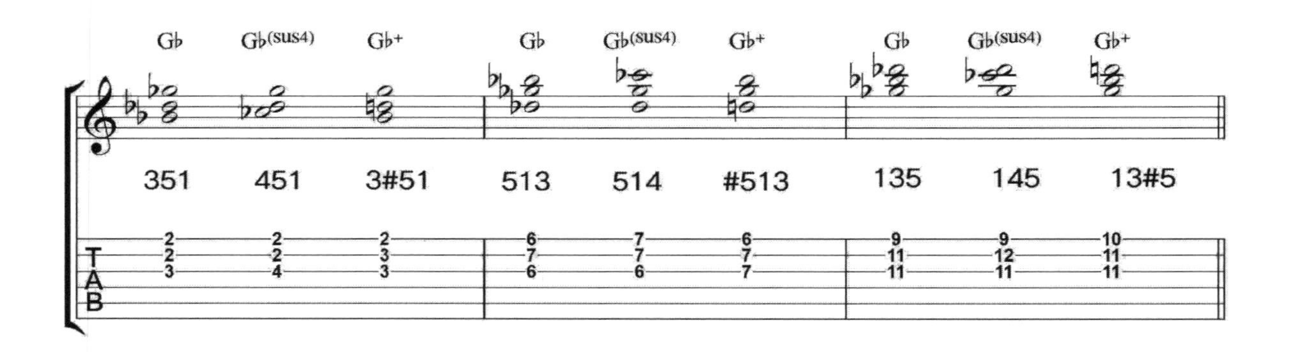
G♭ G♭(sus4) G♭+ G♭ G♭(sus4) G♭+ G♭ G♭(sus4) G♭+
351 451 3#51 513 514 #513 135 145 13#5
T
A
B
2 2 2 6 7 6 9 9 10
2 2 3 7 7 7 11 12 11
3 4 3 6 6 7 11 11 11

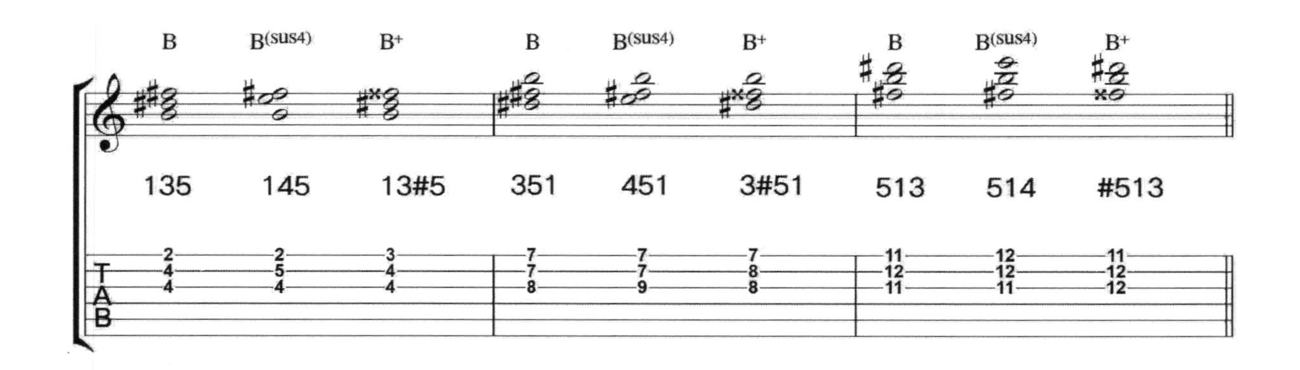
B B(sus4) B+ B B(sus4) B+ B B(sus4) B+
135 145 13#5 351 451 3#51 513 514 #513
T
A
B
2 2 3 7 7 7 11 12 11
4 5 4 7 7 8 12 12 12
4 4 4 8 9 8 11 11 12

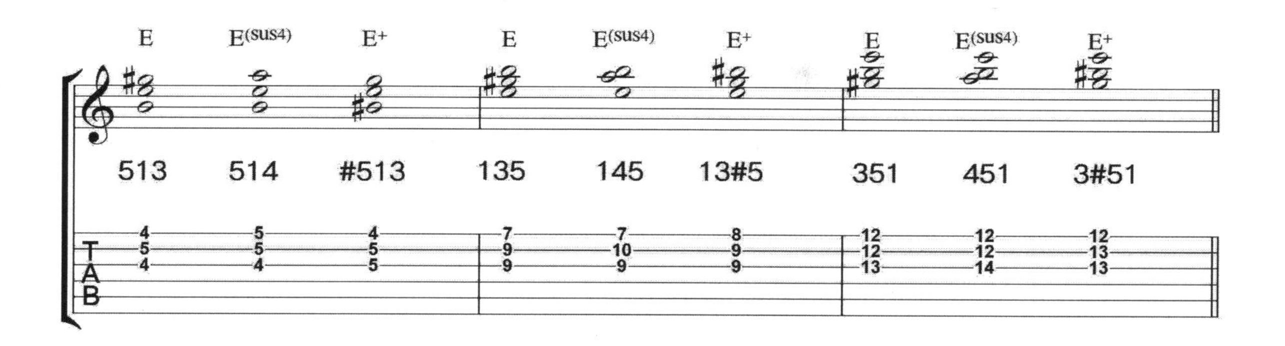
E
E(sus4)
E+
E
E(sus4)
E+
E
E(sus4)
E+
513
514
#513
135
145
13#5
351
451
3#51

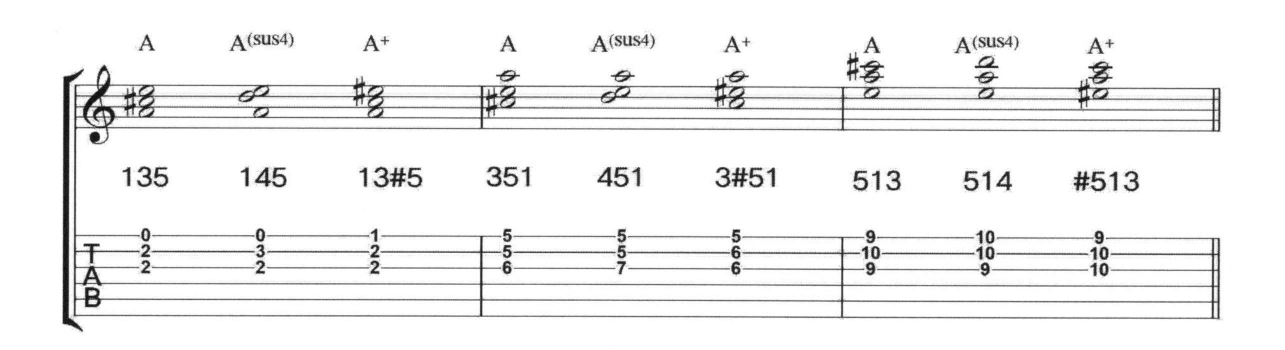
A
A(sus4)
A+
A
A(sus4)
A+
A
A(sus4)
A+
135
145
13#5
351
451
3#51
513
514
#513

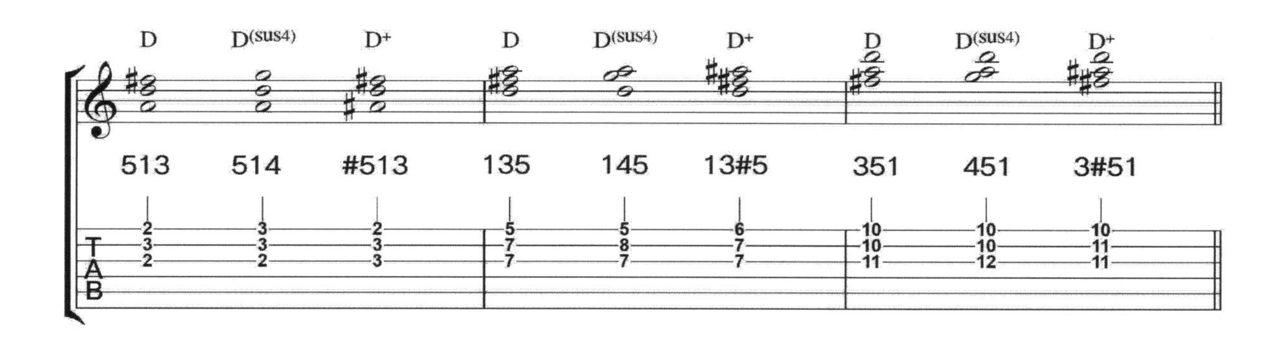
D
D(sus4)
D+
D
D(sus4)
D+
D
D(sus4)
D+
513
514
#513
135
145
13#5
351
451
3#51

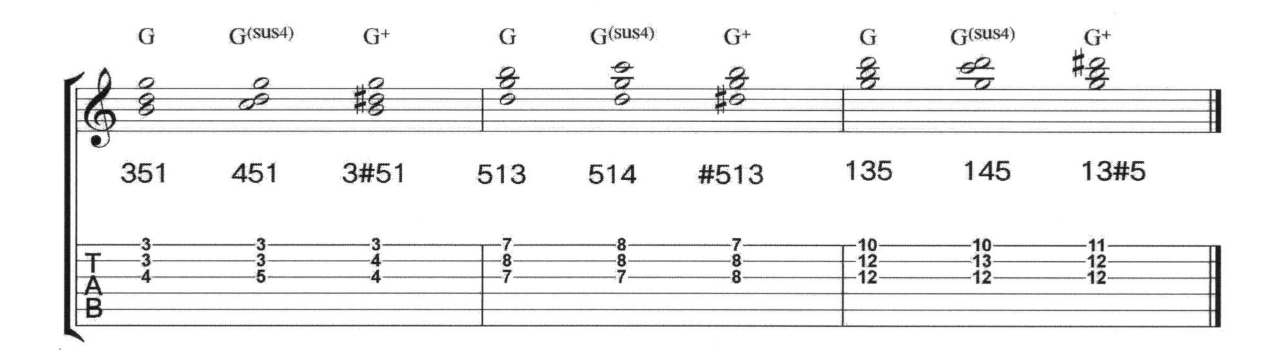
G
G(sus4)
G+
G
G(sus4)
G+
G
G(sus4)
G+
351
451
3#51
513
514
#513
135
145
13#5

Chapter 4

스케일 모양 외우기

Step1. 아이오니안, 리디안, 믹솔리디안 외우기

7개의 다이아토닉 코드 중에서 메이저 계통의 I도(아이오니안), IV도(리디안), V도(믹솔리디안) 스케일을 기타지판의 모양에서 알아보자.

Step4-1-1 C 아이오니안(Ionian) 스케일의 숫자와 모양. (1,2,3,4,5,6,7)

C key의 I도(C Major7^{th}) 코드에서 사용하는 모드이며 텐션은 장2(9)도, 장6(13)도이고 어보이드(Avoid)는 완4(11)도이다.

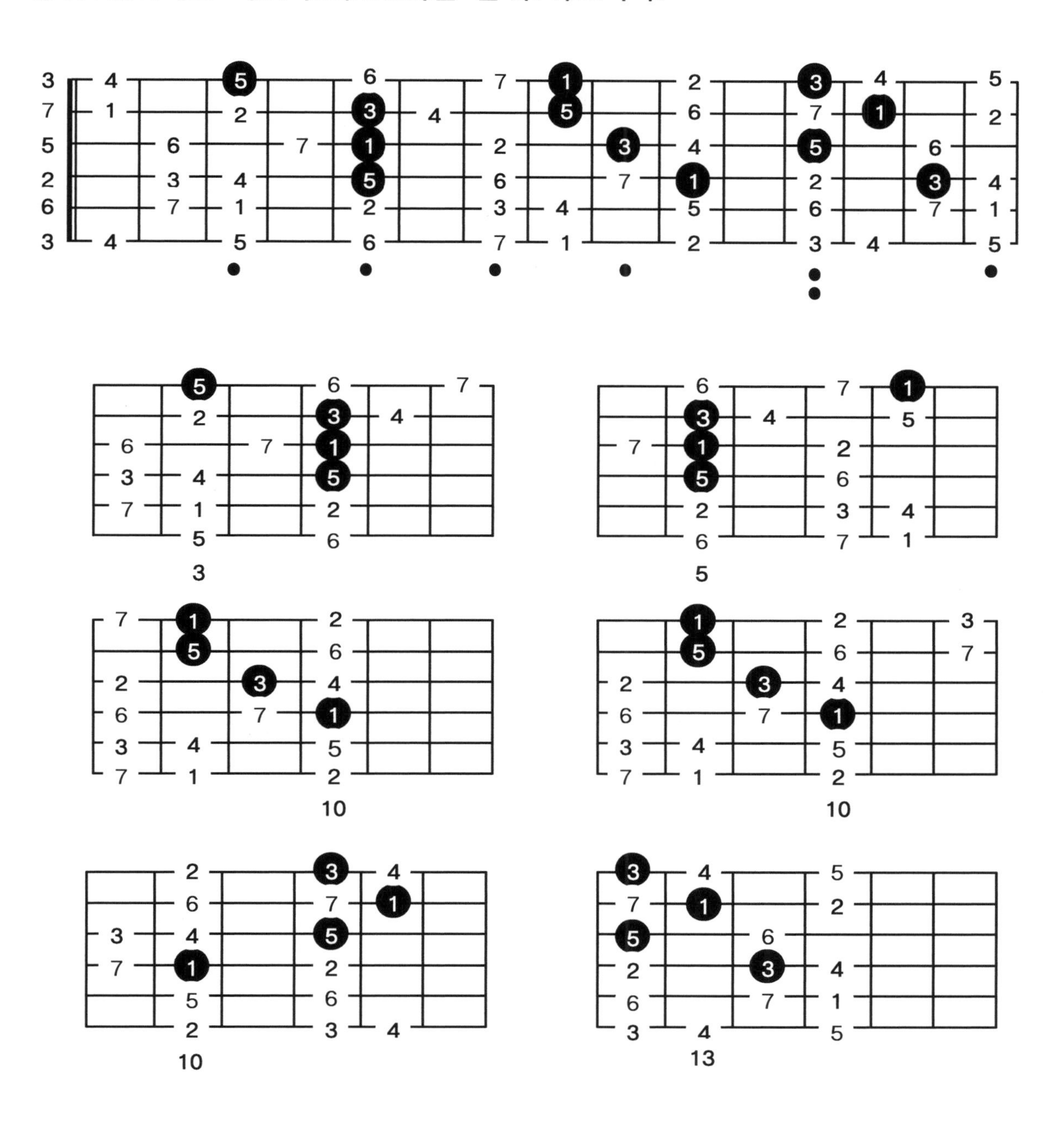

Step4-1-2 F 리디안(Lydian) 스케일의 숫자와 모양. (1,2,3,#4,5,6,7)

C key의 Ⅳ도(F Major7^{th}) 코드에서 사용하는 모드이며 텐션은 장2도(9), 증4도(#4=#11), 장6도(13)이고 어보이드(Avoid)는 없다.

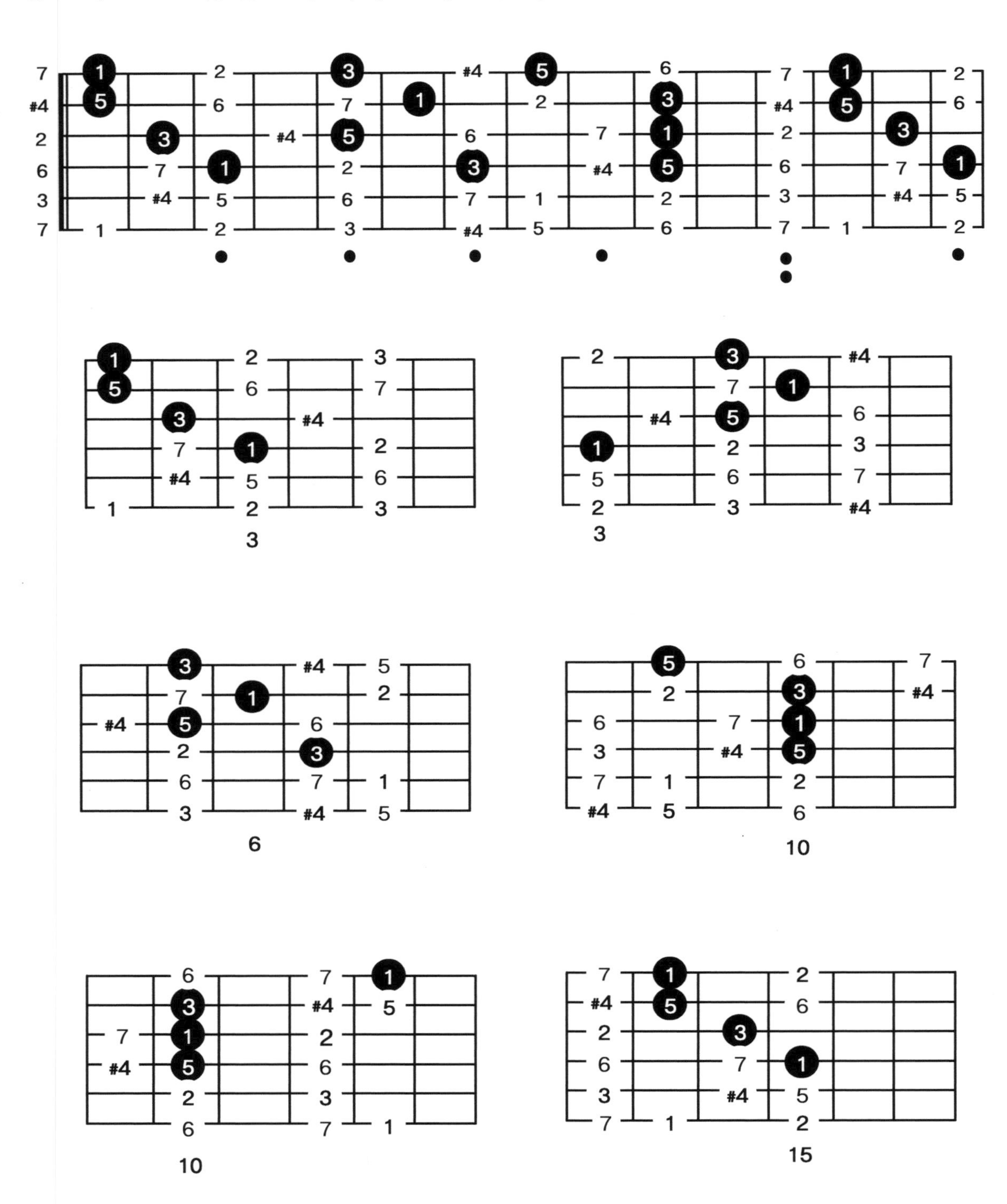

Step4-1-3 G 믹솔리디안(Mixolydian) 스케일[14]의 숫자와 모양.(1,2,3,4,5,6,b7)

C key의 V도(G7) 코드에서 사용하는 모드이며 텐션은 장2도(9), 장6도(13)이고 어보이드(Avoid)는 완4도(11) 이다.

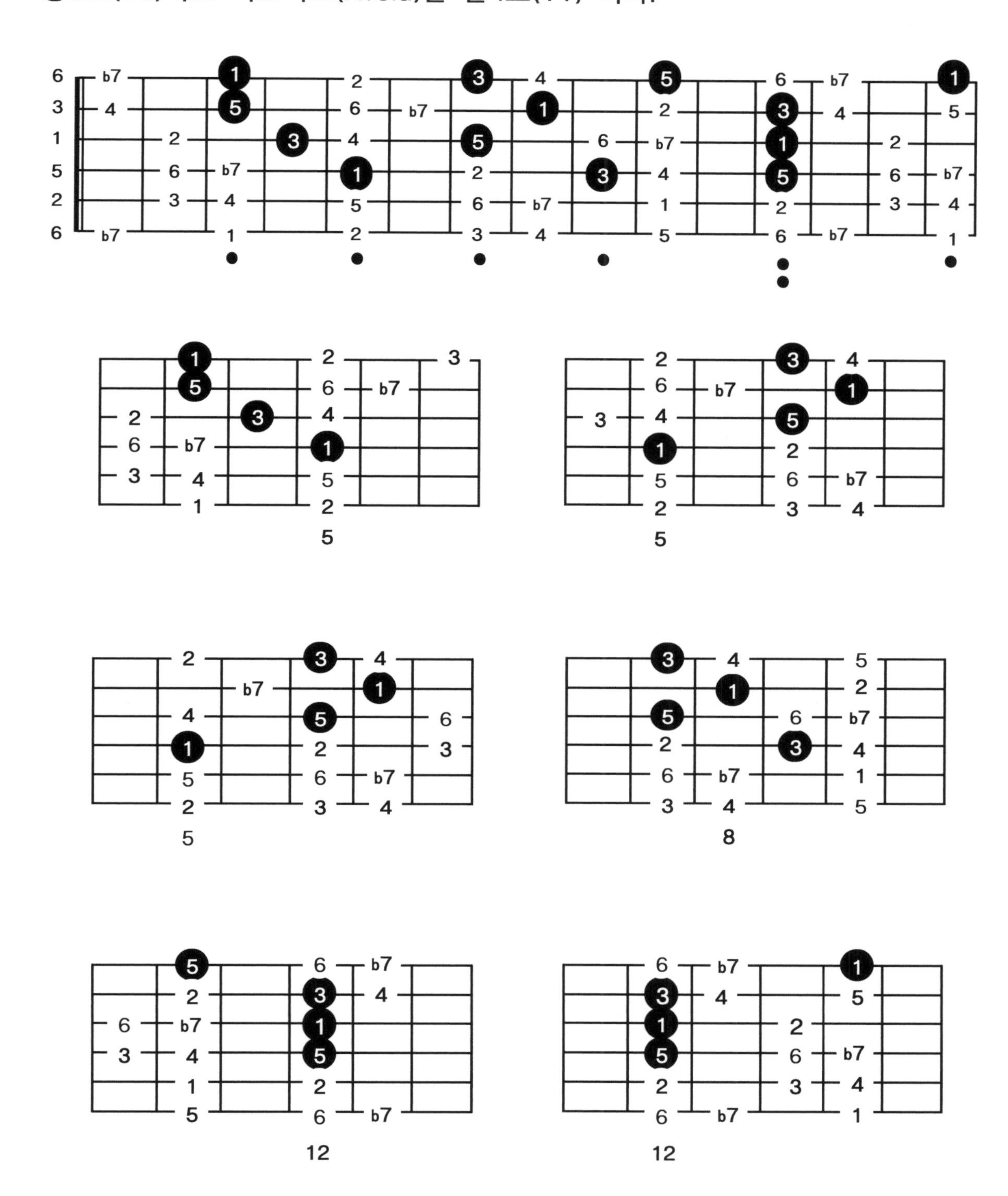

14) 모든 스케일은 항상 코드톤의 모양을 기준으로 두고 외워야 생각하기도 쉽고 외우기도 쉽다.

Step2. 도리안, 에올리안, 프리지안 외우기

7개의 다이아토닉 코드 중에서 마이너계통의 II도(도이안), VI도(에올리안), III도(프리지안) 스케일을 기타지판의 모양에서 알아보자.

Step4-2-1 D 도리안(Dorian) 스케일의 숫자와 모양. (1,2,b3,4,5,6,b7)

C key의 II도 마이너(Dm7) 코드에서 사용하는 모드이며 텐션은 장2도(9), 완4도(11), 장6도(13)이고 어보이드(Avoid)는 없다.

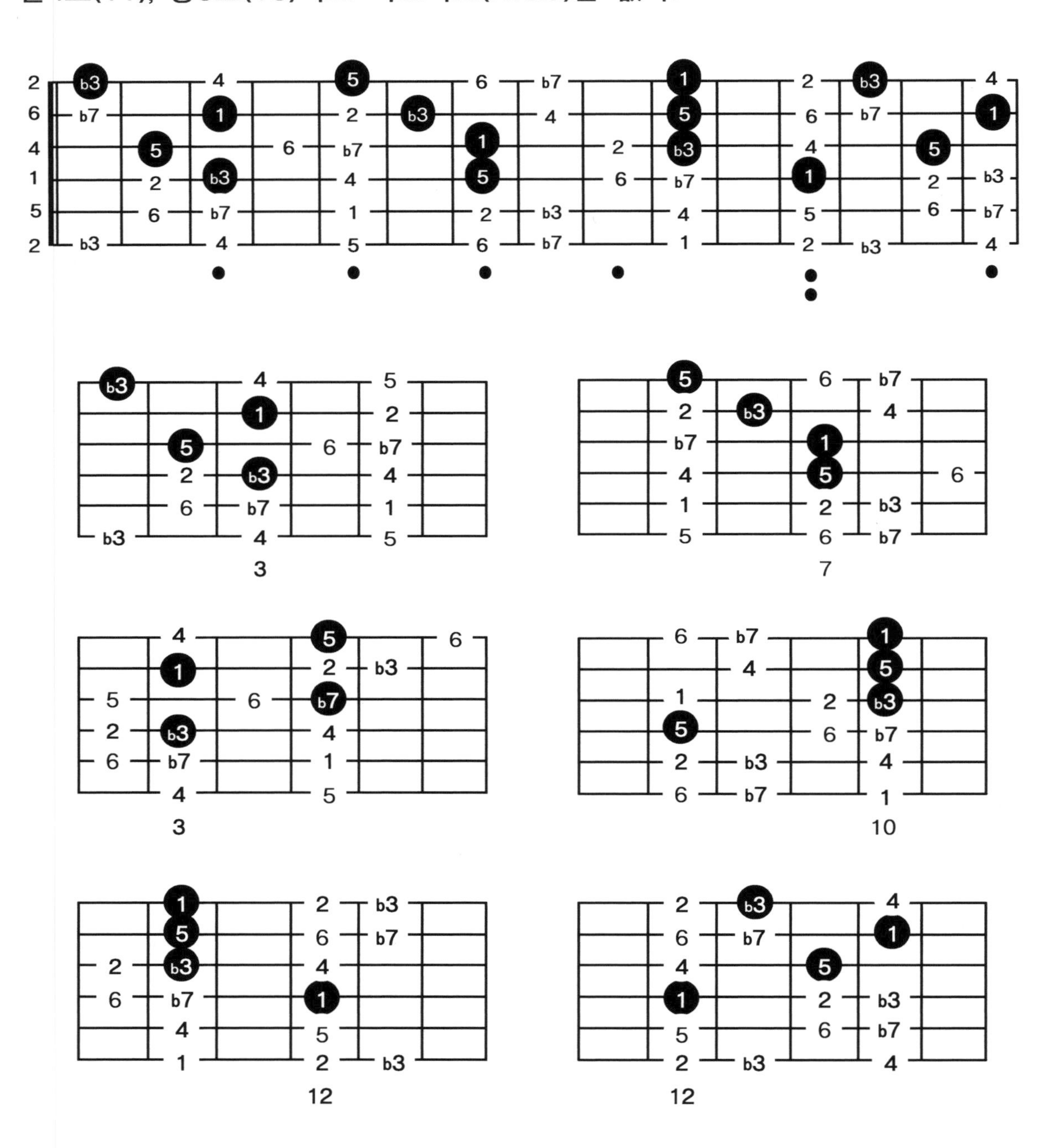

Step4-2-2 A 에올리안(Aeolian) 스케일의 숫자와 모양. (1,2,b3,4,5,b6,b7)

C key의 VI도 마이너[15](Am7) 코드에서 사용하는 모드이며 텐션은 장2도(9), 완4도(11)이고 어보이드(Avoid)는 단6도(b6=b13)이다.

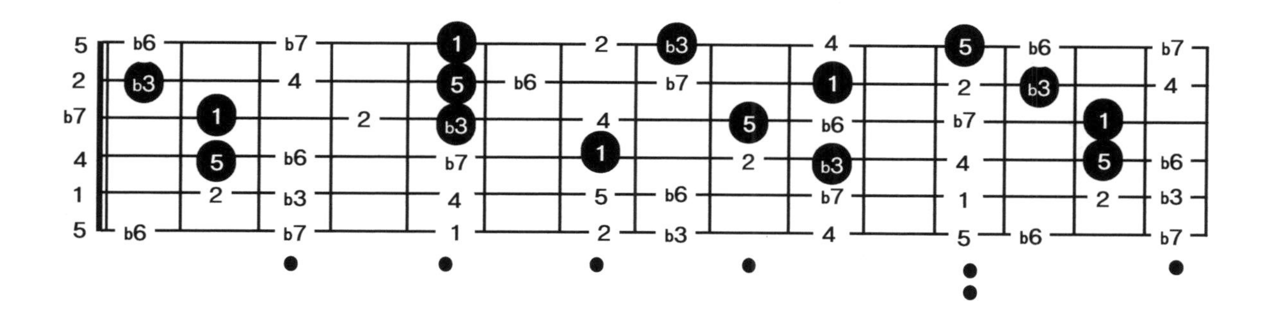

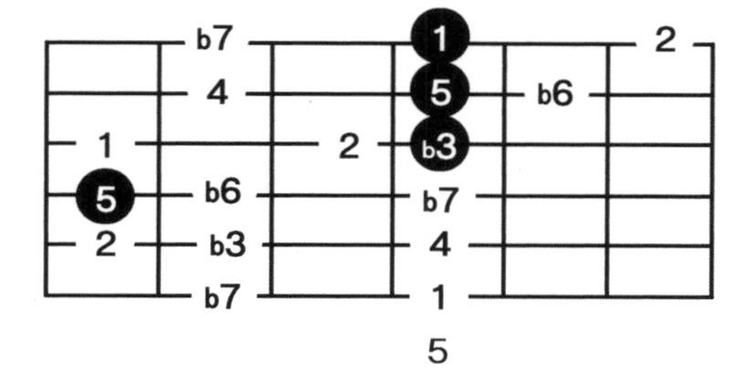

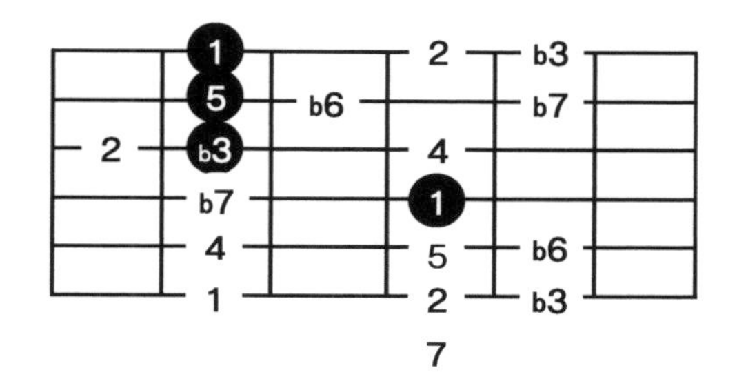

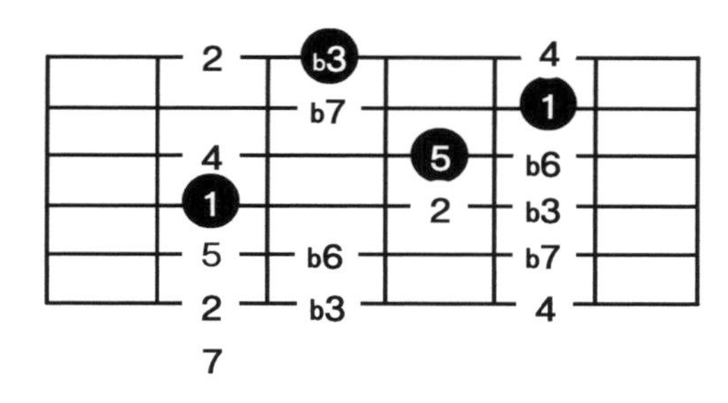

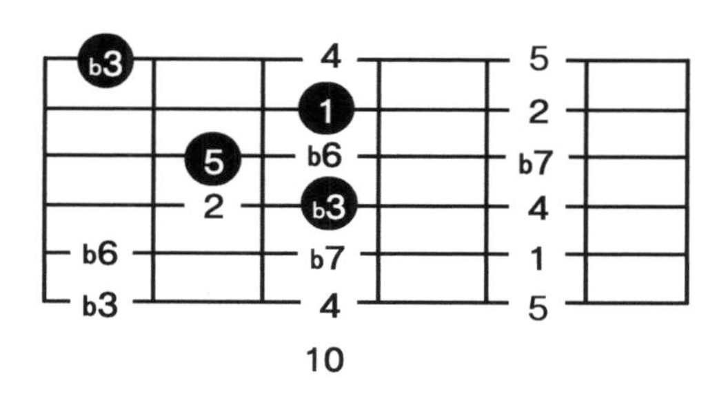

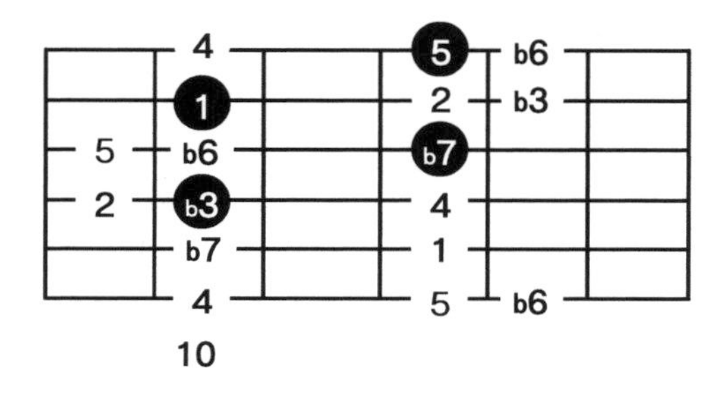

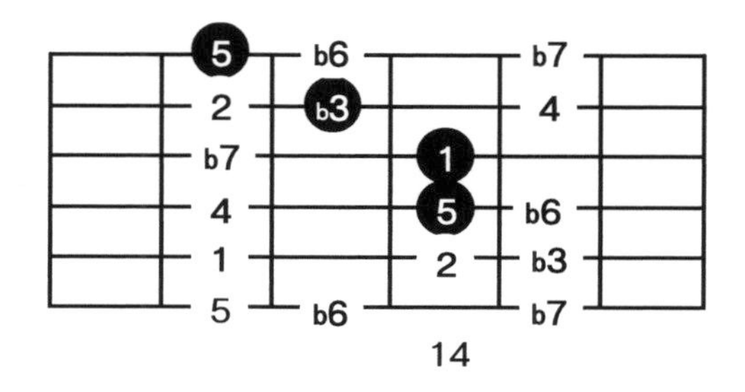

15) 도리안, 에올리안, 프리지안 모드는 3화음으로만 4줄을 잡는 경우가 프렛 보드에서 한 모양만 예외가 되므로 마이너7th 코드의 b7(7th) 음 하나를 추가했다.

Step4-2-3 E 프리지안(Phrigian) 스케일의 숫자와 모양. (1,b2,b3,4,5,b6,b7)

C key의 III도(Em7) 코드에서 사용하는 모드이며 텐션은 완4도(11)이고 어보이드(Avoid)는 단2도(b2=b9), 단6도(b6=b13)이다.

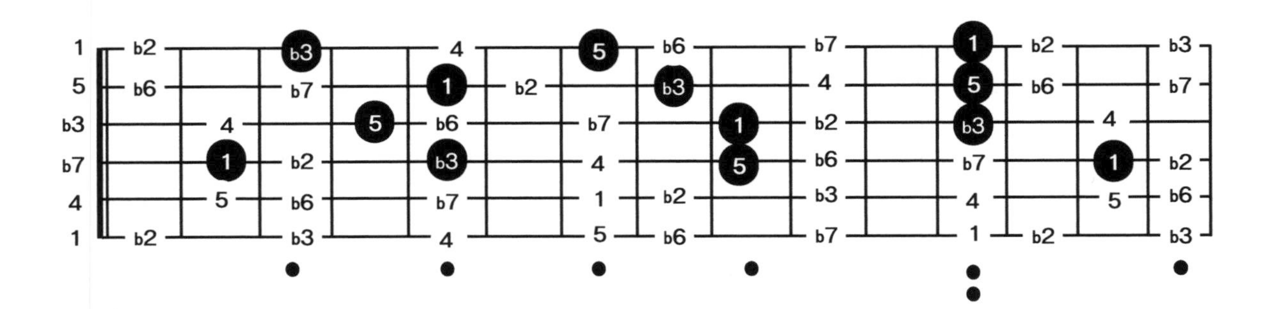

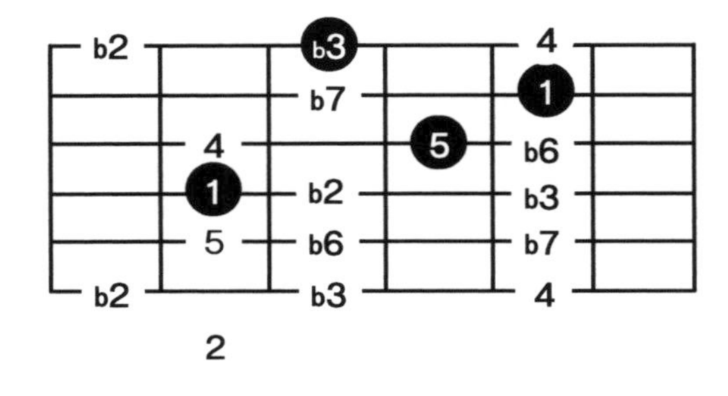

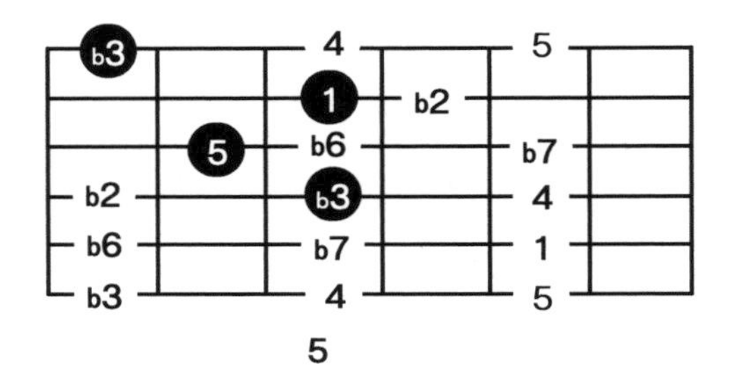

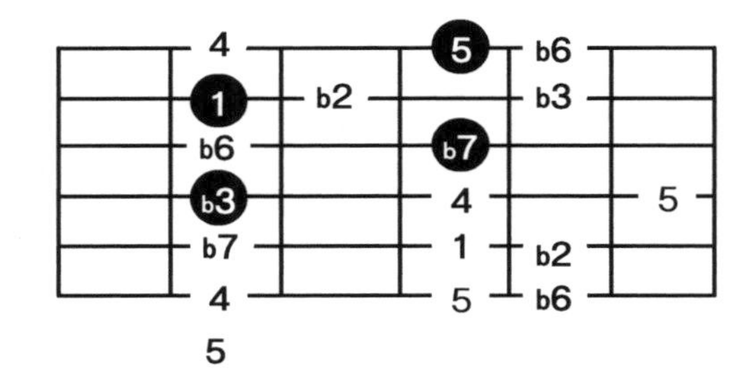

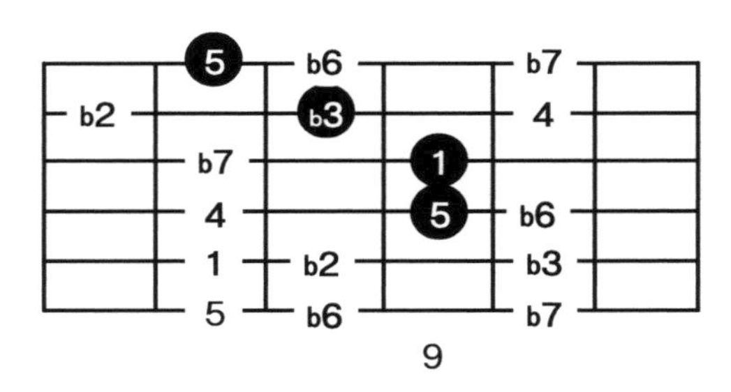

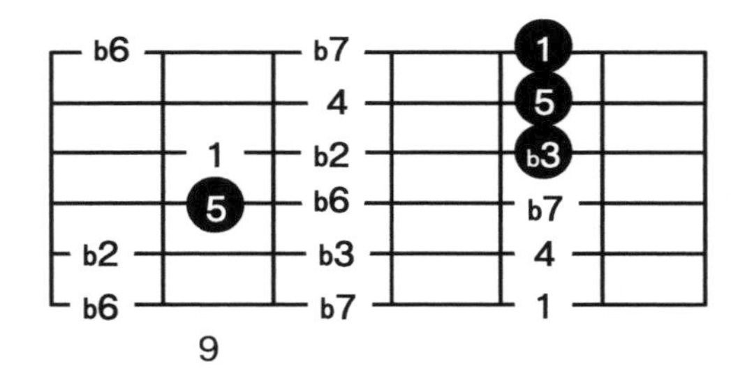

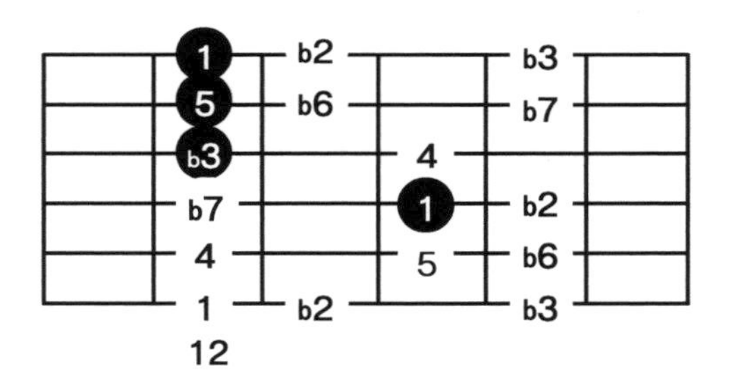

Step3. 로크리안 외우기

Ckey의 마지막 코드인 VII도(Bm7$^{(b5)}$) 코드에서 사용하는 모드이며 텐션은 완4도(11), 단6도(b6=b13)이고 어보이드(Avoid)는 단2도(b2=b9)이다.

Step4-3-1 B 로크리안(Locrian) 스케일의 숫자와 모양. (1,b2,b3,4,b5,b6,b7)

VII도(Bm7$^{(b5)}$) 코드는 3화음일 때 기타지판에서 4줄을 동시에 잡는 경우는 드물기 때문에 7th음을 추가해서 코드 모양을 추가했다.

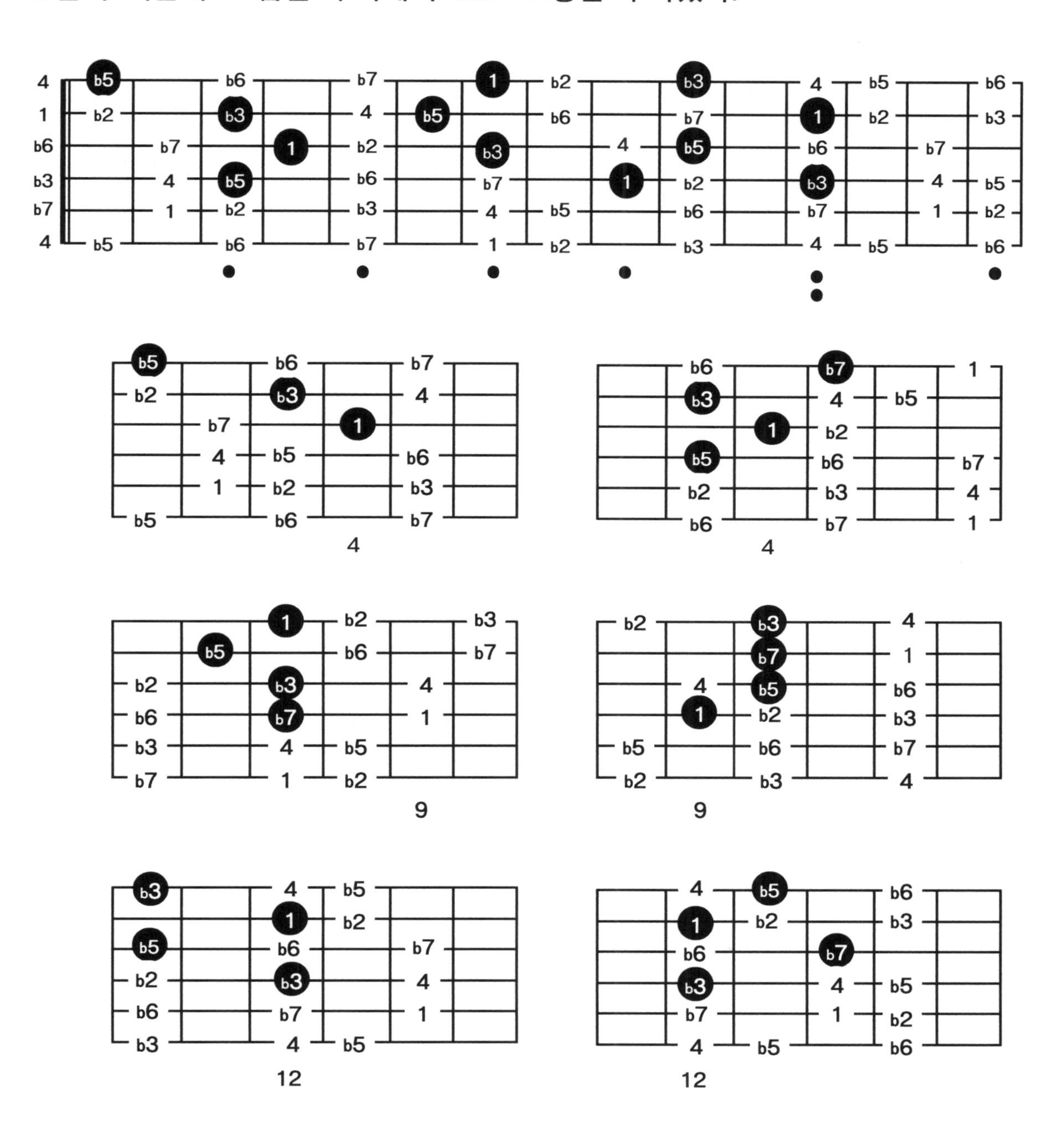

Step4. 메이저 펜타토닉 외우기

메이저 펜타토닉(Major Pentatonic) 스케일은 C key의 I도(CM7), IV도(FM7), V도(G7) 코드에서 사용이 가능하며 어보이드(avoid) 음이 없기 때문에 기타 연주자들이 자주 사용하는 스케일이다.
펜타토닉 스케일을 외울 때는 파워코드와 코드톤의 모양을 기억한 후에 나머지 음들을 생각하면 더욱이 외우기가 편할 것이다.

Step4-4-1 C Major Pentatonic 스케일의 숫자와 수직 모양. (1,2,3,5,6,)

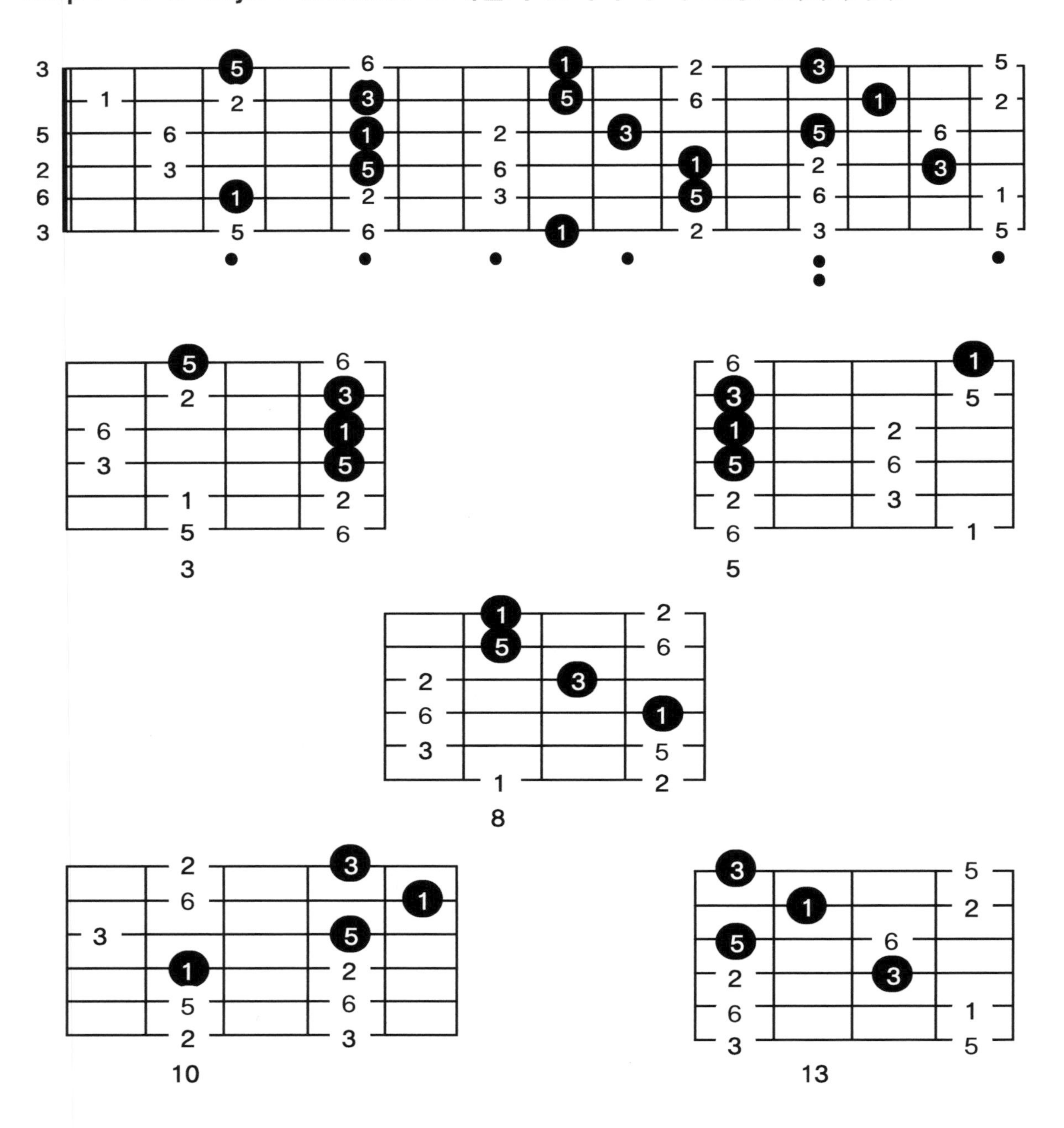

Step4-4-2 F Major Pentatonic 스케일의 숫자와 수직 모양. (1,2,3,5,6,)

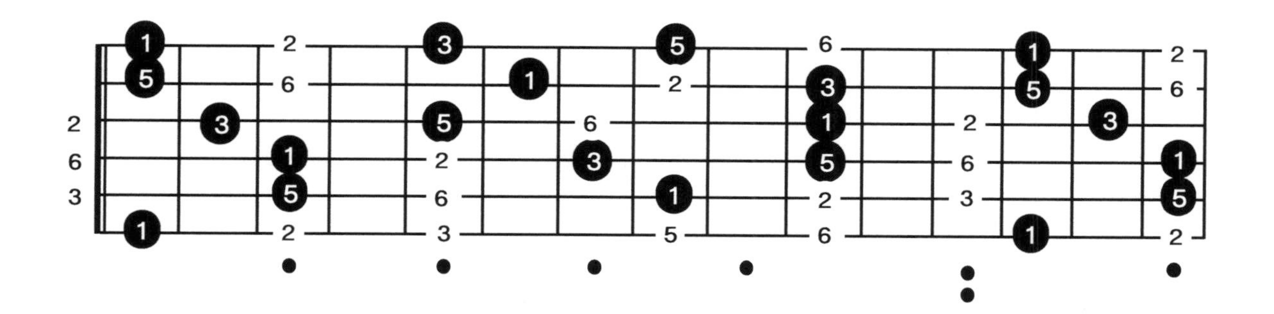

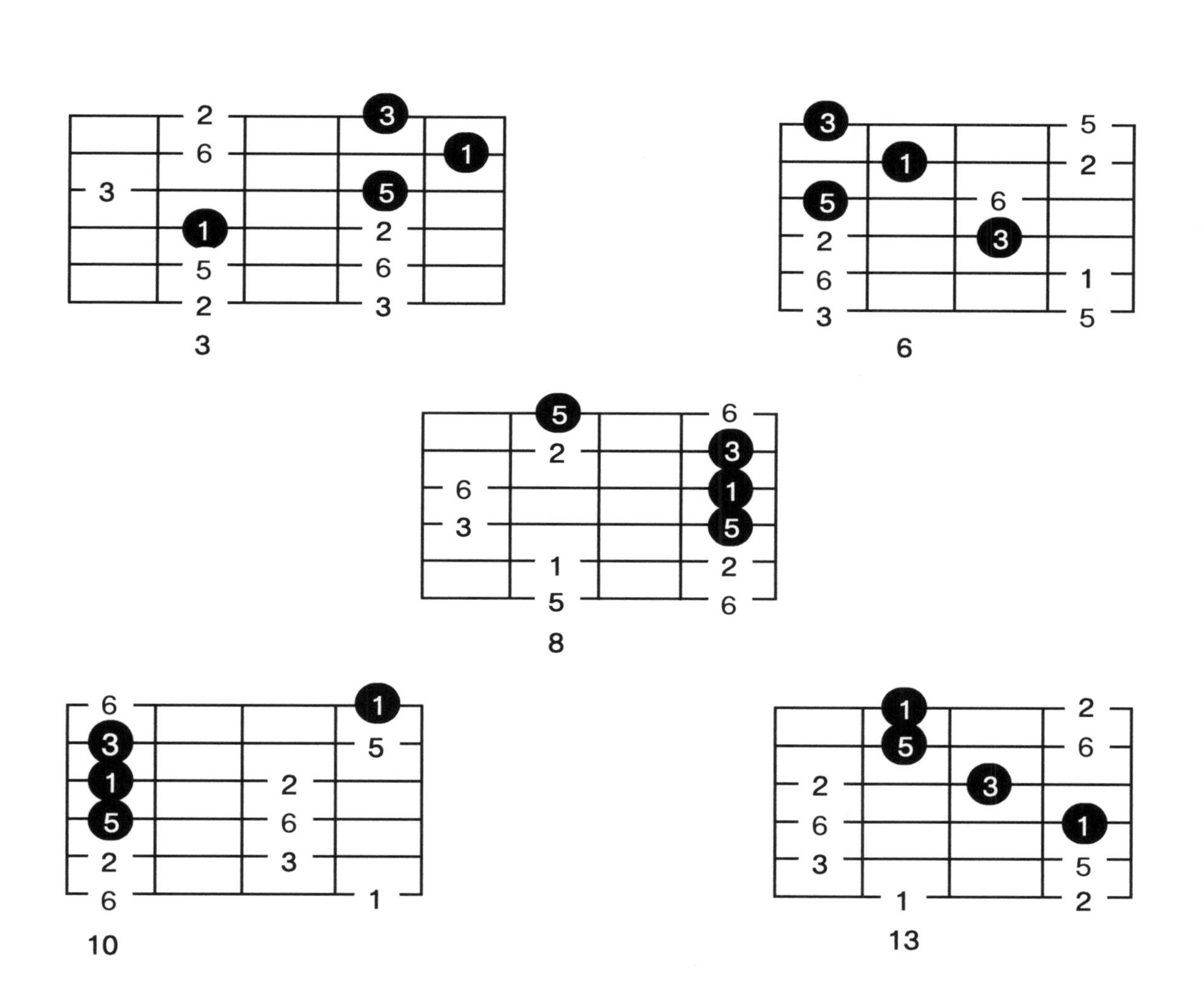

Step4-4-3 G Major Pentatonic 스케일의 숫자와 수직 모양. (1,2,3,5,6,)

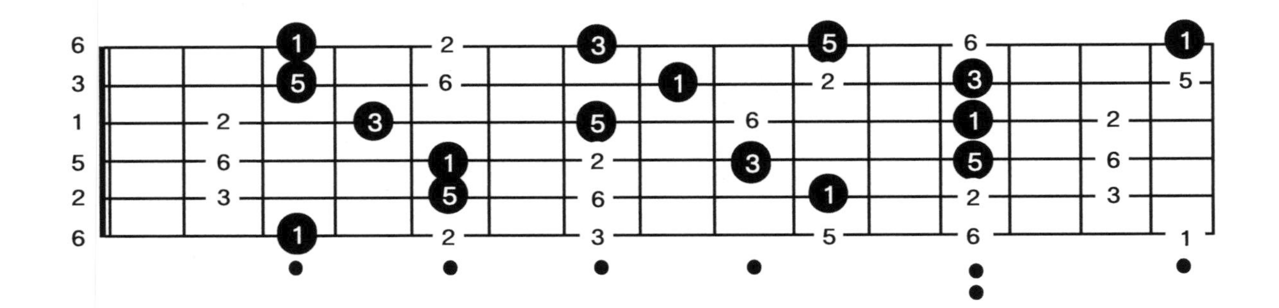

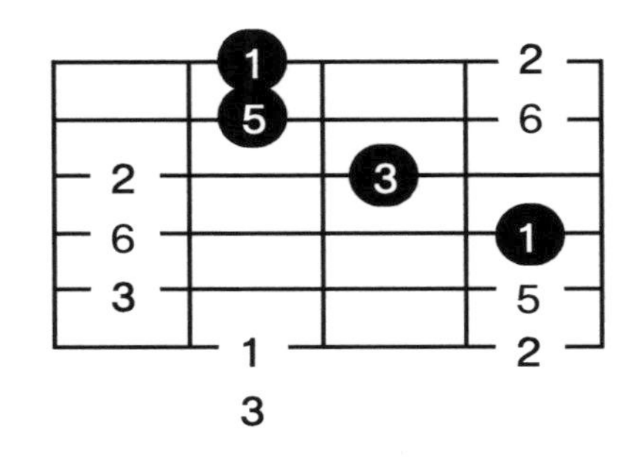

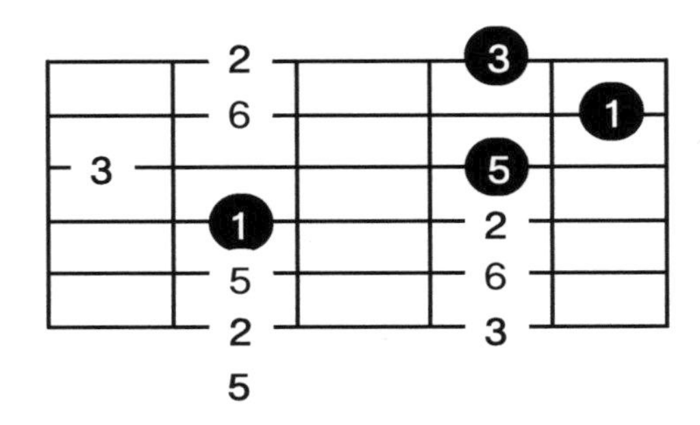

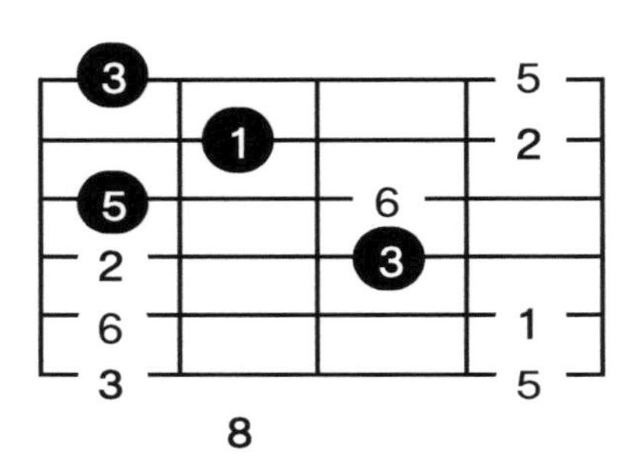

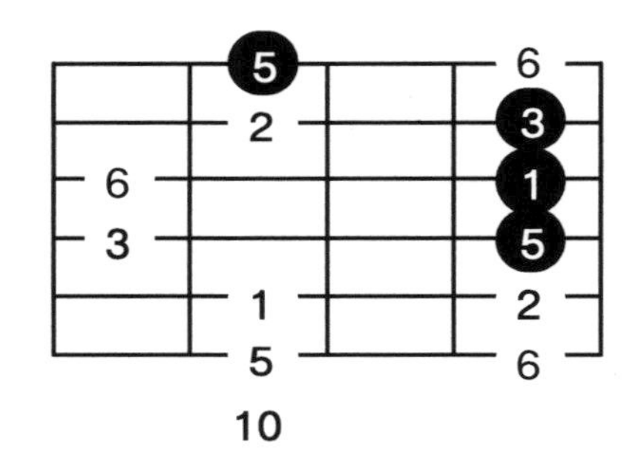

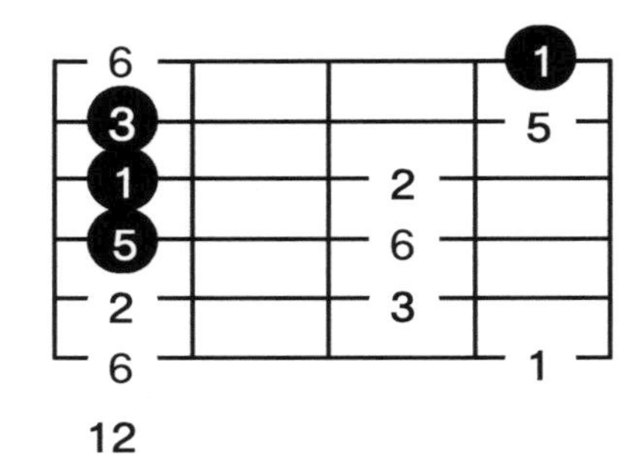

Step4-4-4 C Major Pentatonic 스케일의 숫자와 수평 모양. (1,2,3,5,6,)

메이저 펜타토닉 스케일을 수평으로 이동할 때 아래 프렛 보드 모양과 같이 파워코드와 코드 모양을 생각하면서 연습해야 외우기가 쉽다.
아래 악보를 참고하여 근음(Root)으로 부터 이동하는 간격들 즉, 음정을 나타내는 숫자와 코드톤, 그리고 슬라이드 위치도 확인하면서 연습해 보자.
(참고로 펜타토닉 수평 이동을 할 때는 검지 손가락과 약지 손가락만 가지고 사용하여 연습해 보자.)

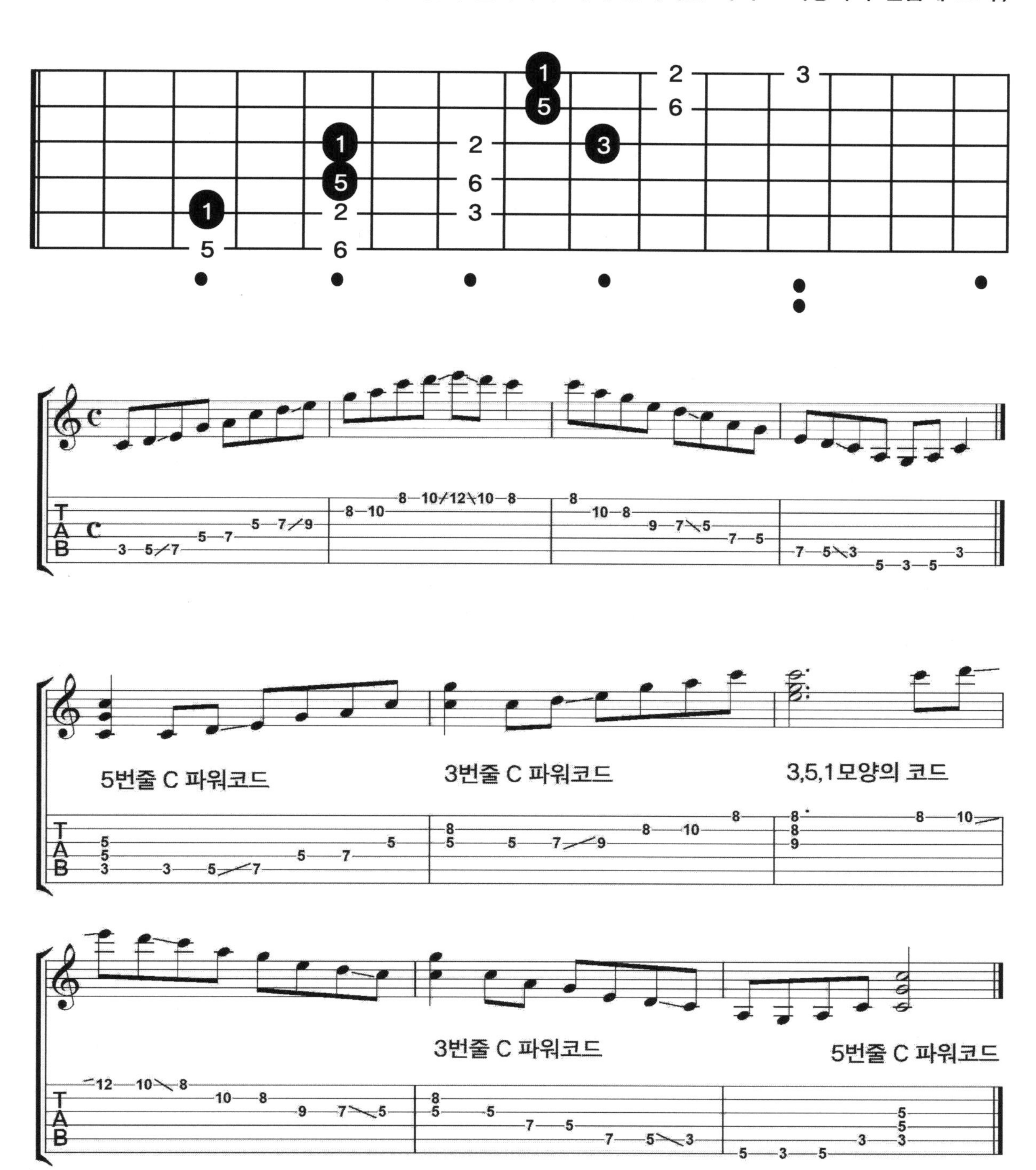

Step4-4-5 F Major Pentatonic 스케일의 숫자와 수평 모양. (1,2,3,5,6,)

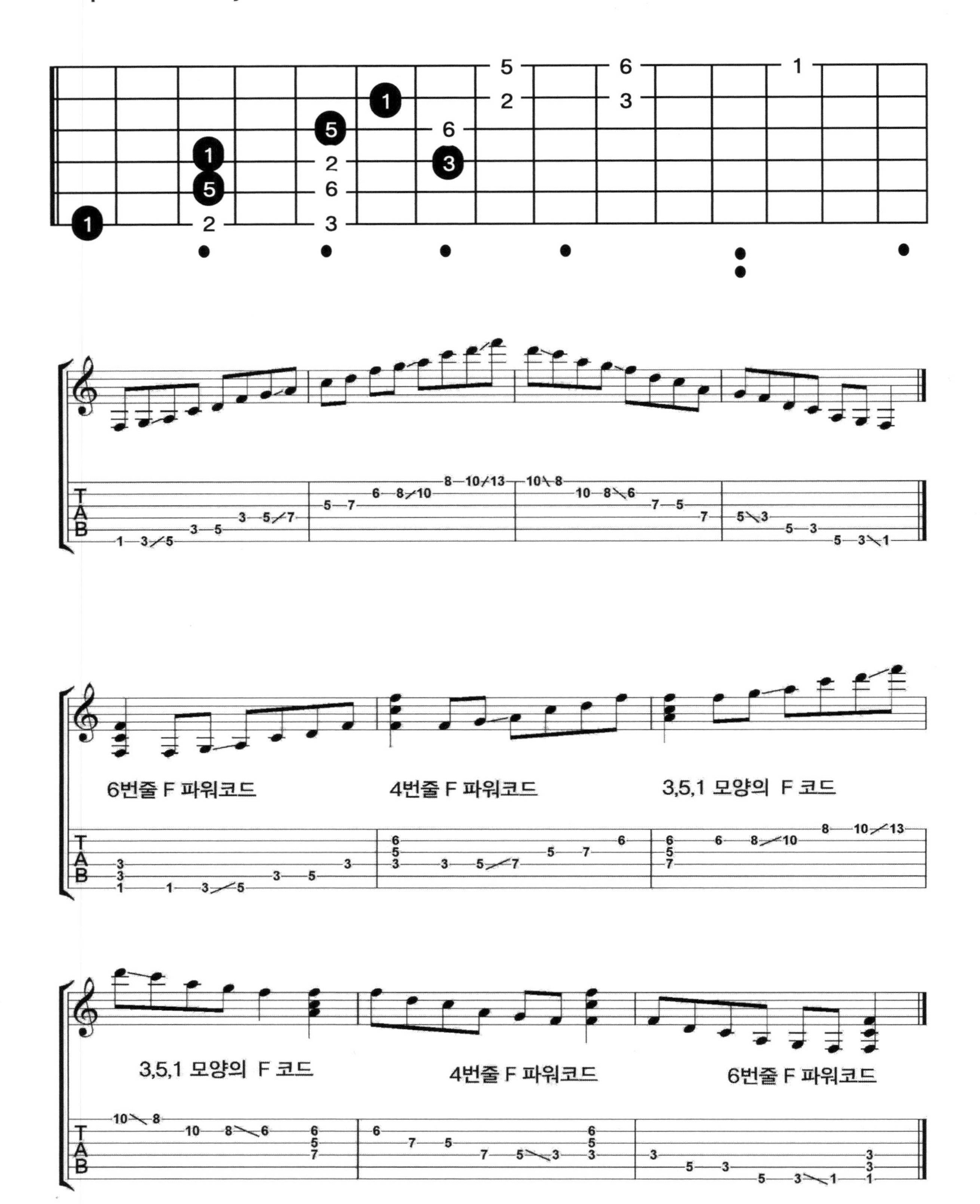

Step4-4-6 G Major Pentatonic 스케일의 숫자와 수평 모양. (1,2,3,5,6,)

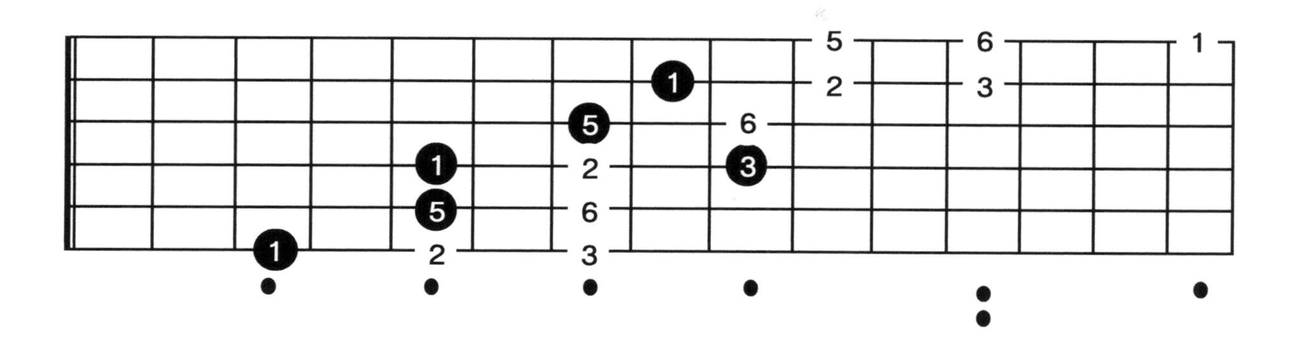

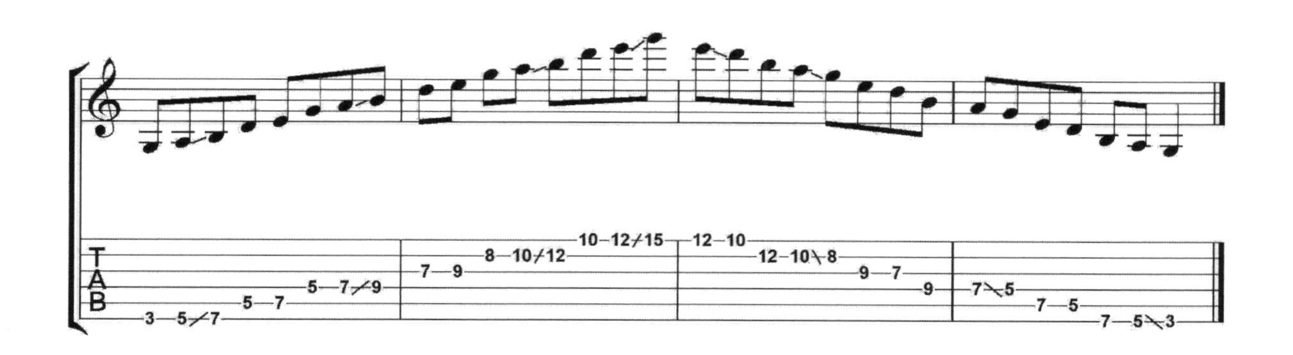

Step5. 마이너 펜타토닉 외우기

마이너 펜타토닉(Minor Pentatonic) 스케일은 C key의 II도(Dm7), III도(Em7), VI도(Am7) 마이너 코드에서 사용이 가능하며 어보이드(avoid) 음이 없다. 따라서 기타 연주자들이 자주 사용하는 스케일이다.

Step4-5-1 A Minor Pentatonic 스케일의 숫자와 수직 모양. (1,b3,4,5,b7,)

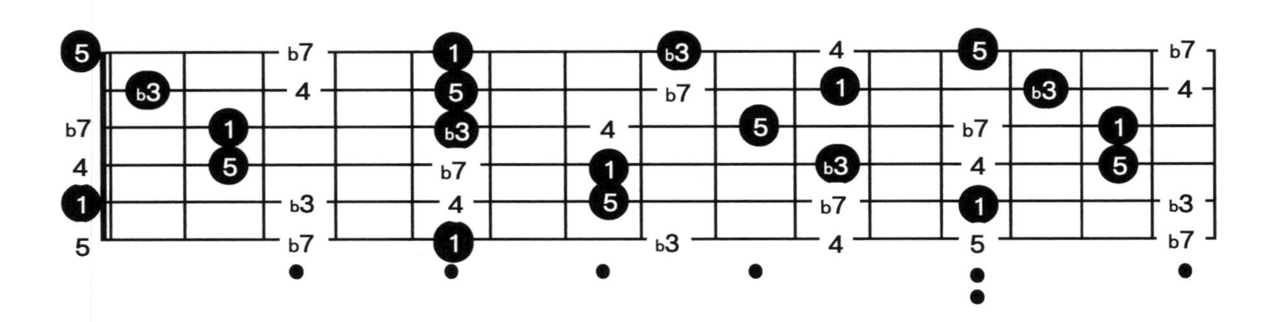

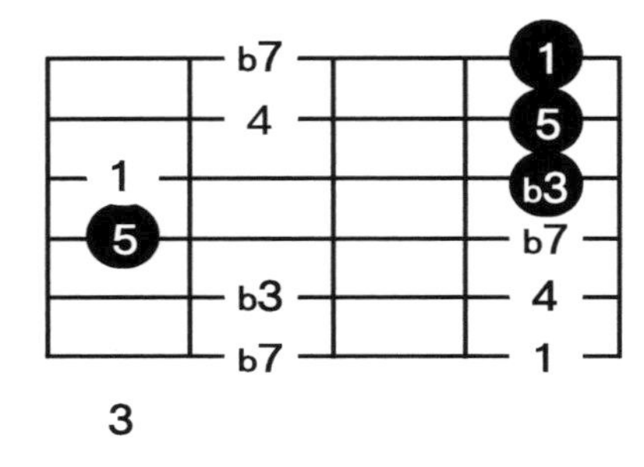

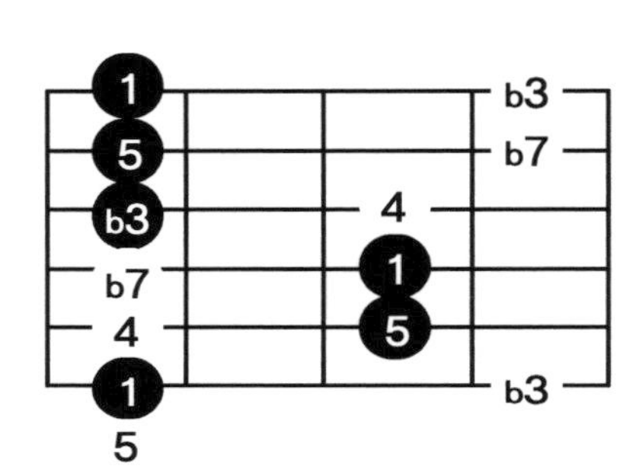

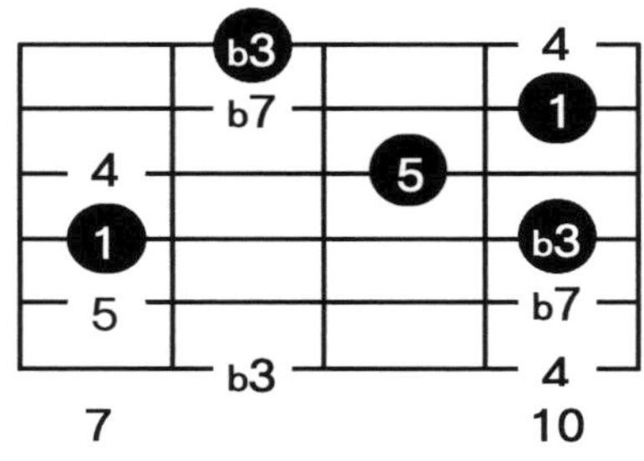

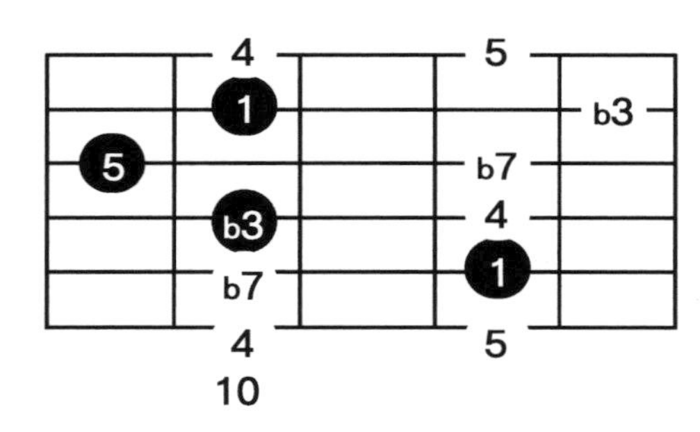

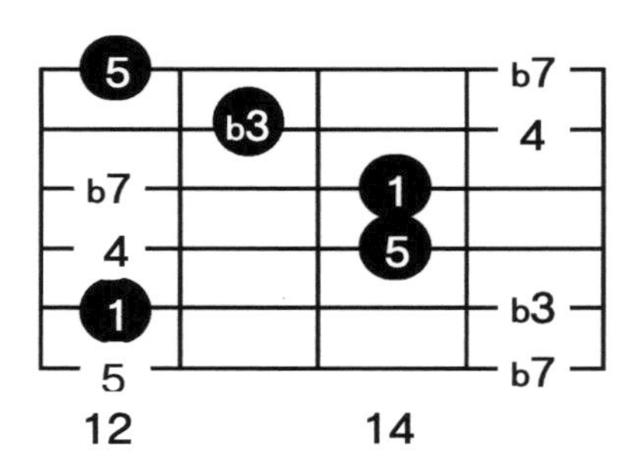

Step4-5-2 D Minor Pentatonic 스케일의 숫자와 수직 모양. (1,b3,4,5,b7,)

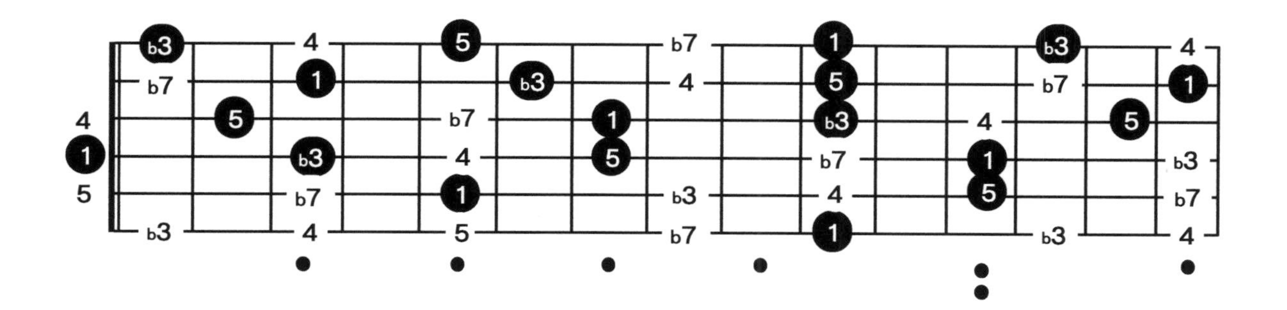

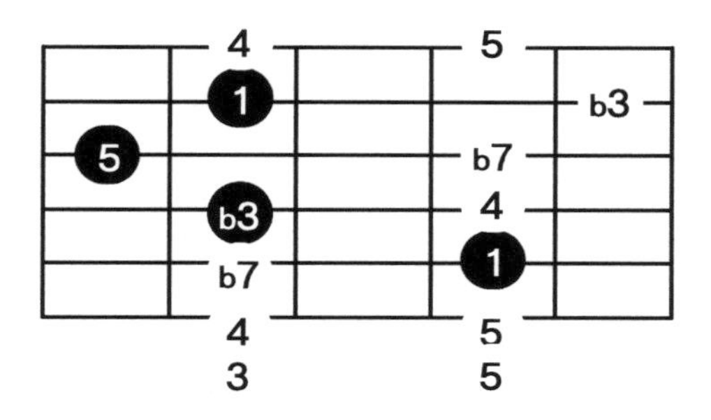

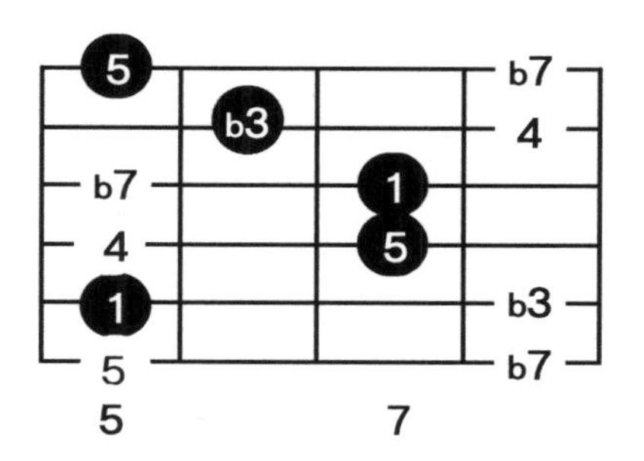

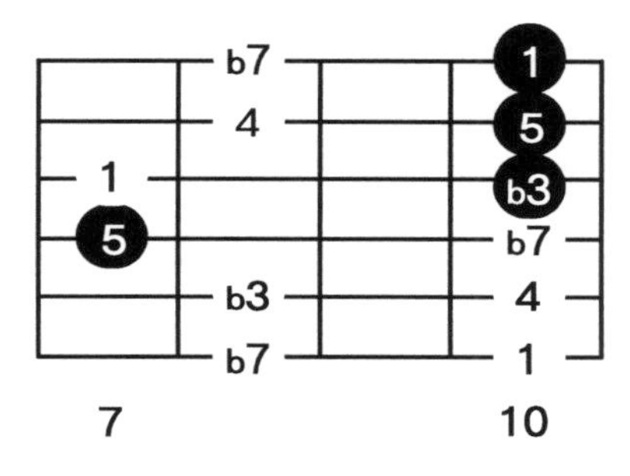

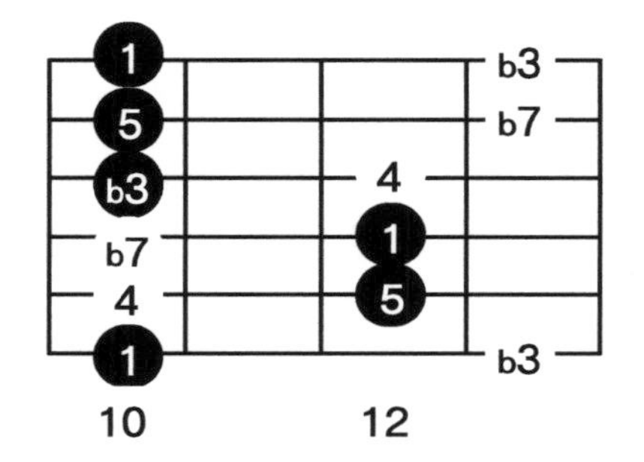

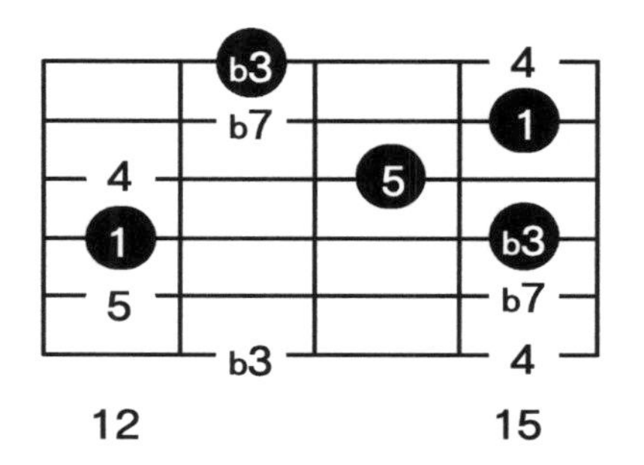

Step4-5-3 E Minor Pentatonic 스케일의 숫자와 수직 모양. (1,b3,4,5,b7,)

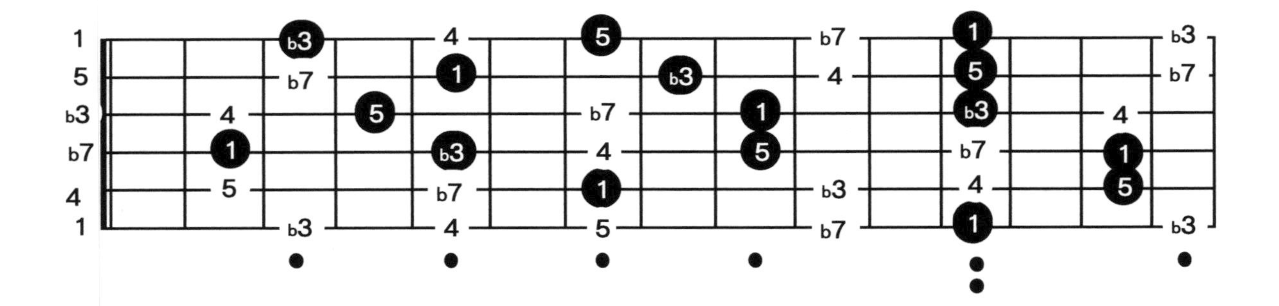

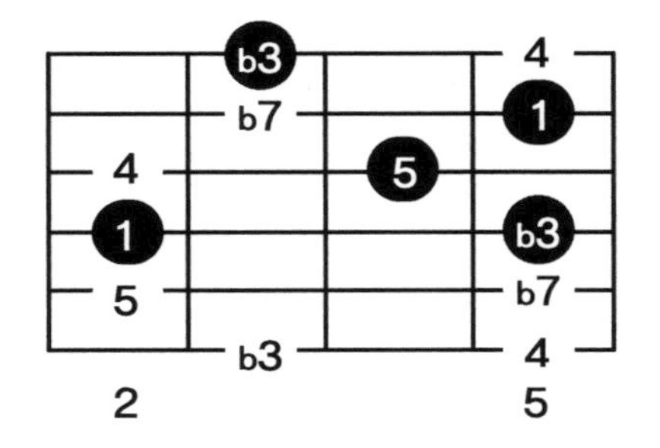

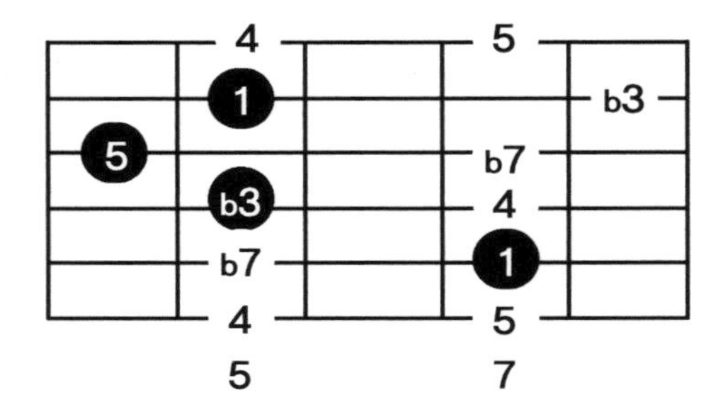

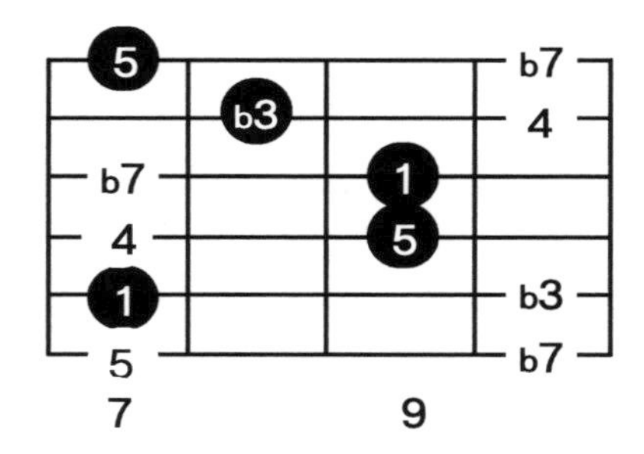

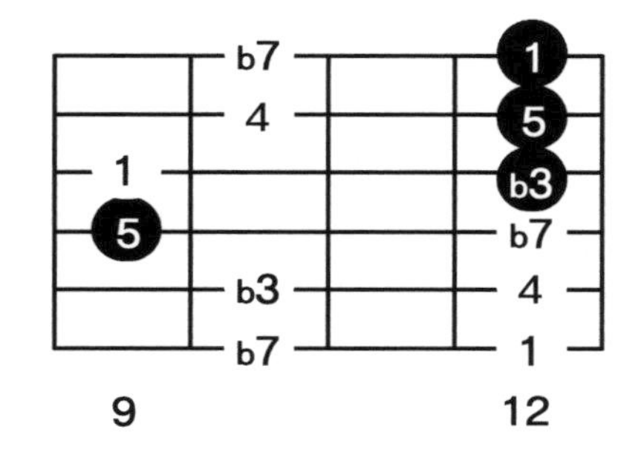

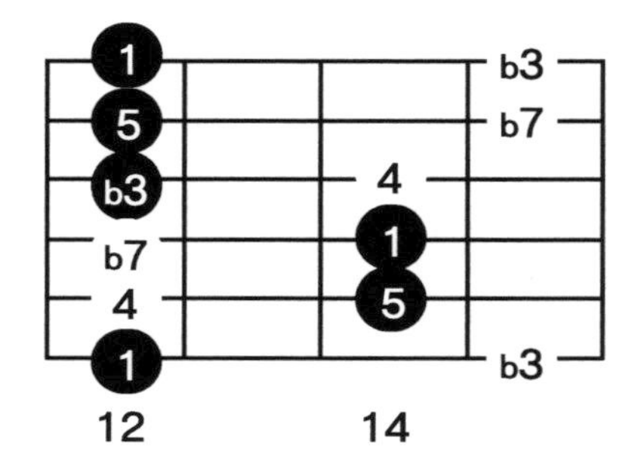

Step4-5-4 A Minor Pentatonic 스케일의 숫자와 수평 모양. (1,b3,4,5,b7,)

마이너 펜타토닉 스케일도 수평으로 이동할 때 아래 프렛 보드 모양과 같이 파워코드와 코드 모양을 생각하면서 연습해야 외우기가 쉽다.

아래 악보를 참고하여 근음(Root)으로 부터 이동하는 간격들 즉, 음정을 나타내는 숫자와 코드톤, 그리고 슬라이드 위치도 확인하면서 연습해 보자.

① A Minor pentatonic 스케일의 수평이동.

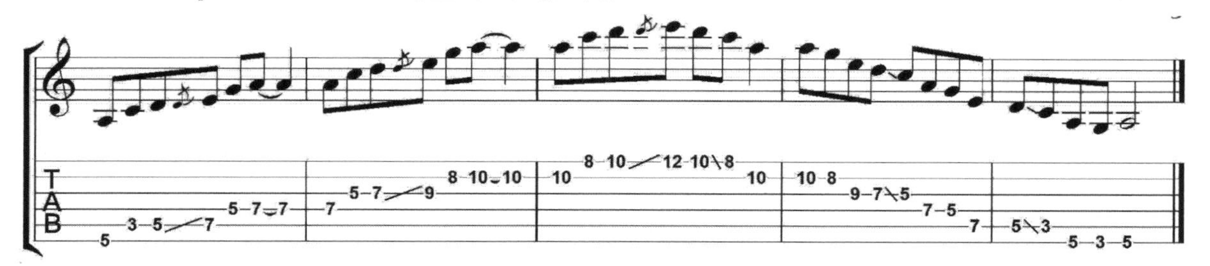

② A Minor pentatonic 스케일의 수직과 수평이동.

Step4-5-5 D Minor Pentatonic 스케일의 숫자와 수평 모양. (1,b3,4,5,b7,)

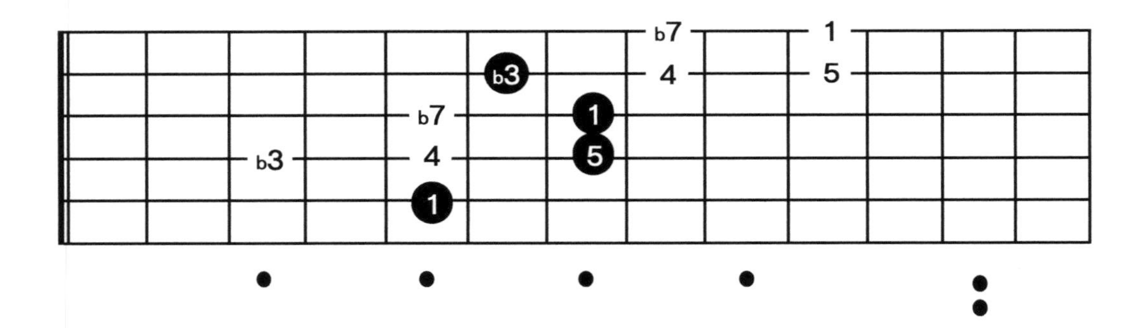

① D Minor pentatonic 스케일의 수평이동.

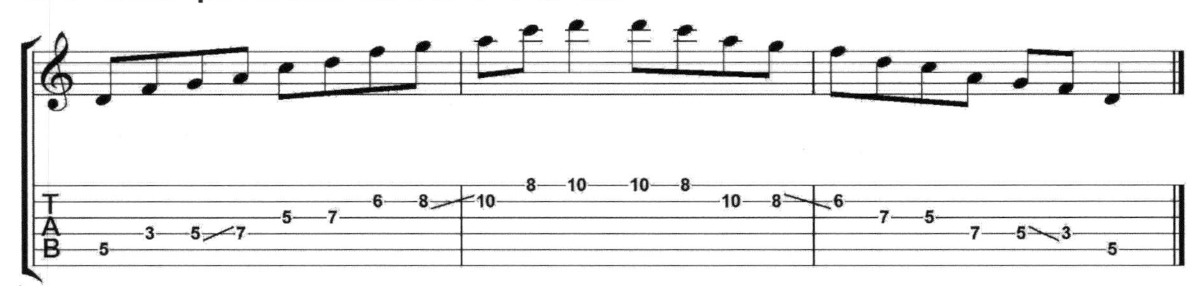

② D Minor pentatonic 스케일의 수직과 수평이동.

Step4-5-6 E Minor Pentatonic 스케일의 숫자와 수평 모양. (1,b3,4,5,b7,)

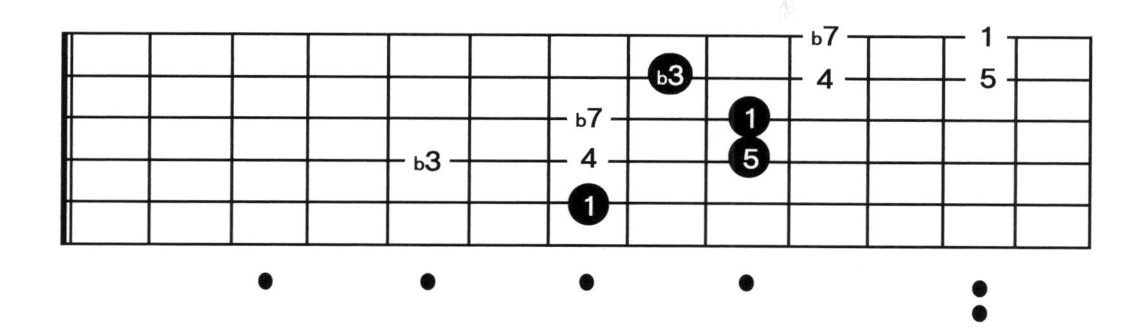

① E Minor pentatonic 스케일의 수평 이동.

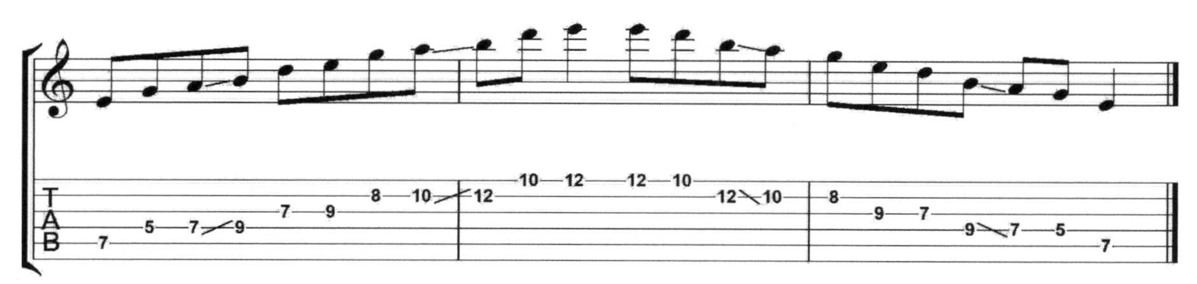

② E Minor pentatonic 스케일의 수직과 수평 이동.

Chapter 5

나도 기타 솔로 할 수 있다.

Step1. 코드톤 배열 연습하기

기타 솔로를 하거나 어떤 곡의 코드 반주를 하면서 부분적으로 즉흥연주를 하고자 할 때 **'가장 중요한 음이 무엇이냐'**는 물음에는 역시 **코드 톤**이 가장 중요하다. 아래 악보를 보고 줄별로 코드와 배열 음들을 익혀보자.

Step5-1-1 C, G, F 코드톤 배열[16] 358(1)3

16) 코드톤 라인이 수평으로 이동할 때는 수평으로 이동하는 메이저 펜타토닉 스케일의 모양들을 참조하면 외우기가 쉬워진다.

Step5-1-2 Am, Em, Dm, Bdim 코드톤 배열

Step5-1-3 3513~3153

앞서 배웠던 3513 배열에서 가까운 코드 음을 찾아서 프렛 보드의 영역을 넓혀보자. C Major key에 해당하는 코드 진행으로 연주해 보자.

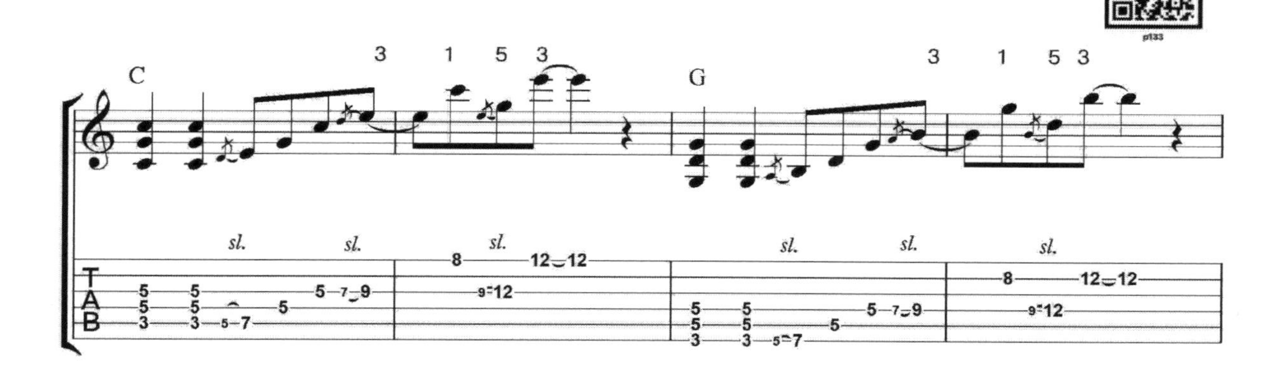

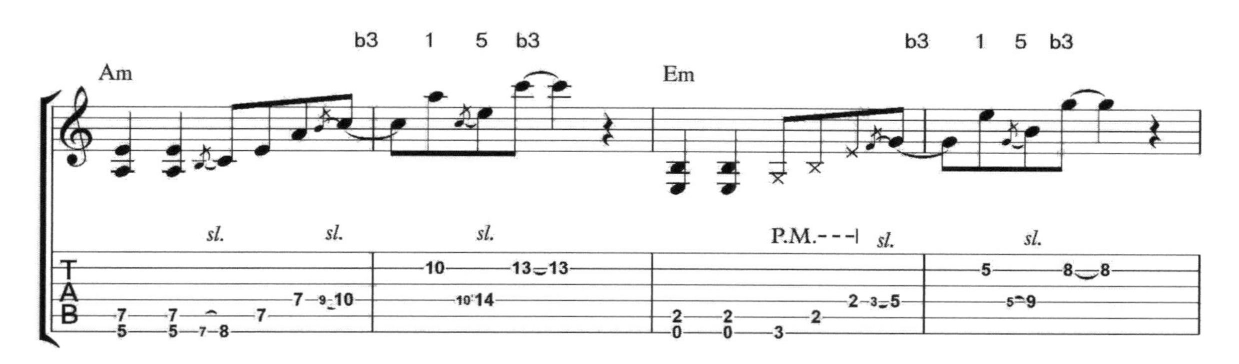

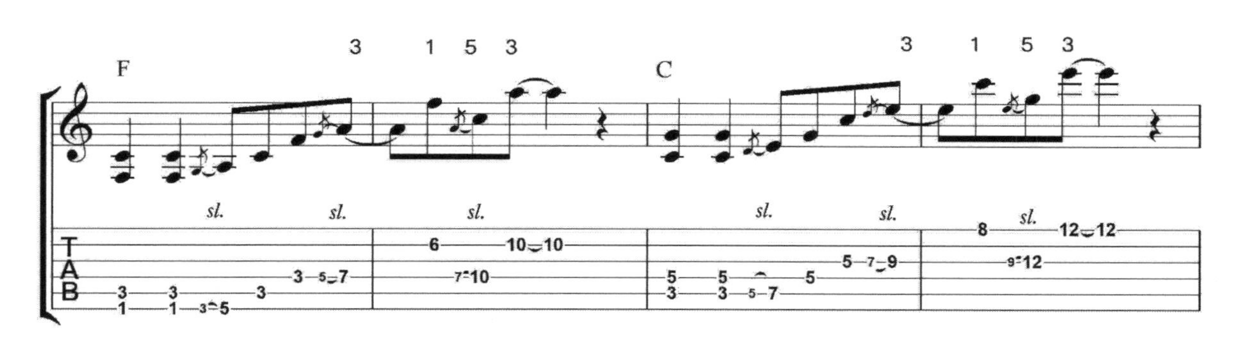

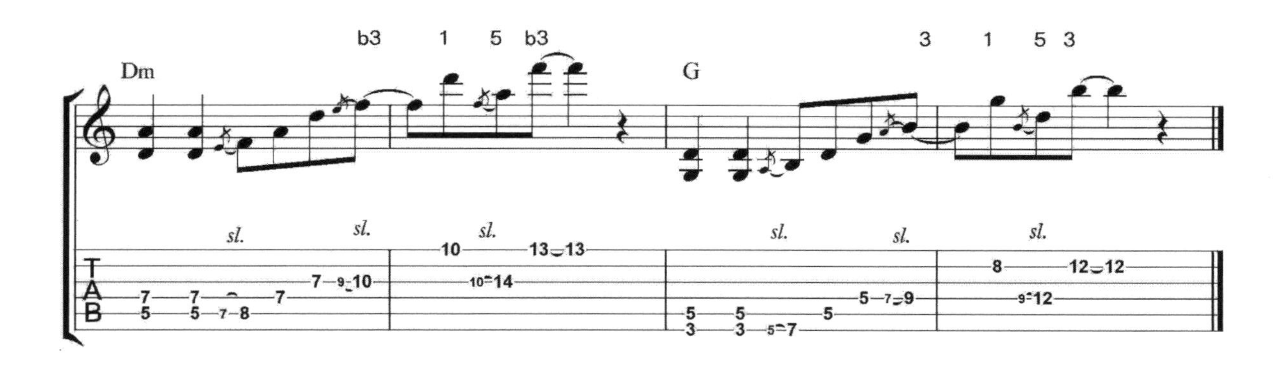

Step5-1-4 153 or 5153 or 513

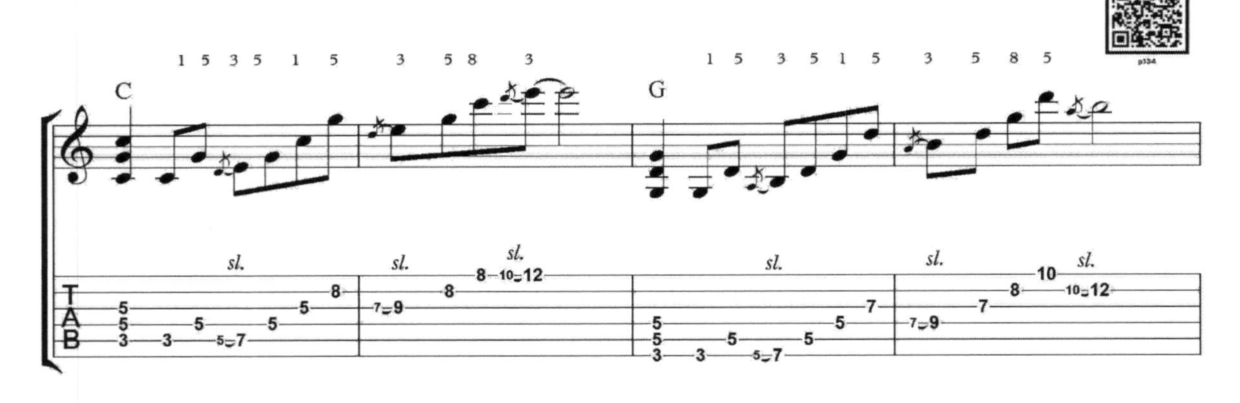

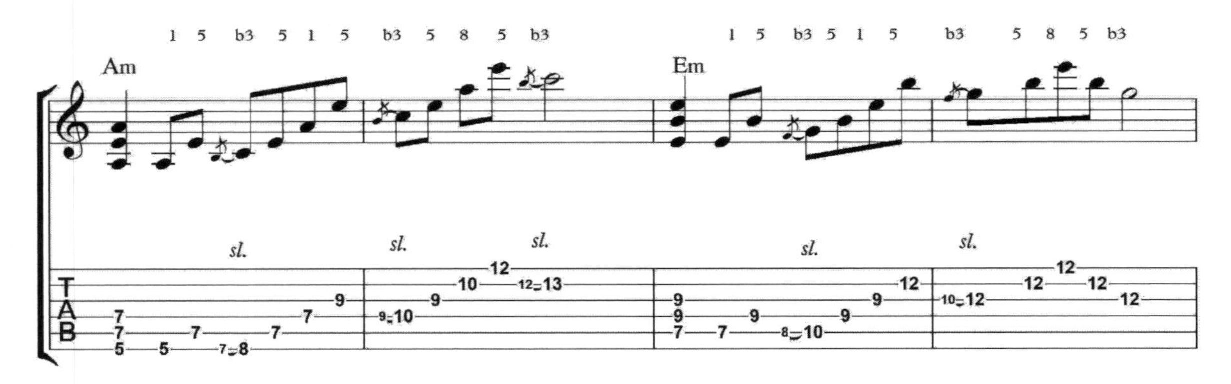

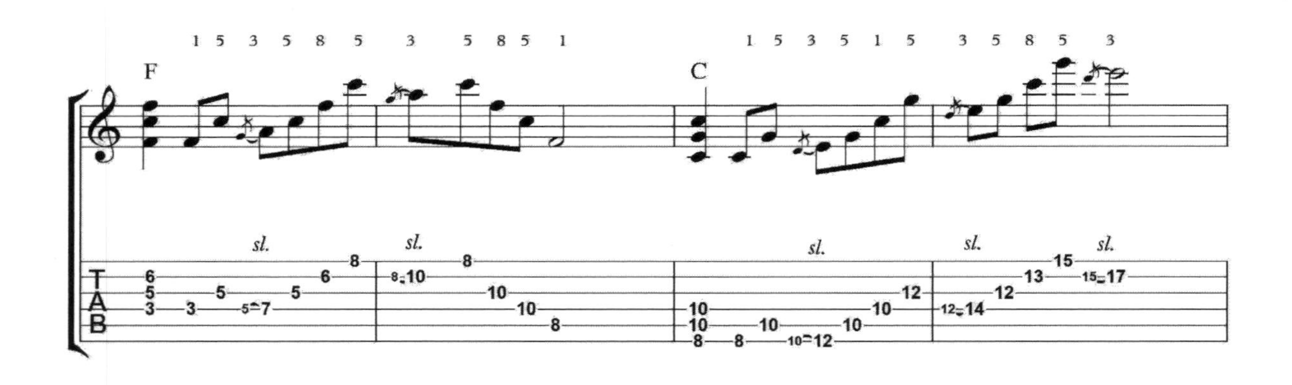

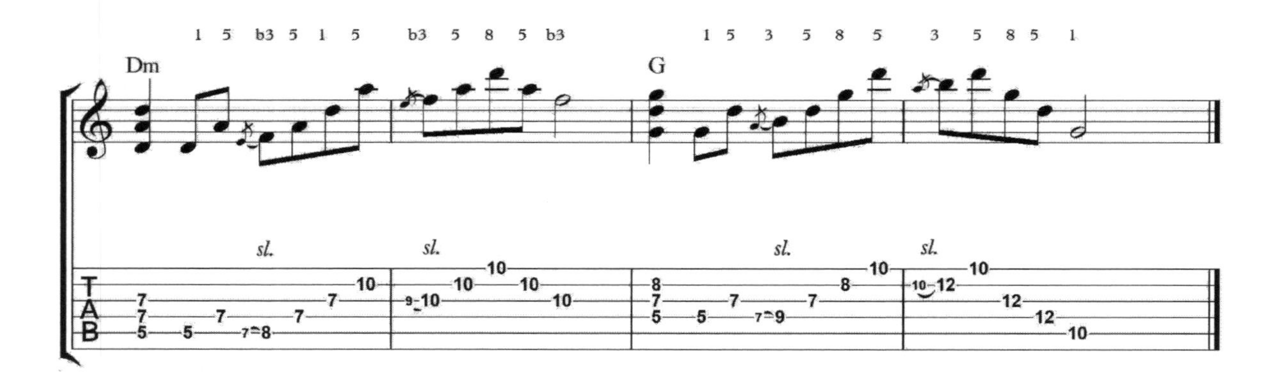

Step2. 코드톤에 2도 더하기

다이아토닉 코드들에게 2도를 더했을 때 CMajor key에서 IIIm7(Em7)과 VIIm7$^{(b5)}$(Bm7$^{(b5)}$)은 b2(단2도)이고 나머지 다이아토닉 코드들은 2(장2도)이다. 코드톤에 2도만 추가해도 더욱 더 다양한 배열 들을 만들 수 있고, 1도와 3도를 연결해 주는 경과음(Passing Tone),[17] 즉 부드러운 사운드를 만들어 낼 수 있다. 아래 예제 악보를 보고 배열 음들을 익혀보자.

Step5-2-1 C-G-F-C 코드 진행으로 1,2,3 패턴 연습하기

123 패턴

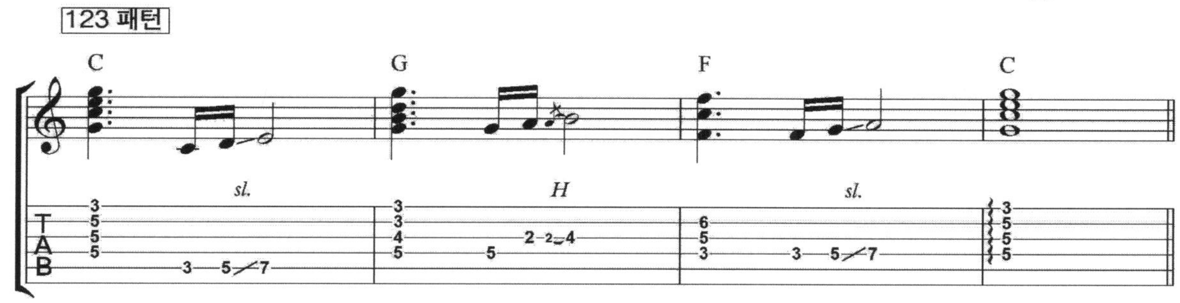

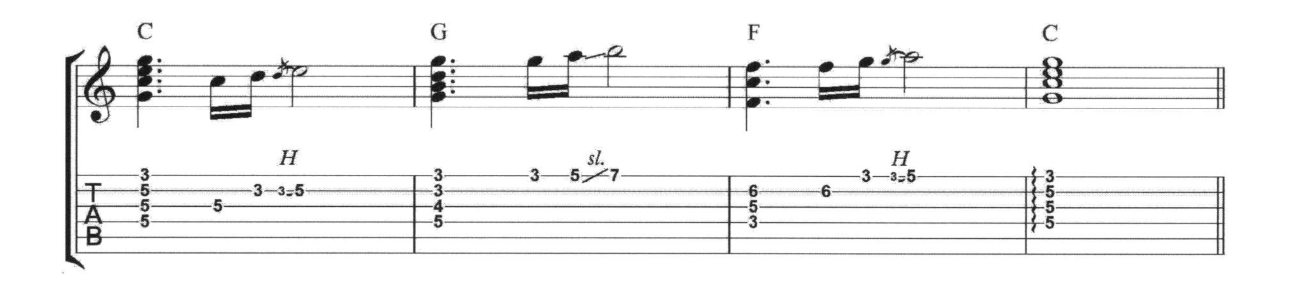

17) Passing Tone(경과음)은 지나가는 음이란 뜻으로 3도 간격의 음을 연결해 주는 비화성음이다. 자세한 내용은 본인이 저자인 '재즈기타와 화성학'에서 120페이지에 나와 있다.

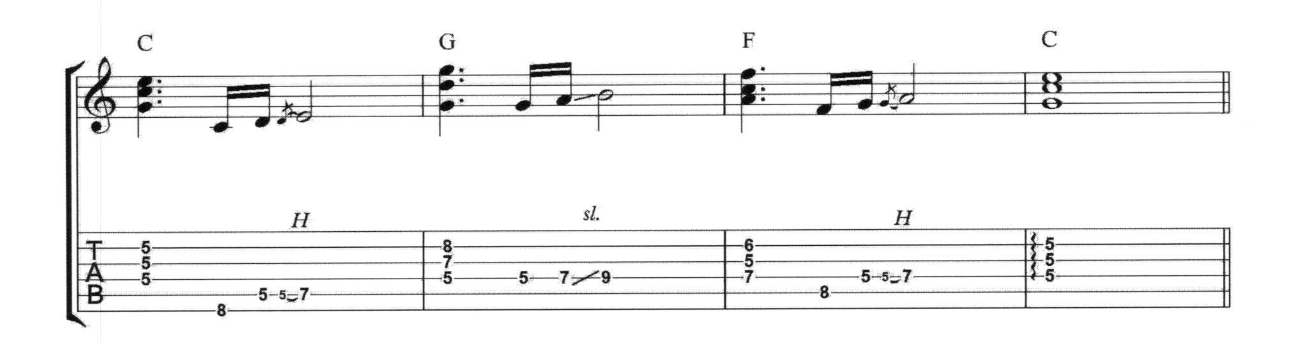
C G F C
H
sl.
H

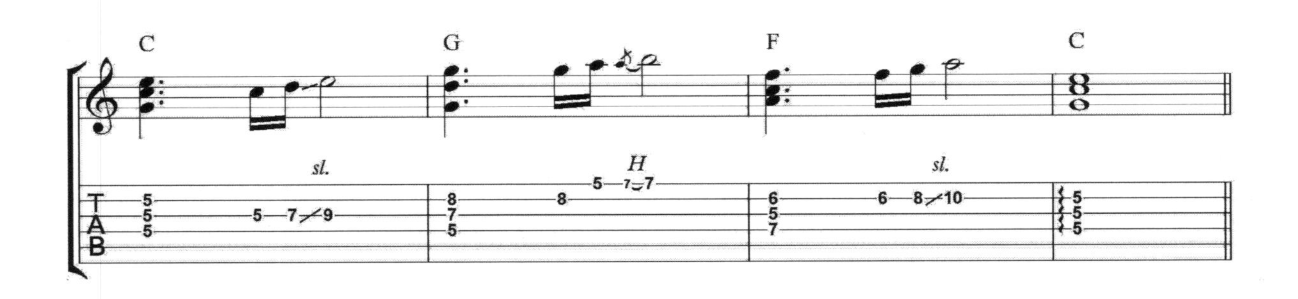
C G F C
sl.
H
sl.

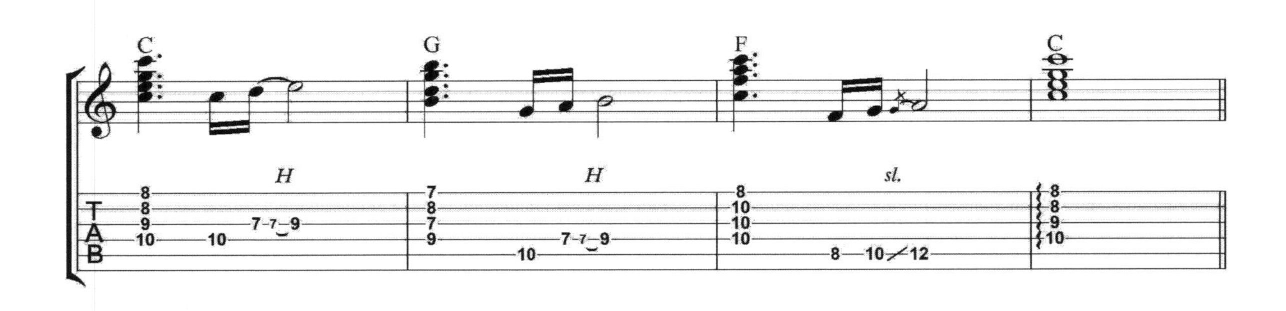
C G F C
H
H
sl.

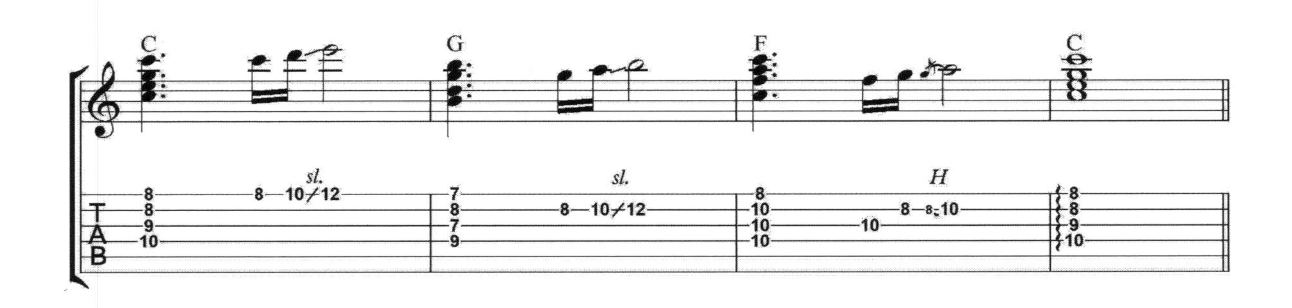
C G F C
sl.
sl.
H

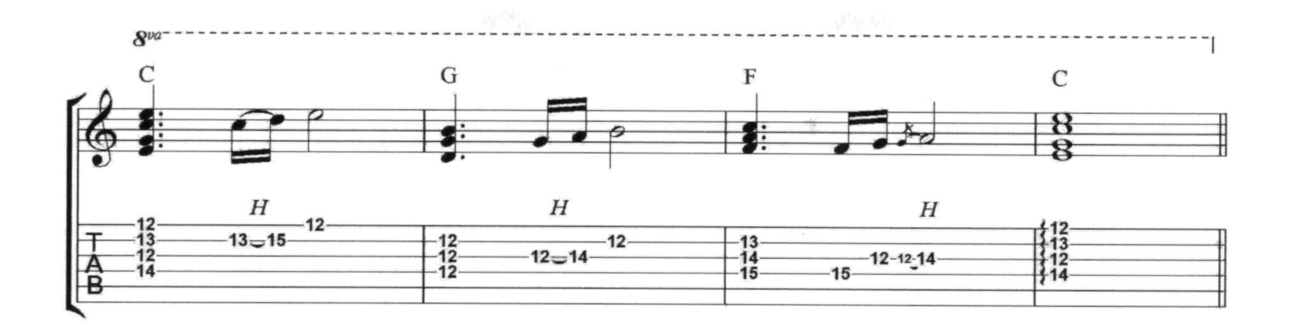

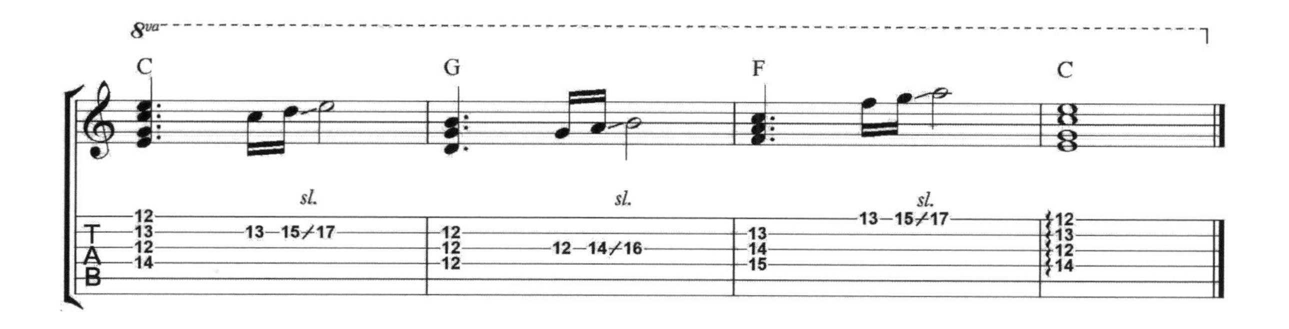

Step5-2-2 Am-Em-Dm-Am 코드 진행으로 1,2,b3 또는 1,b2,b3 패턴 연습하기.

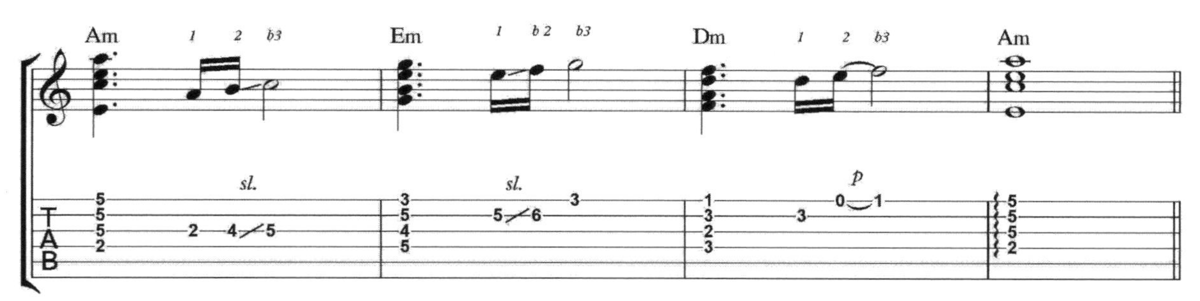

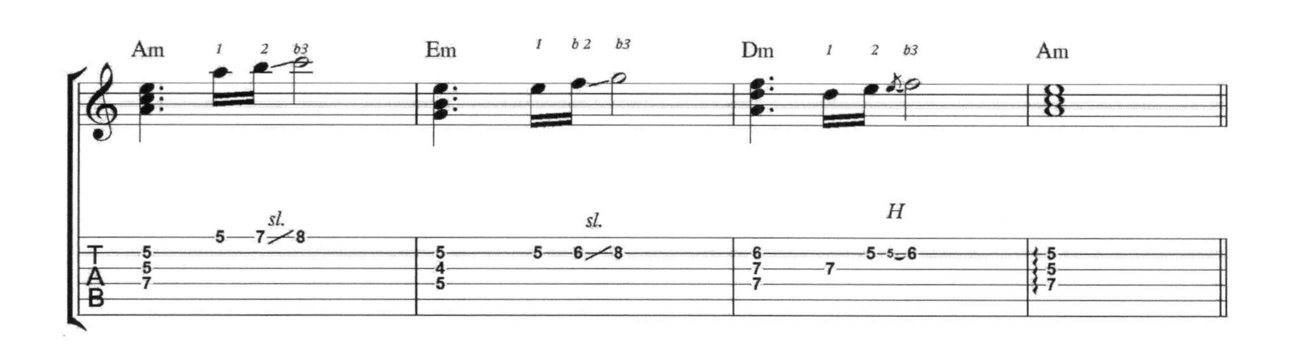

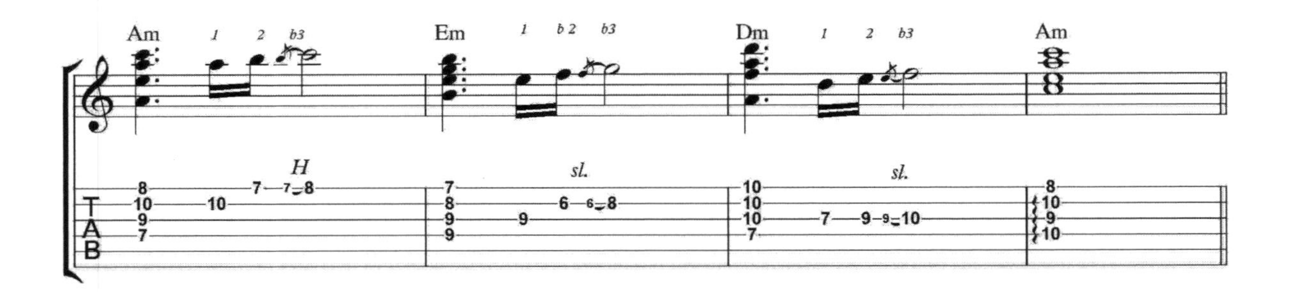

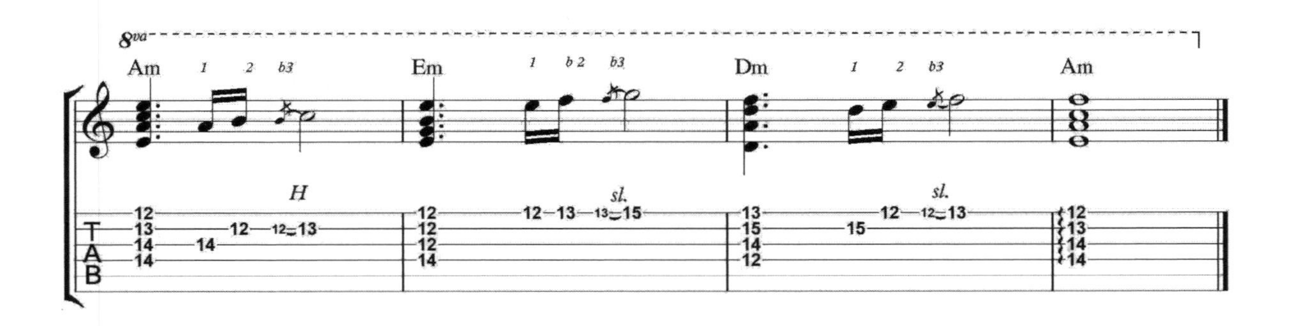

Step5-2-3 C Major key의 다이아토닉 코드 진행으로 585253 패턴 연습하기.

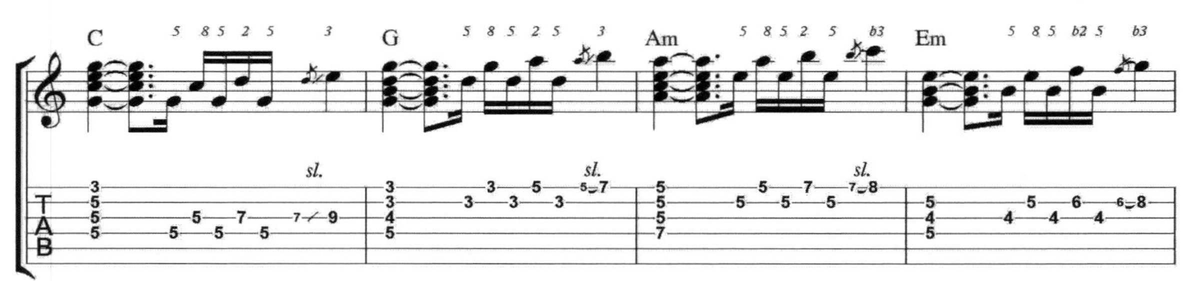

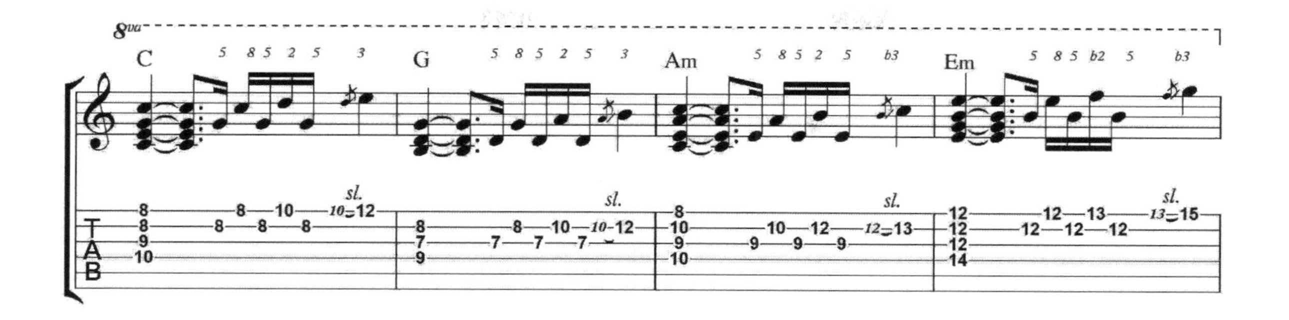

Step5-2-4 다이아토닉 코드별로 수직이동으로 연습하기 1582, 3215

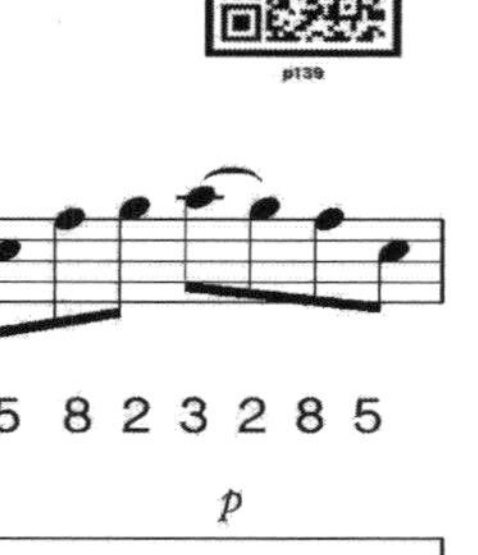

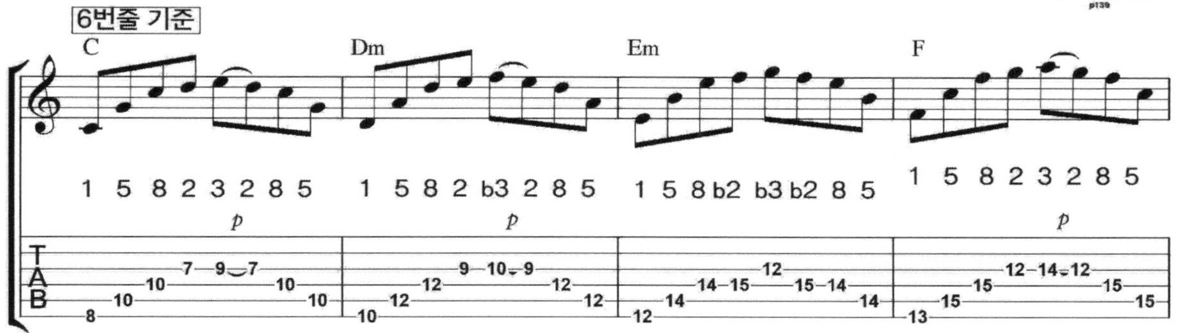

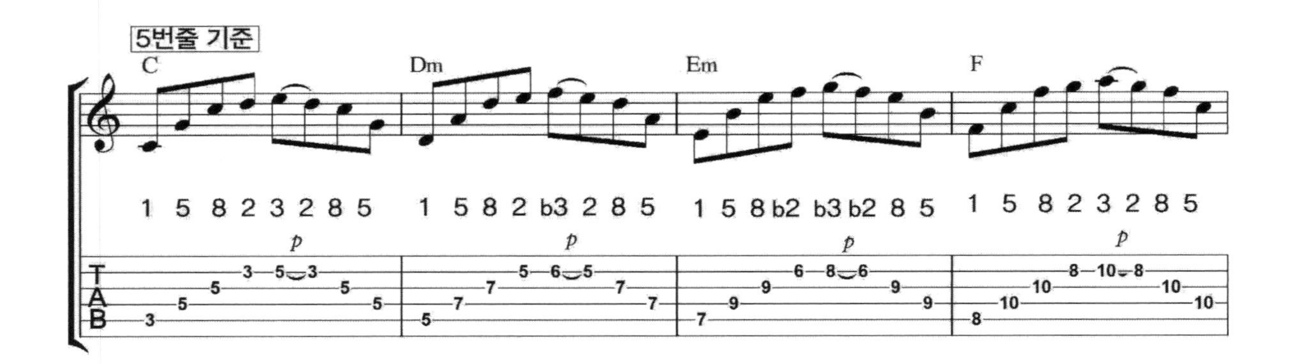
5번줄 기준
C
Dm
Em
F
1 5 8 2 3 2 8 5
1 5 8 2 b3 2 8 5
1 5 8 b2 b3 b2 8 5
1 5 8 2 3 2 8 5

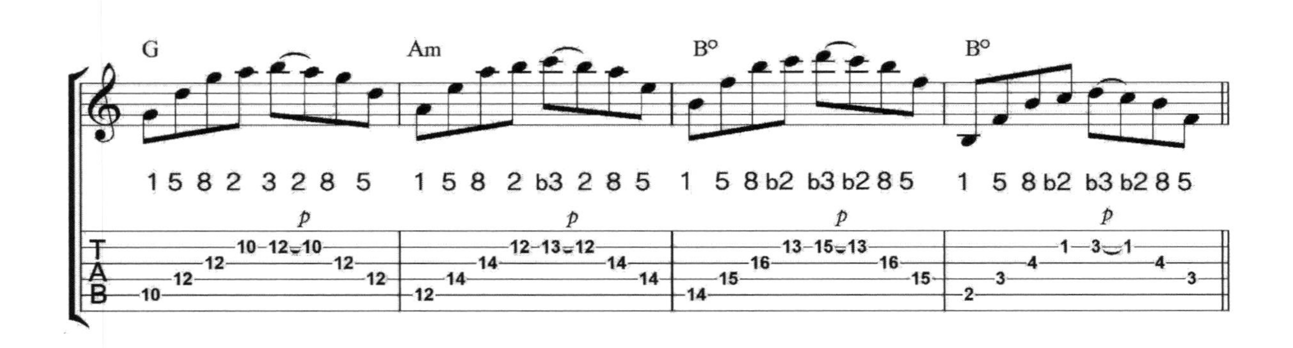
G
Am
B°
B°
1 5 8 2 3 2 8 5
1 5 8 2 b3 2 8 5
1 5 8 b2 b3 b2 8 5
1 5 8 b2 b3 b2 8 5

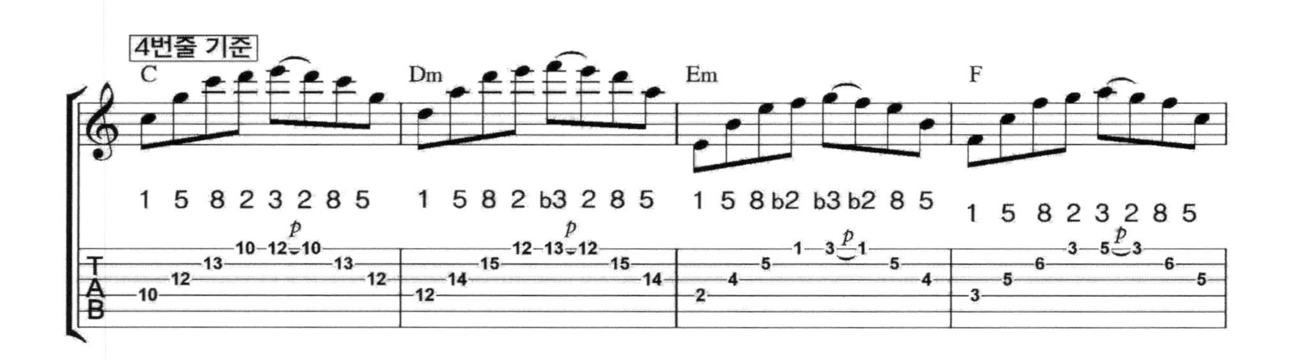
4번줄 기준
C
Dm
Em
F
1 5 8 2 3 2 8 5
1 5 8 2 b3 2 8 5
1 5 8 b2 b3 b2 8 5
1 5 8 2 3 2 8 5

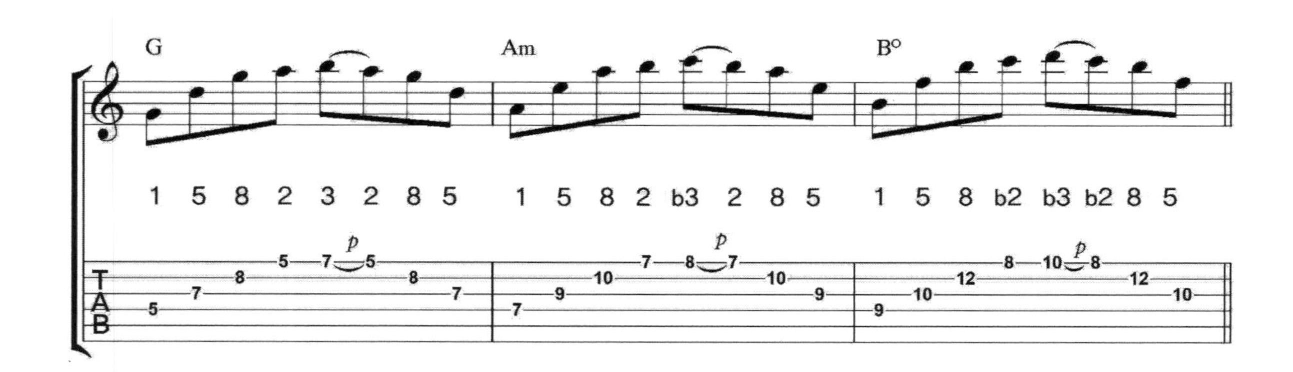
G
Am
B°
1 5 8 2 3 2 8 5
1 5 8 2 b3 2 8 5
1 5 8 b2 b3 b2 8 5

Step5-2-5 다이아토닉 코드별로 수평 이동으로 연습하기 351(8)23

Chapter5 2부

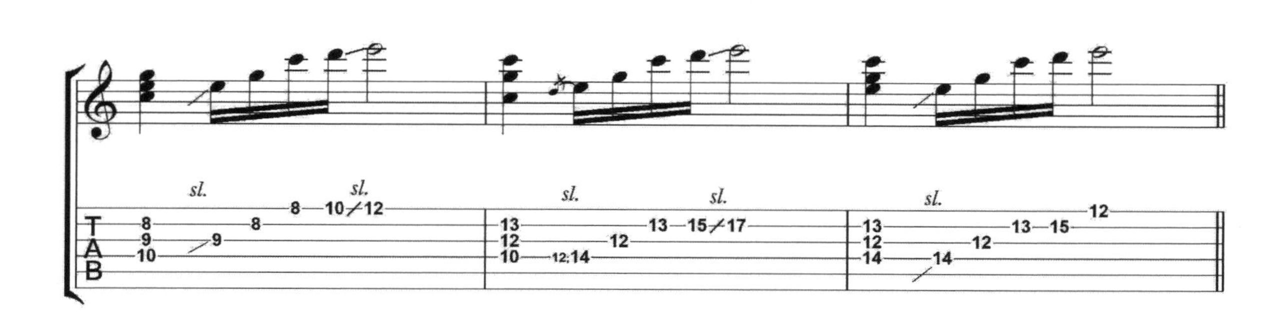

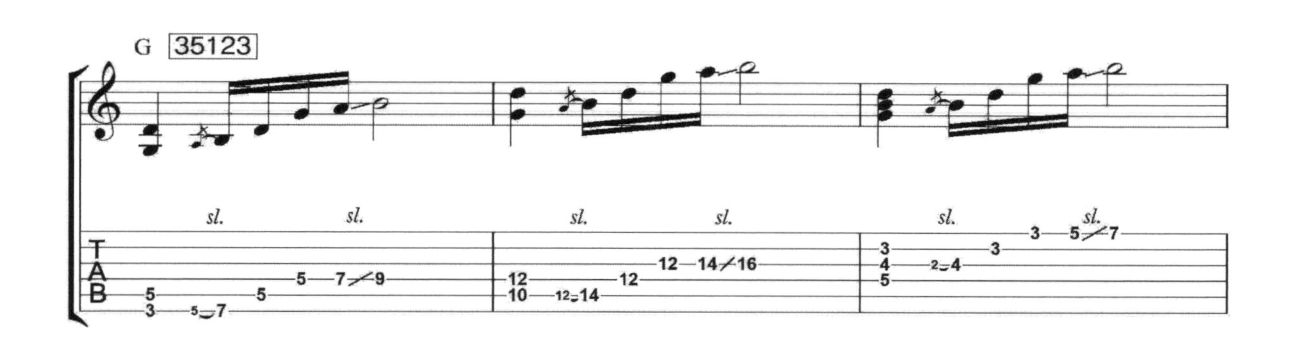

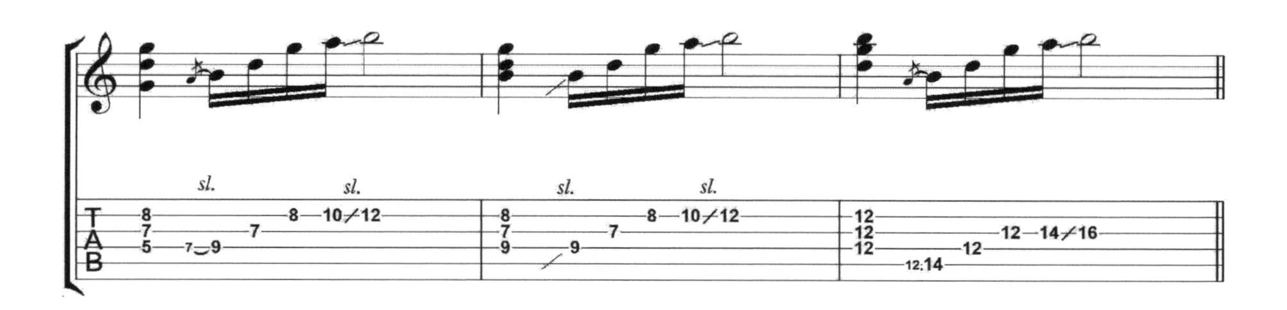

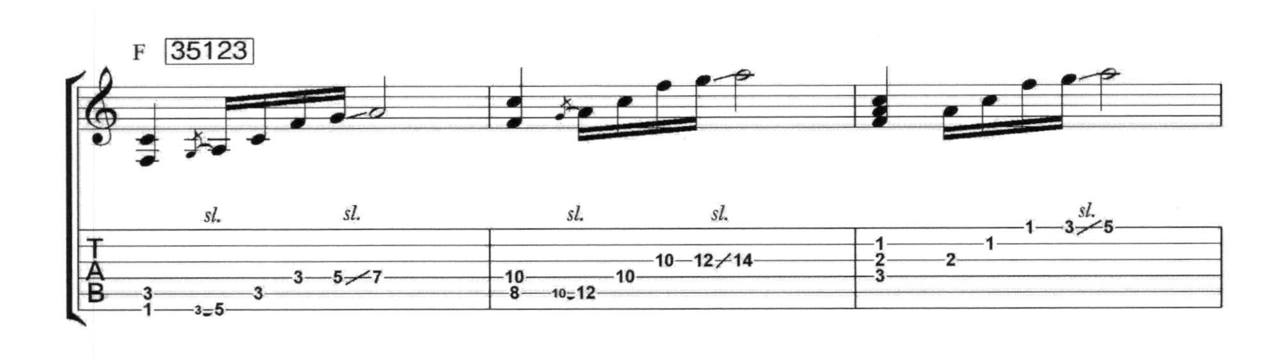
F
35123
sl.
sl.
sl.
sl.
sl.

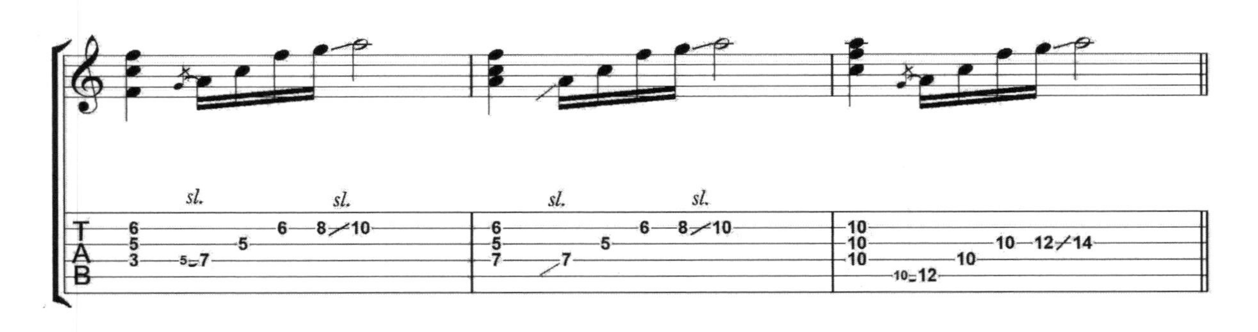
sl.
sl.
sl.
sl.

Am
b3, 5, 1, 2, b3
sl.
sl.
P.M.
sl.
P.M.

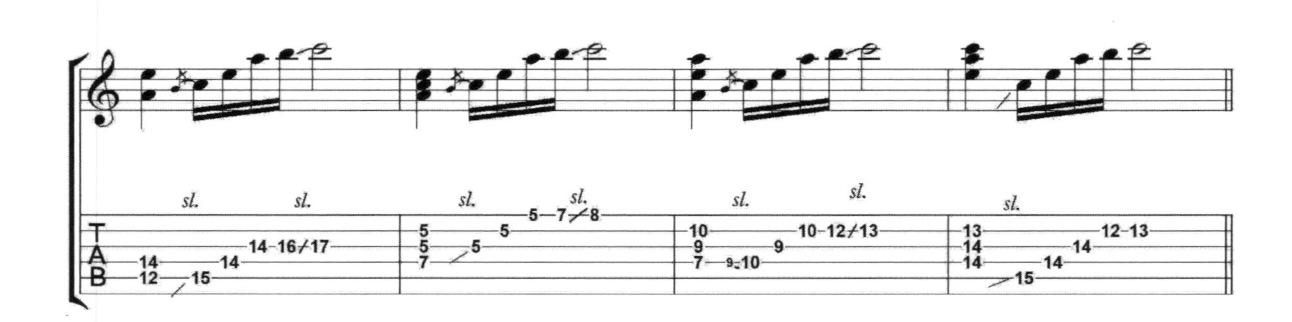
sl.
sl.
sl.
sl.
sl.
sl.
sl.

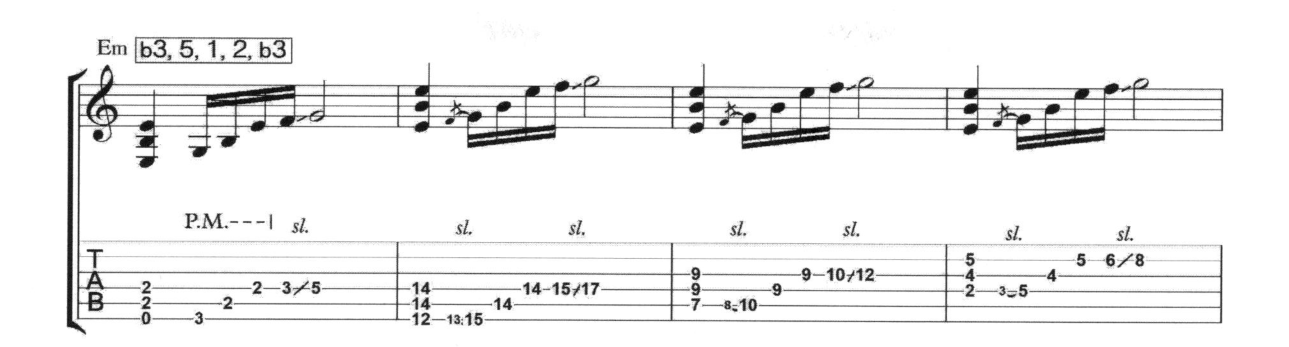
Em
b3, 5, 1, 2, b3
P.M.
sl.
TAB

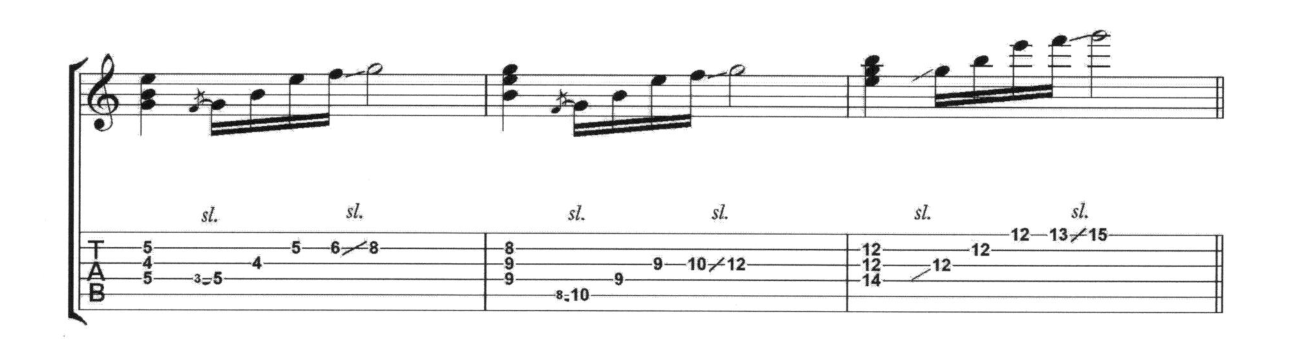
sl.
TAB

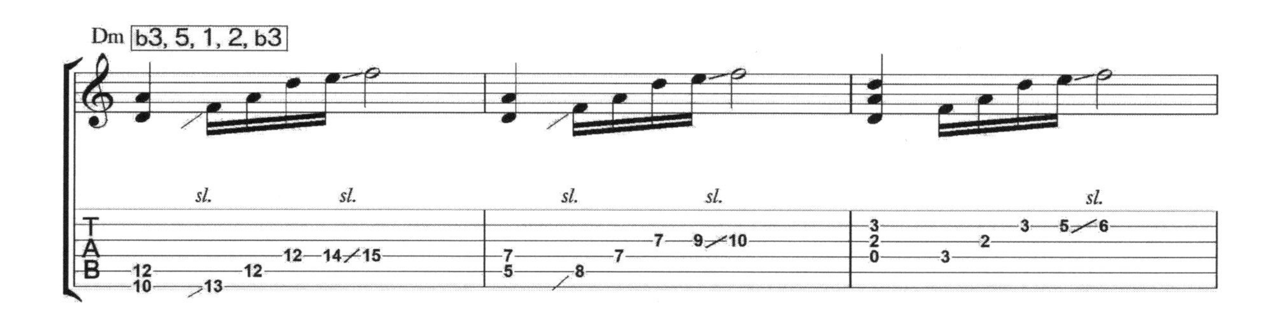
Dm
b3, 5, 1, 2, b3
sl.
TAB

sl.
TAB

Step5-2-6 C-G-F-C 코드진행으로 3521패턴 연습하기.

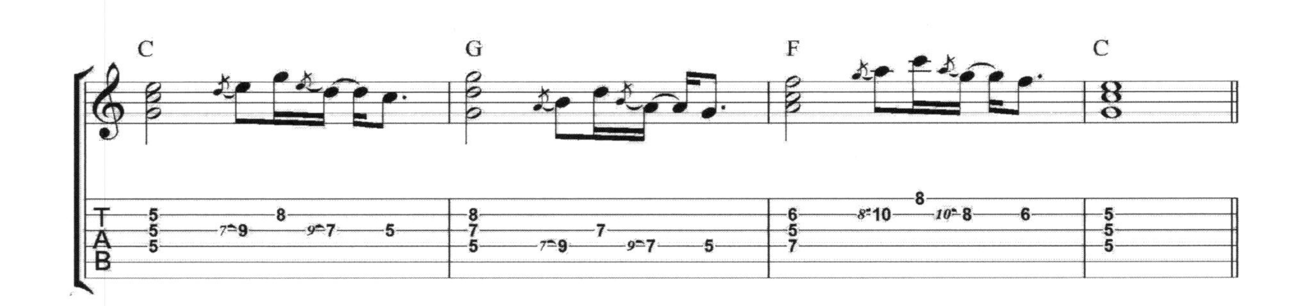

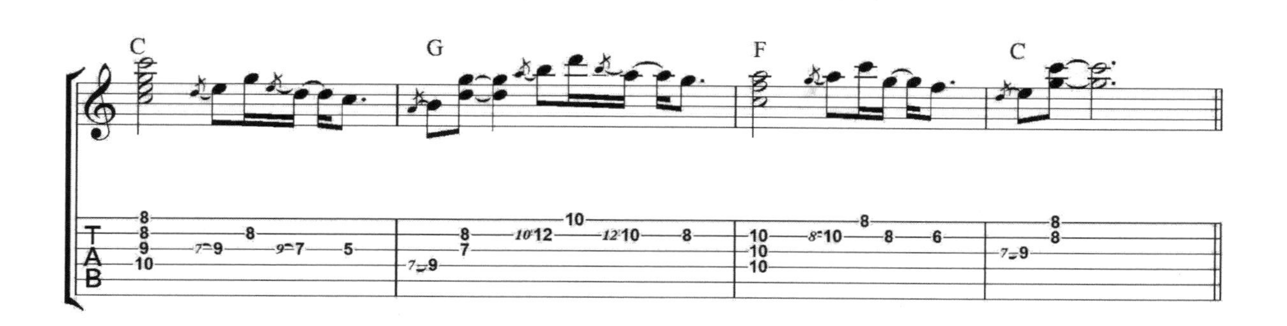

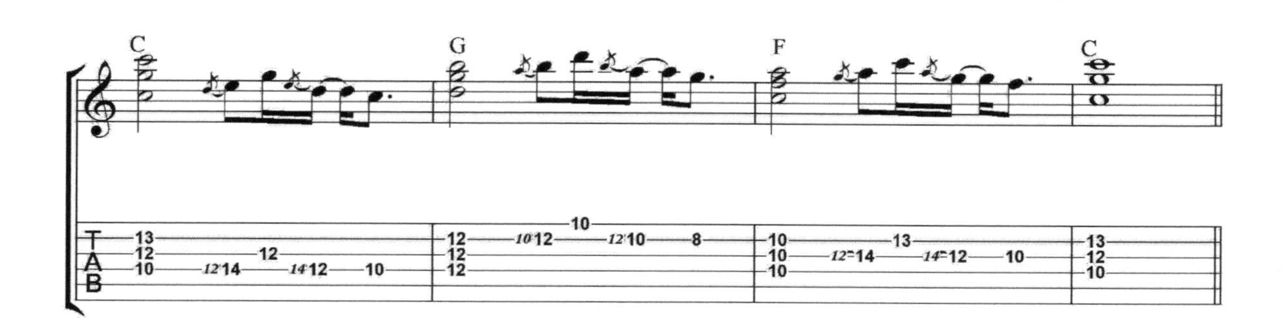

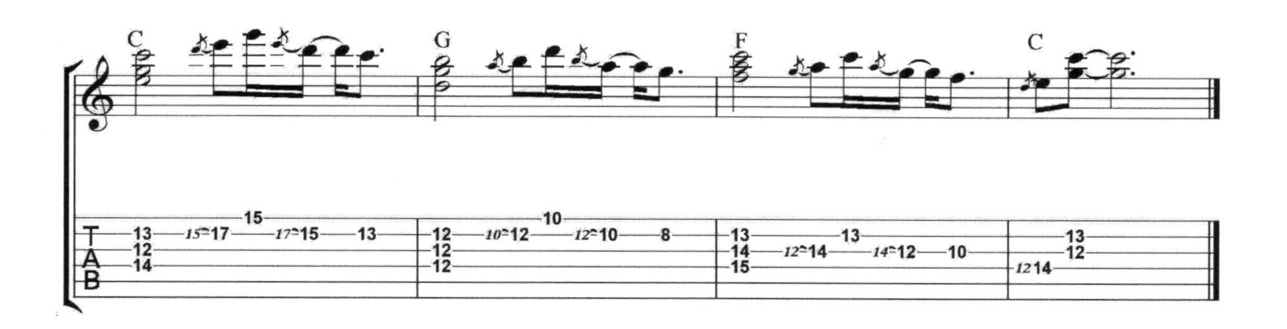

팁:

3521 패턴은 메이저 코드에서 잘 어울리는 배열 음이고 마이너 코드에서는 잘 사용하지 않고, 같은 느낌의 배열 음은 5,b7,4,,b3 패턴이 더 잘 어울린다. 7도와 4도음이 추가하는 장에서 다시 소개하겠다.

Step5-2-7 근음(Root) 기준으로 기타 줄 2351, 2385 패턴 연습하기

① C

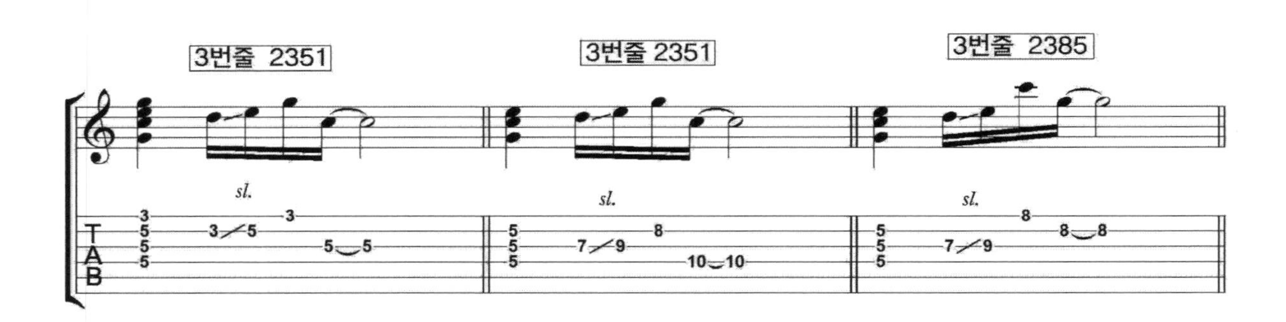

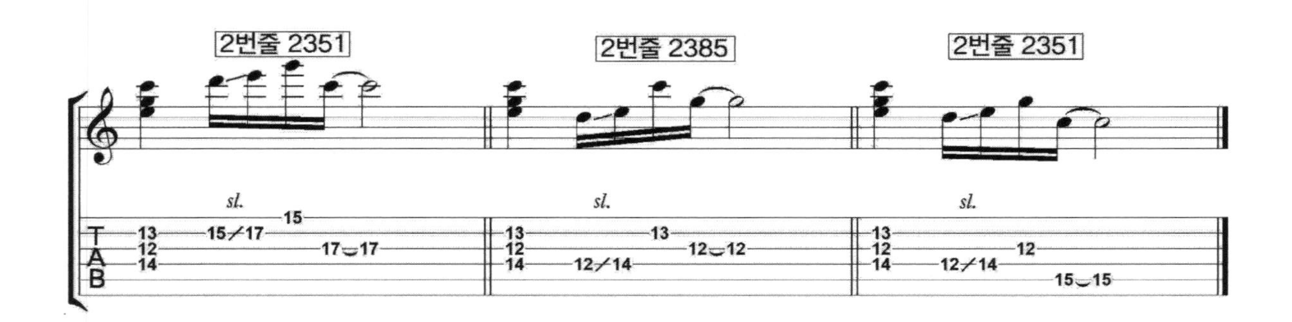

② G

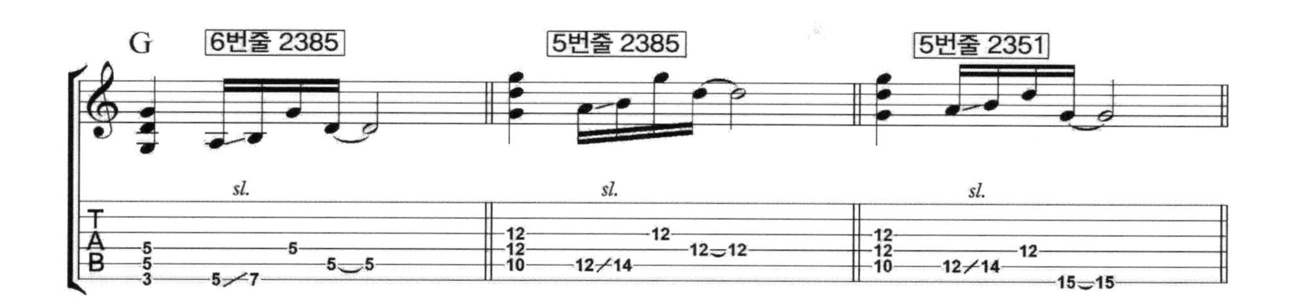
G
6번줄 2385
5번줄 2385
5번줄 2351
sl.
sl.
sl.

4번줄 2351
4번줄 2385
4번줄 2351
4번줄 2385
sl.
sl.
sl.
sl.

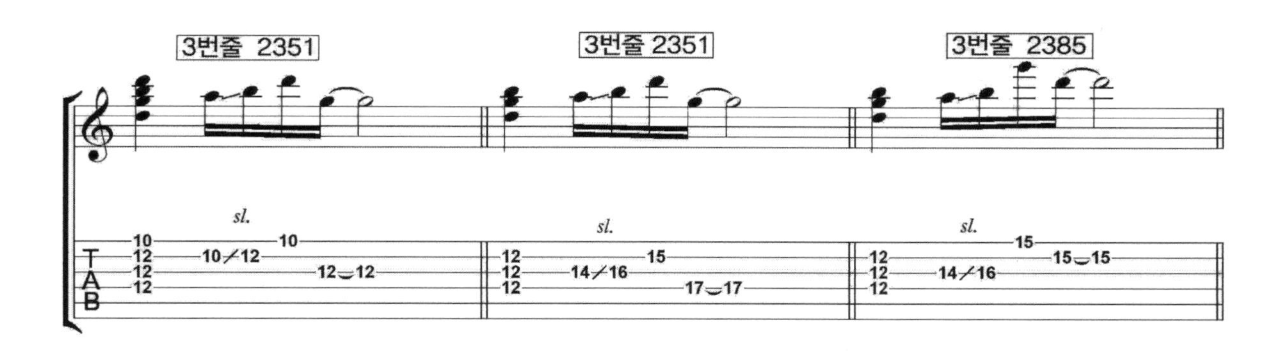
3번줄 2351
3번줄 2351
3번줄 2385
sl.
sl.
sl.

2번줄 2351
2번줄 2385
2번줄 2351
sl.
sl.
sl.

③ F

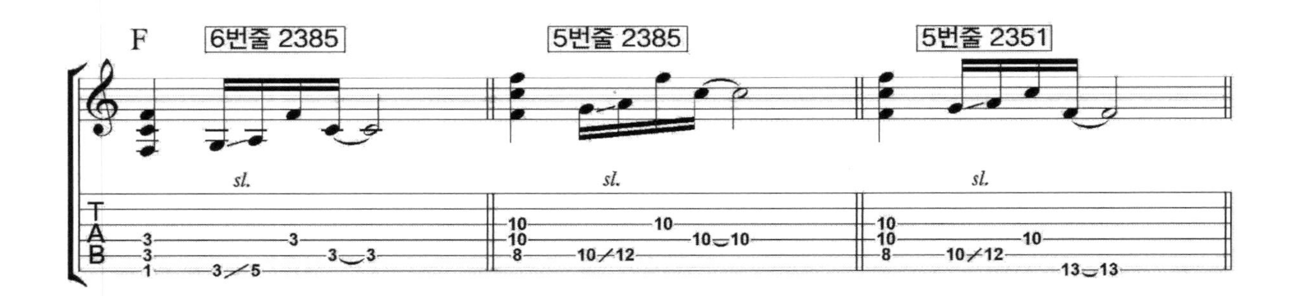
F
6번줄 2385
5번줄 2385
5번줄 2351
sl.
sl.
sl.

4번줄 2351
4번줄 2385
4번줄 2351
4번줄 2385
p
p
sl.
sl.

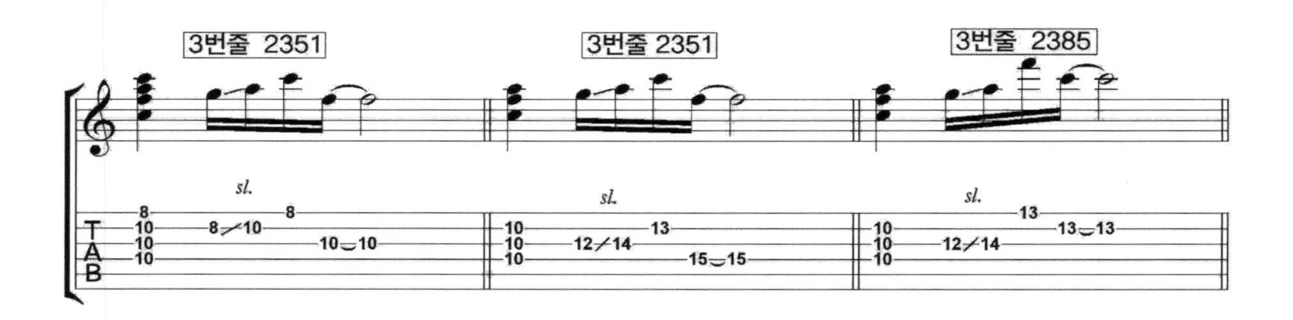
3번줄 2351
3번줄 2351
3번줄 2385
sl.
sl.
sl.

2번줄 2351
2번줄 2385
2번줄 2351
sl.
sl.
sl.

④ Am

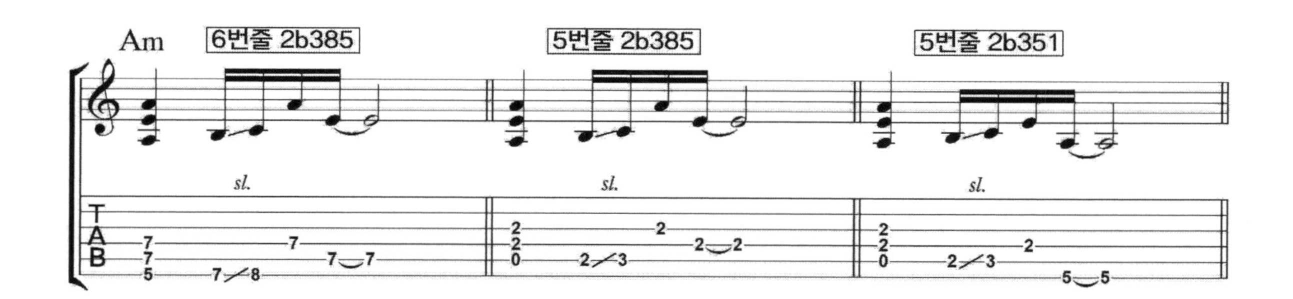

Am
6번줄 2b385
5번줄 2b385
5번줄 2b351
sl.
sl.
sl.

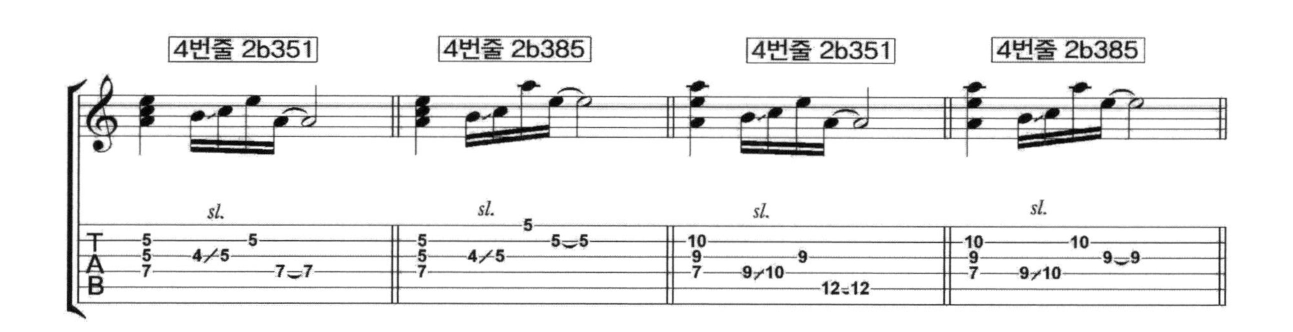

4번줄 2b351
4번줄 2b385
4번줄 2b351
4번줄 2b385
sl.
sl.
sl.
sl.

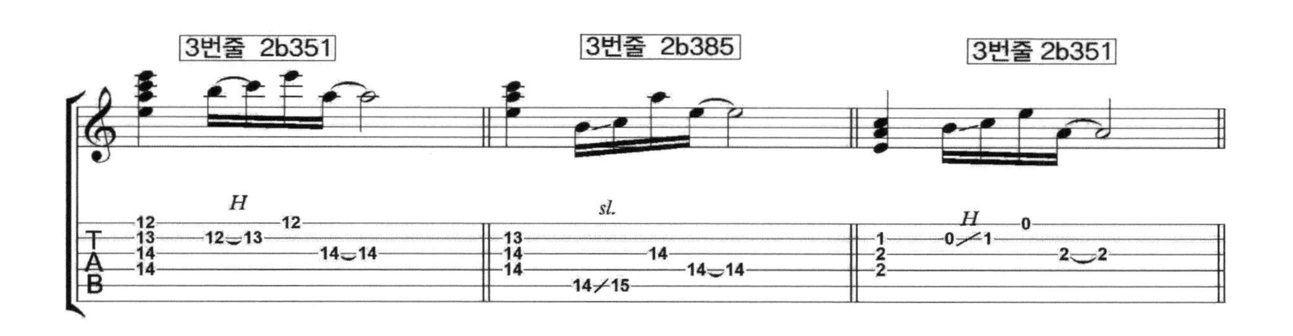

3번줄 2b351
3번줄 2b385
3번줄 2b351
H
sl.
H

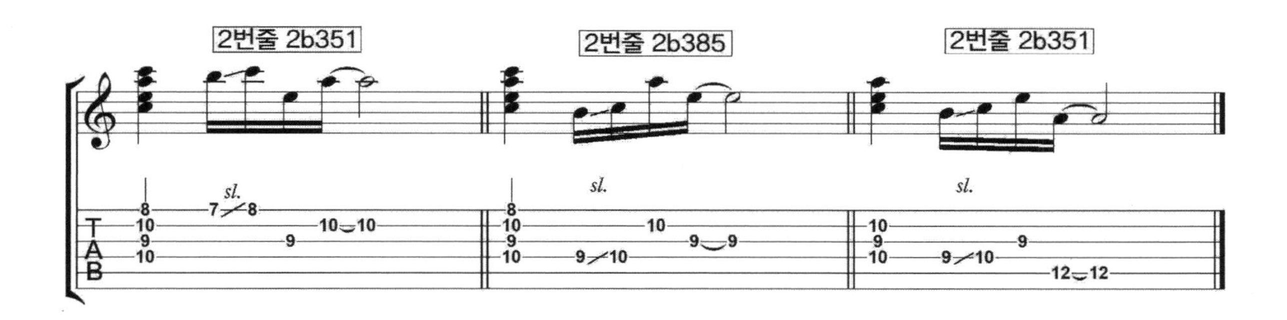

2번줄 2b351
2번줄 2b385
2번줄 2b351
sl.
sl.
sl.

⑤ Dm

Dm
6번줄 2b385
5번줄 2b385
5번줄 2b351
sl.
sl.
sl.

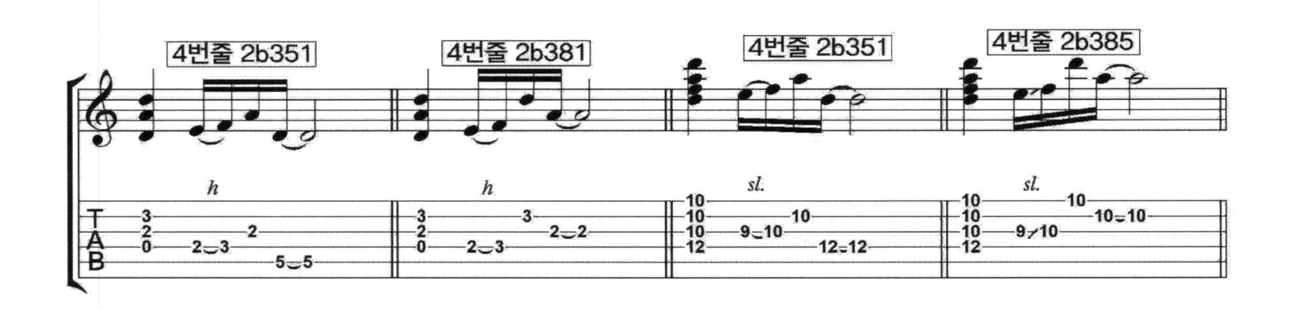
4번줄 2b351
4번줄 2b381
4번줄 2b351
4번줄 2b385
h
h
sl.
sl.

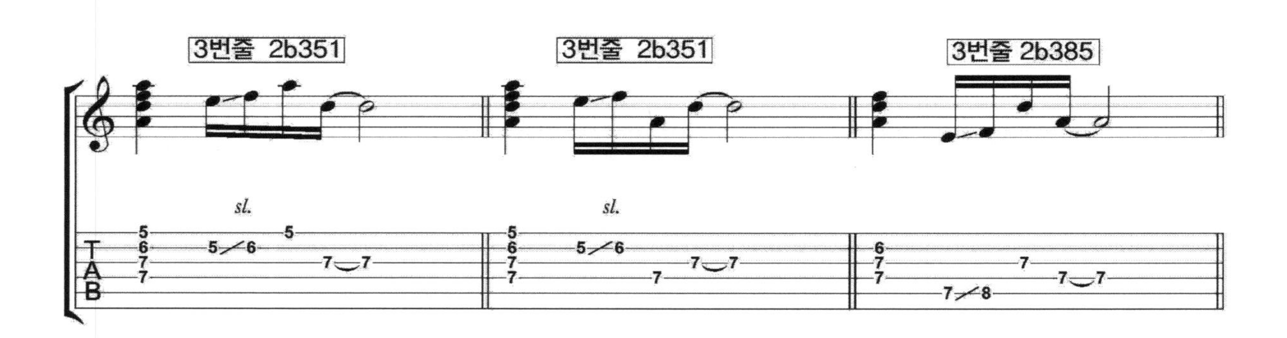
3번줄 2b351
3번줄 2b351
3번줄 2b385
sl.
sl.

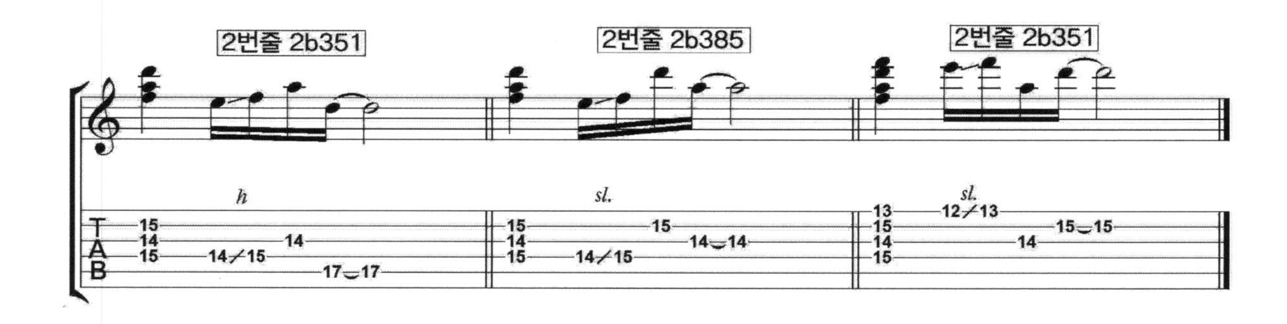
2번줄 2b351
2번줄 2b385
2번줄 2b351
h
sl.
sl.

⑥ Em

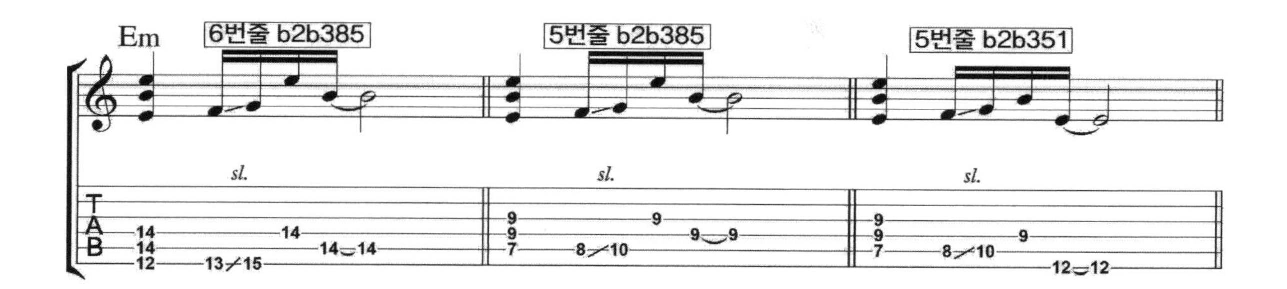
Em
6번줄 b2b385
5번줄 b2b385
5번줄 b2b351
sl.
sl.
sl.

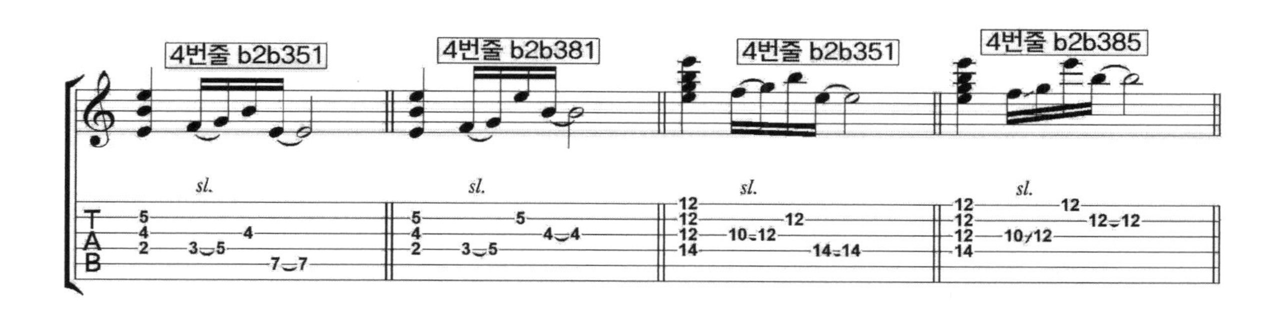
4번줄 b2b351
4번줄 b2b381
4번줄 b2b351
4번줄 b2b385
sl.
sl.
sl.
sl.

3번줄 b2b351
3번줄 b2b351
3번줄 b2b385
sl.
sl.

2번줄 b2b351
2번줄 b2b385
2번줄 b2b351
sl.
sl.
sl.

⑦ Bdim

B°
6번줄 b2b38b5
5번줄 b2b38b5
5번줄 b2b3b51
sl.
sl.
sl.

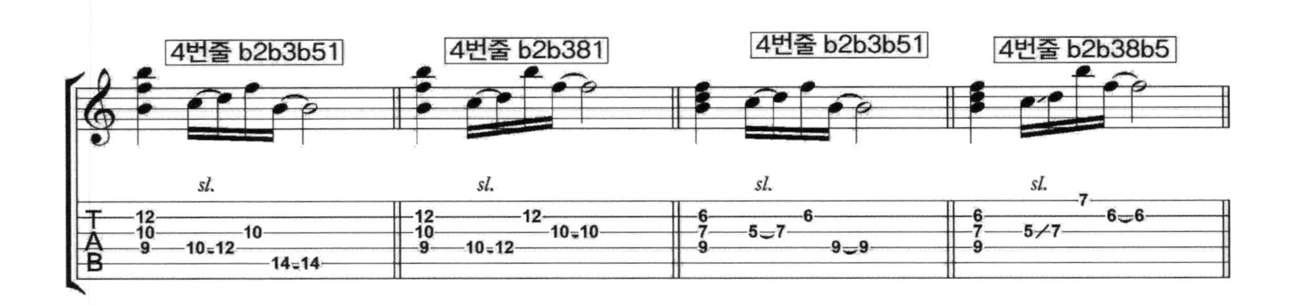
4번줄 b2b3b51
4번줄 b2b381
4번줄 b2b3b51
4번줄 b2b38b5
sl.
sl.
sl.
sl.

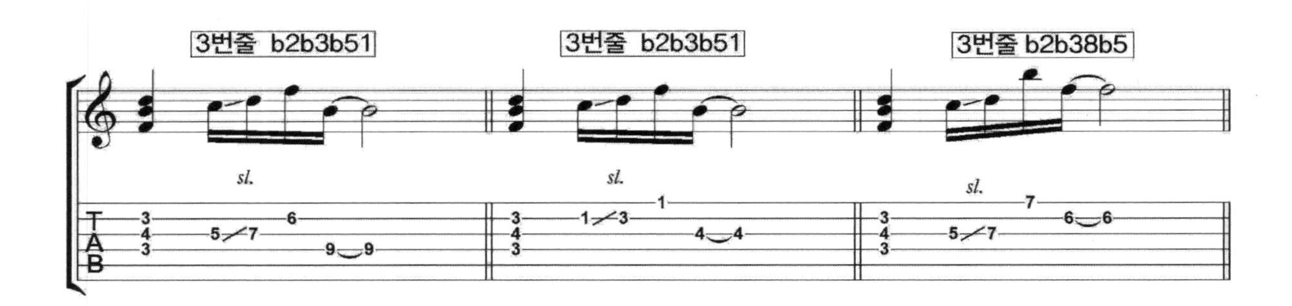
3번줄 b2b3b51
3번줄 b2b3b51
3번줄 b2b38b5
sl.
sl.
sl.

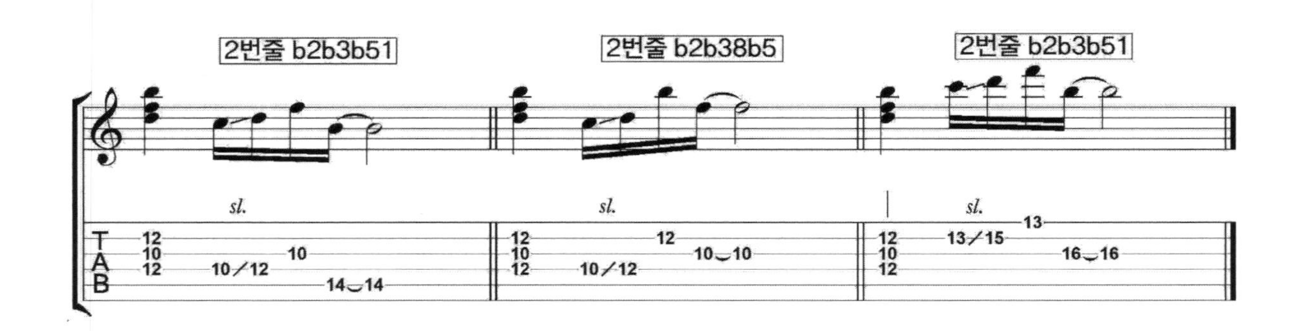
2번줄 b2b3b51
2번줄 b2b38b5
2번줄 b2b3b51
sl.
sl.
sl.

Step3. 코드톤에 6도 더하기

메이저코드(I도, IV도, V도)에서 장2도와 장6도음을 추가하면 완벽한 메이저 펜타토닉 스케일(Major Pentatonic Scale)이 된다.

마이너코드에서 IIIm7(Em7), VIm7(Am7), VIIm7$^{(b5)}$(Bm7$^{(b5)}$)은 b6(단6도)이고 IIm7(Dm7)는 6(장6도)이다.

Step5-3-1 C-G-F-C 코드 진행으로 6521패턴 연습하기

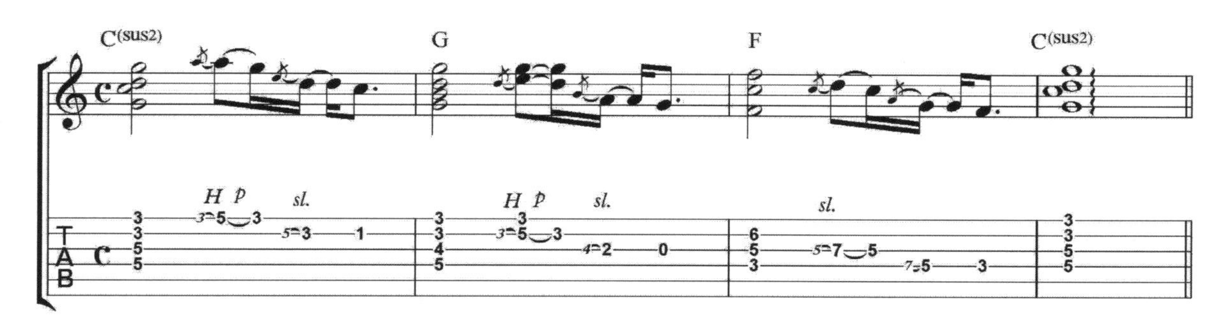

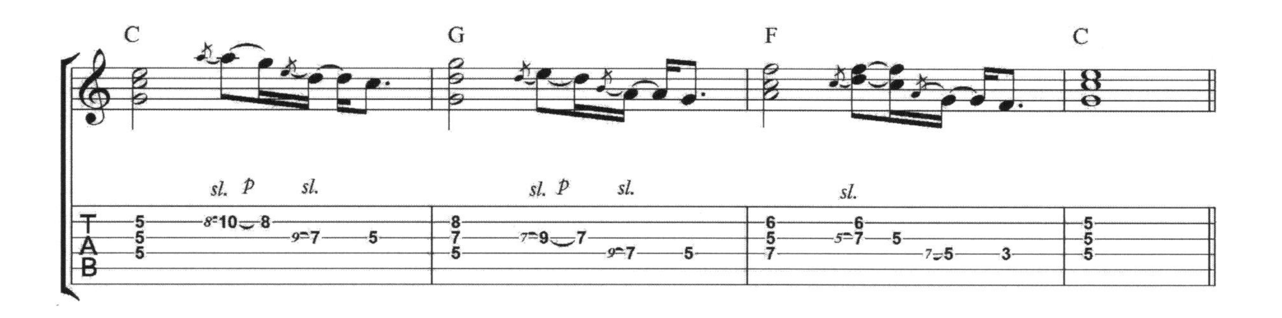

팁:

6521 패턴은 메이저 코드에서 잘 어울리는 배열 음이고 마이너 코드에서는 같은 느낌의 배열 음이 8, b7, 4, b3 패턴이다. 7도와 4도 음이 추가하는 장에서 다시 소개하겠다.

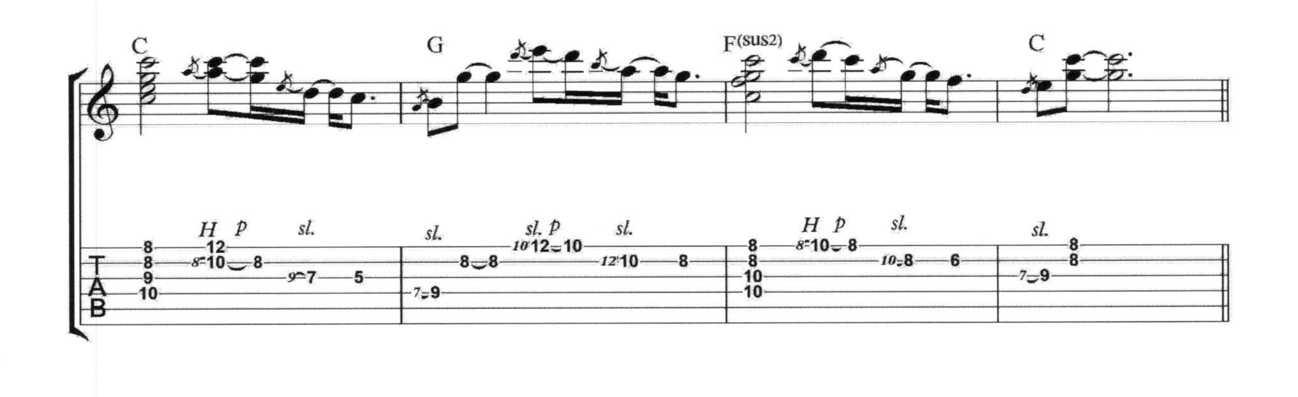
C
G
F(sus2)
C
H P sl.
sl. sl. P sl.
H P sl.
sl.

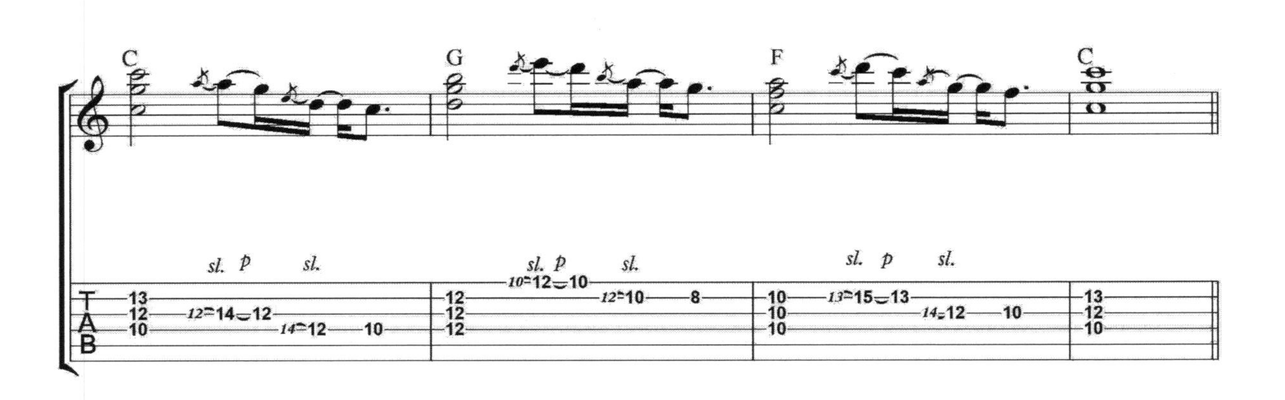
C
G
F
C
sl. P sl.
sl. P sl.
sl. P sl.

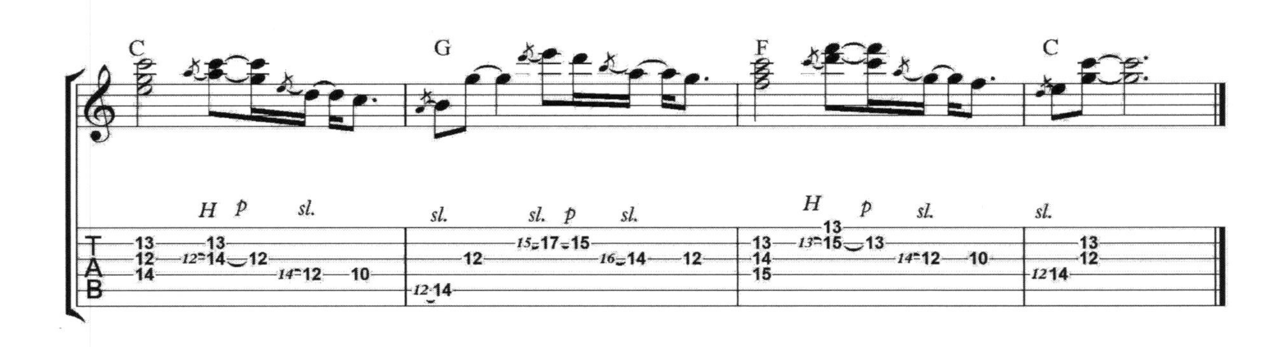
C
G
F
C
H P sl.
sl. sl. P sl.
H P sl.
sl.

Step5-3-2 C-G-F-C 2마디 코드 진행으로 563 패턴 연습하기

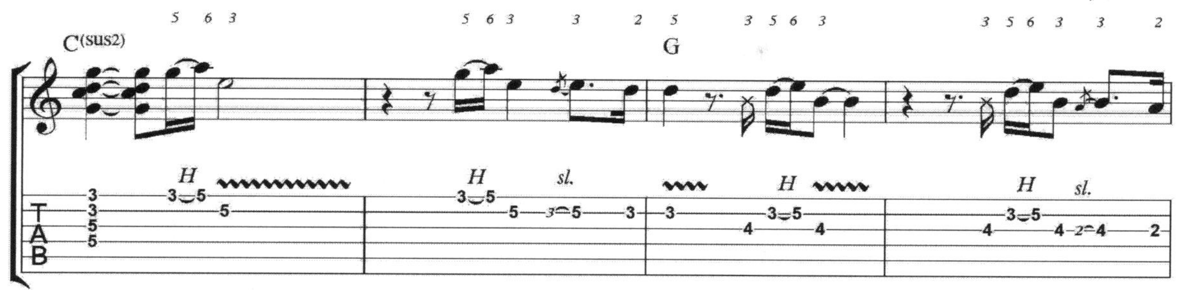

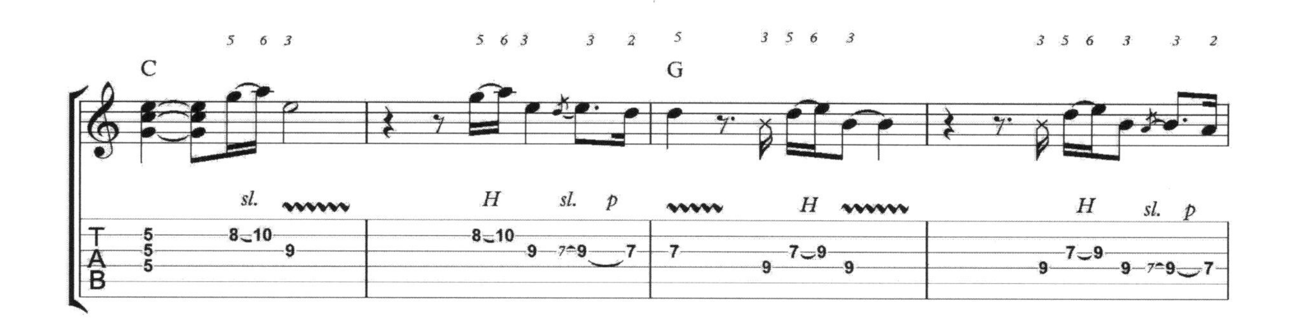

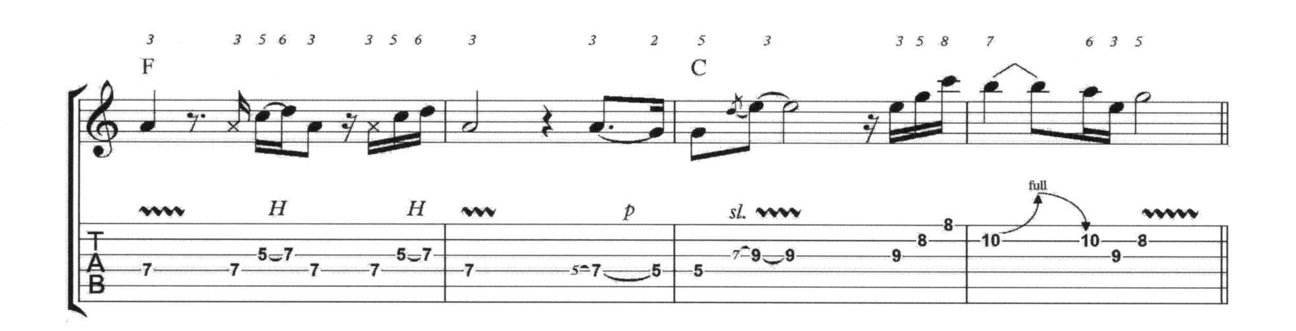

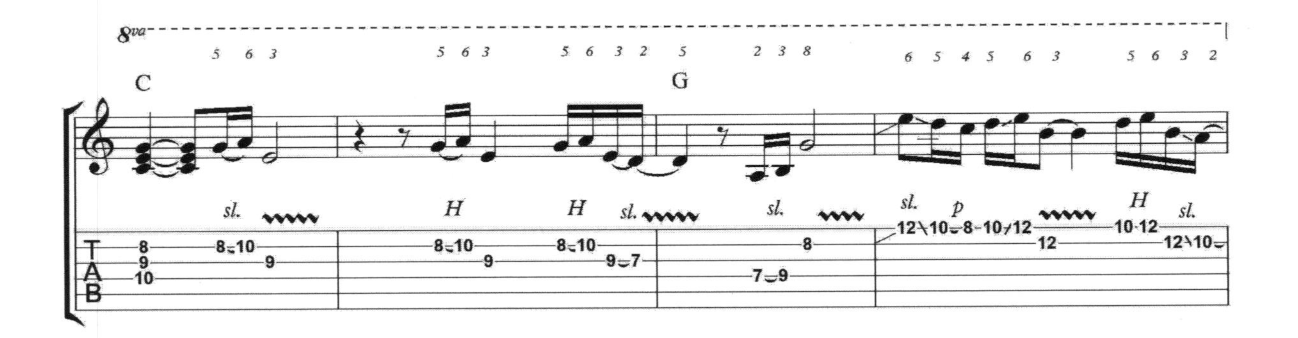

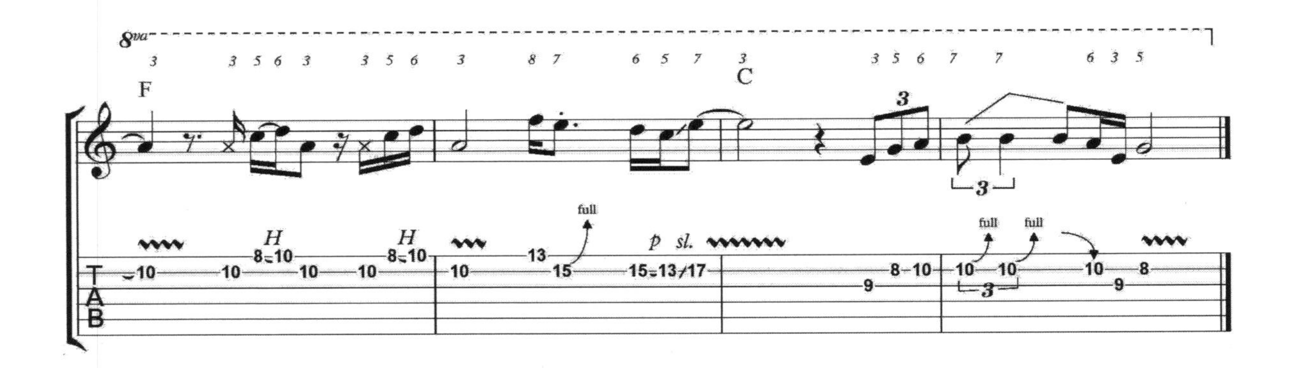

Step5-3-3 C-G-F-C 2마디 코드 진행으로 3568 패턴과 전에 배운 모든 걸 응용하여 연습하기.

p156

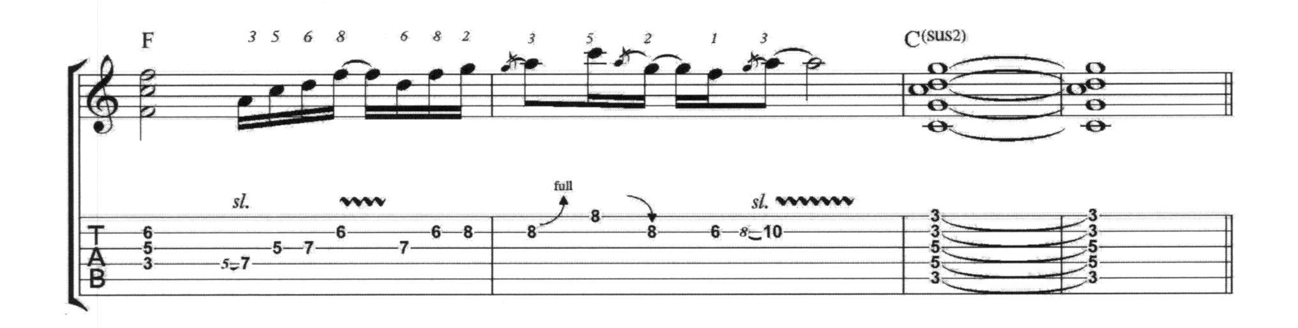

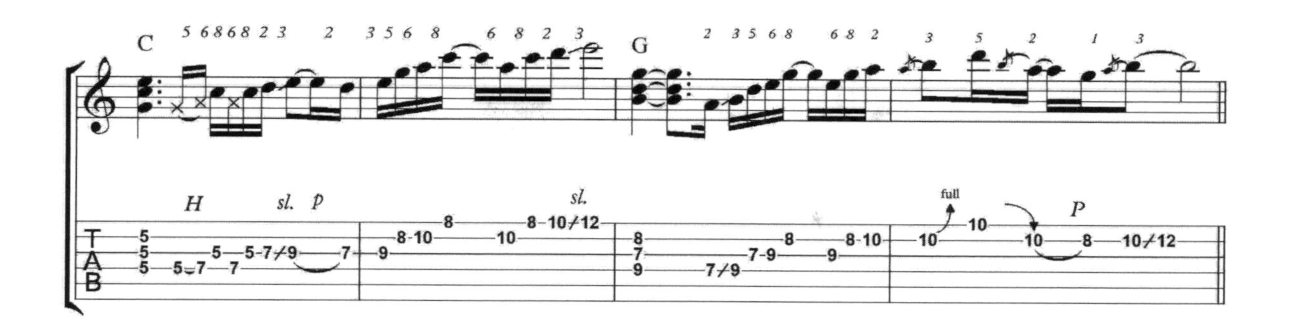
C
G
H
sl.
P
sl.
full
P

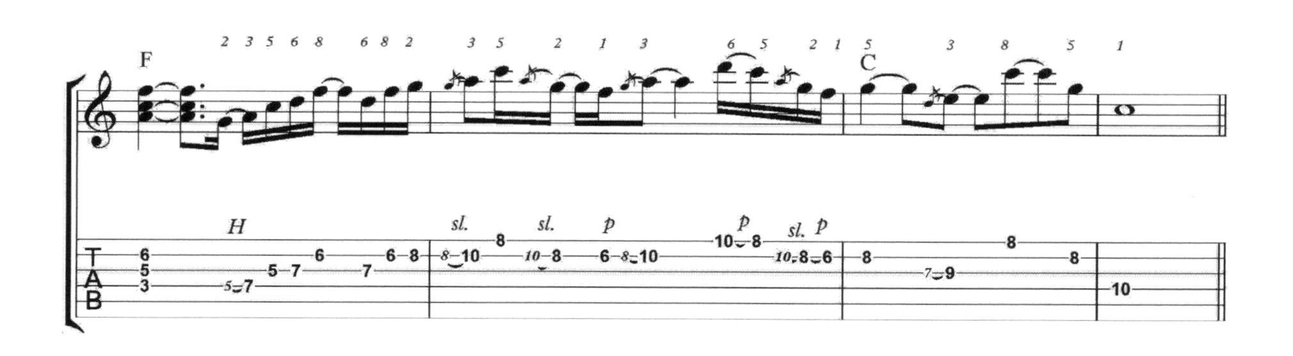
F
C
H
sl.
sl.
P
P
sl.
P

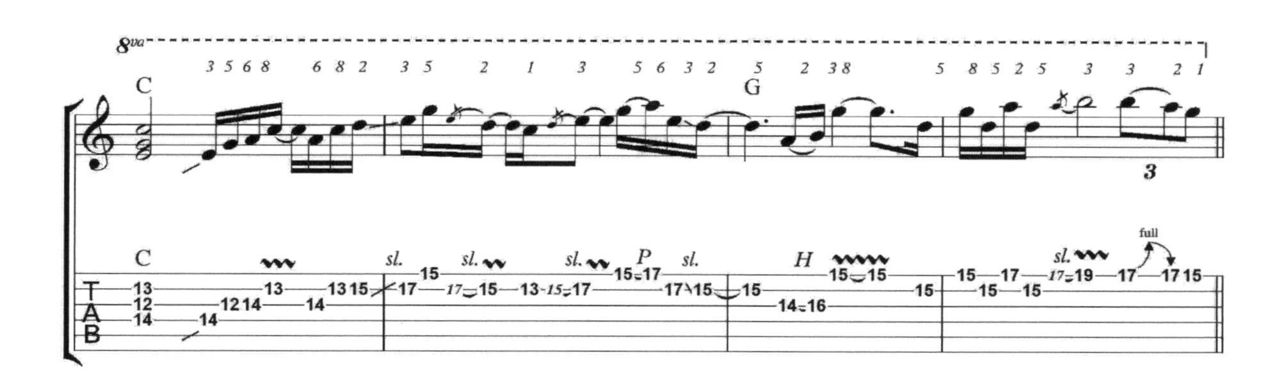
8va
C
G
C
sl.
sl.
sl.
P
sl.
H
sl.
full

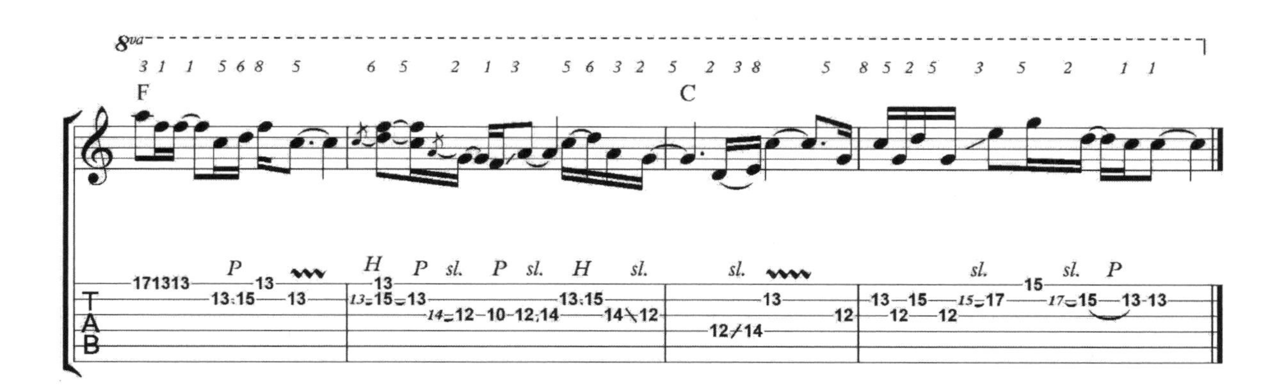
8va
F
C
P
H
P
sl.
P
sl.
H
sl.
sl.
sl.
sl.
P

Step4. 코드톤에 7도 더하기

7도는 다이아토닉 코드에서 I도(CM7)와 IV도(FM7)만 장7도 음정이고 나머지 다이아토닉 코드는 단7도(b7) 음정을 가지고 있다. 7th도 코드 음이기 1, 2, 3, 4번 줄에서도 잘 보일 수 있도록 연습해 보자.

Step5-4-1 567 패턴 연습하기

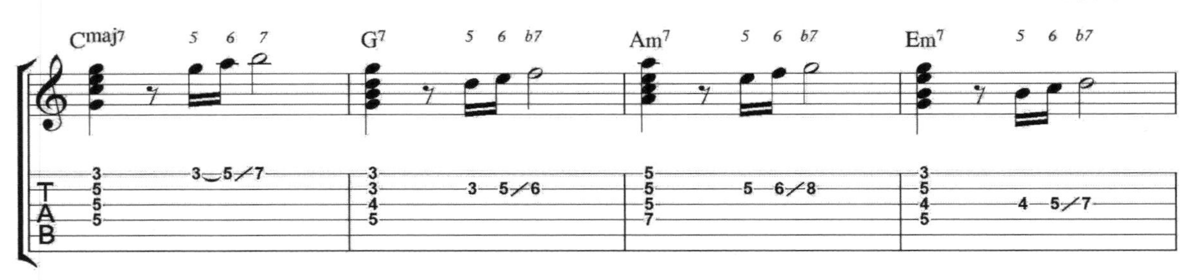

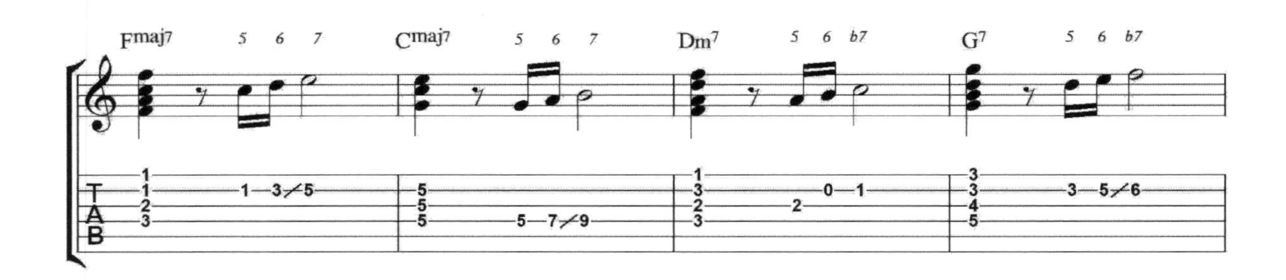

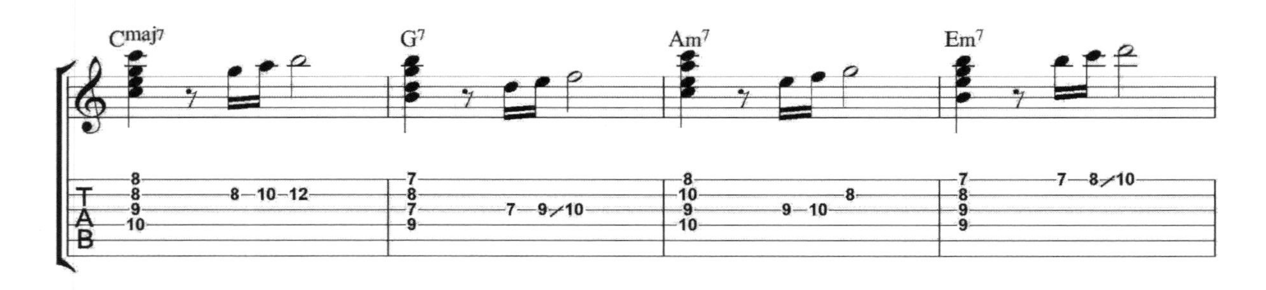

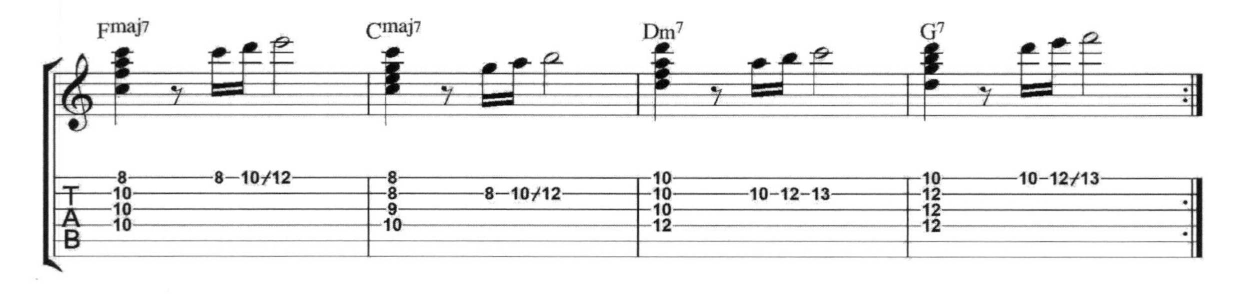

Step5-4-2 마이너 코드 b3, b7, b5 패턴 연습하기.18)

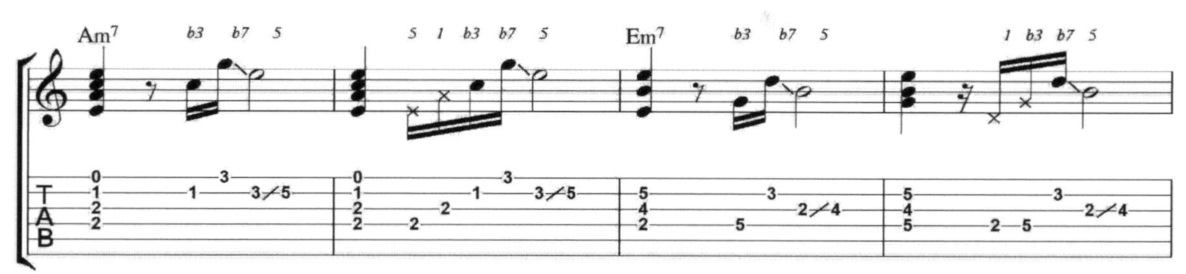

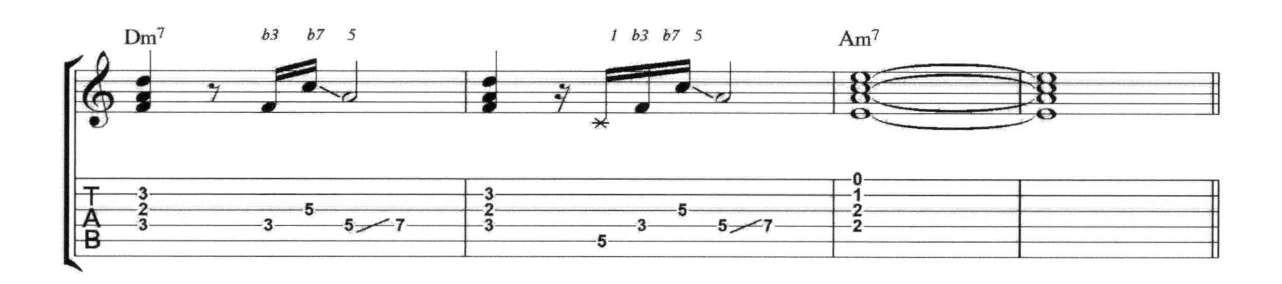

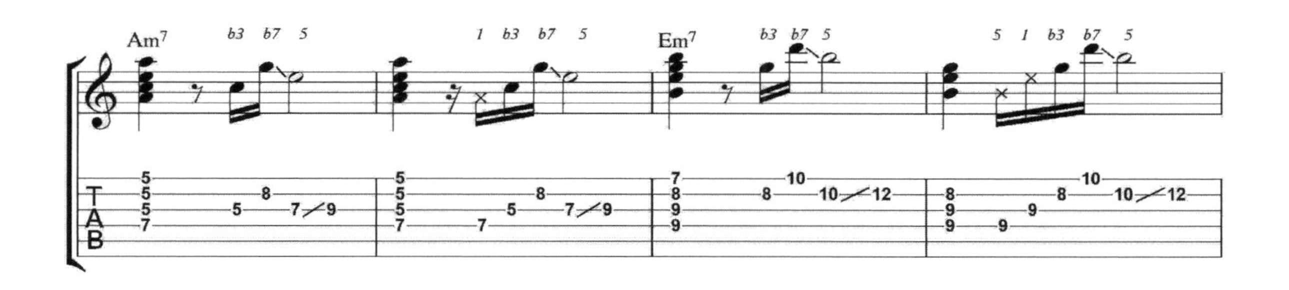

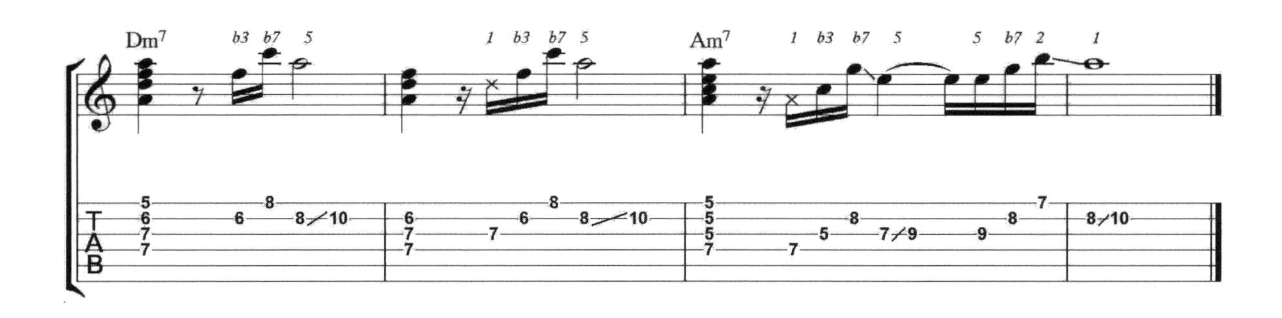

18) 마이너 펜타토닉 스케일은 마이너 코드 음에서 4도가 추가된 스케일이다. 따라서 b3, b7, 5 패턴은 마이너 코드톤과 마이너 펜타토닉 스케일을 연결하여 연습하면 많은 도움이 된다.

Step5-4-3 Ckey에 나오는 코드 진행으로 3578 패턴 연습하기

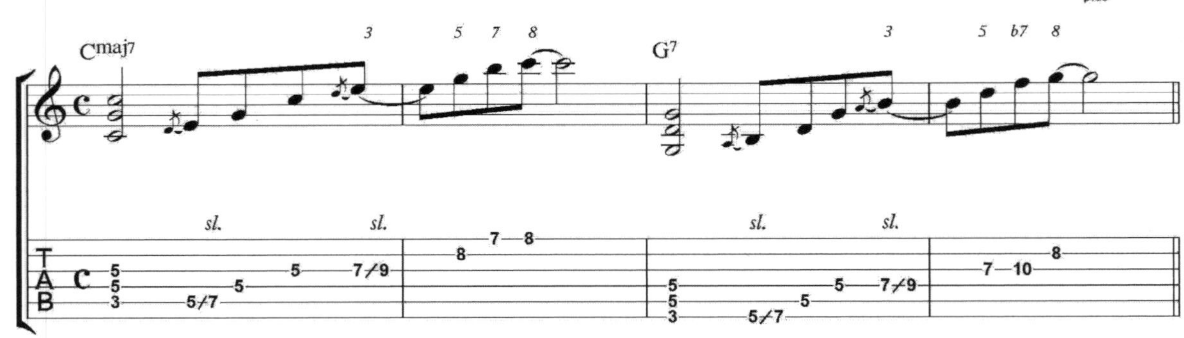

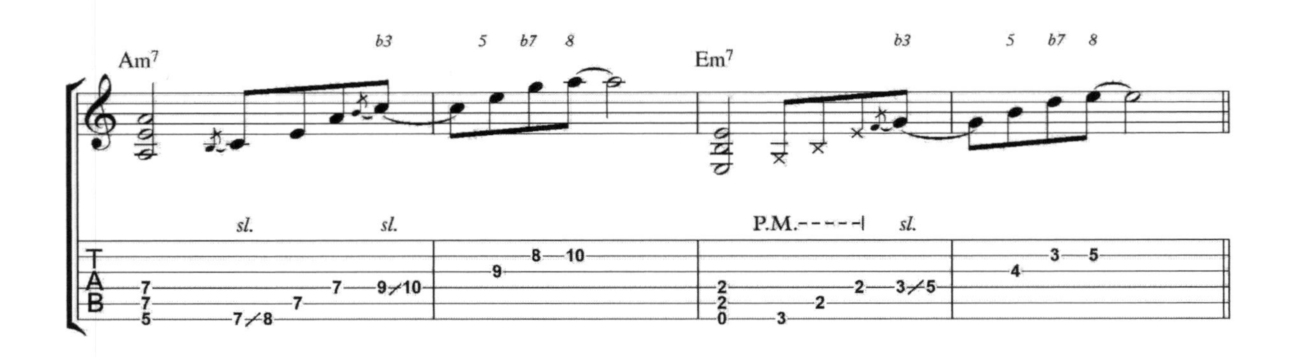

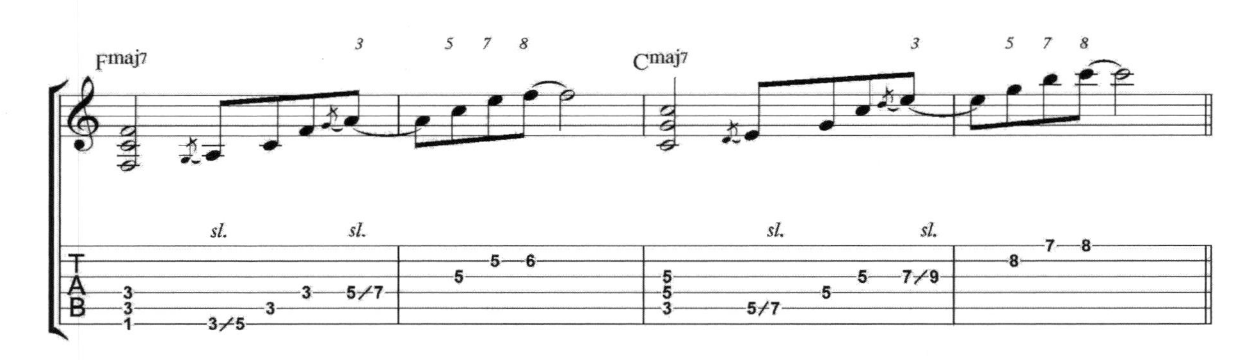

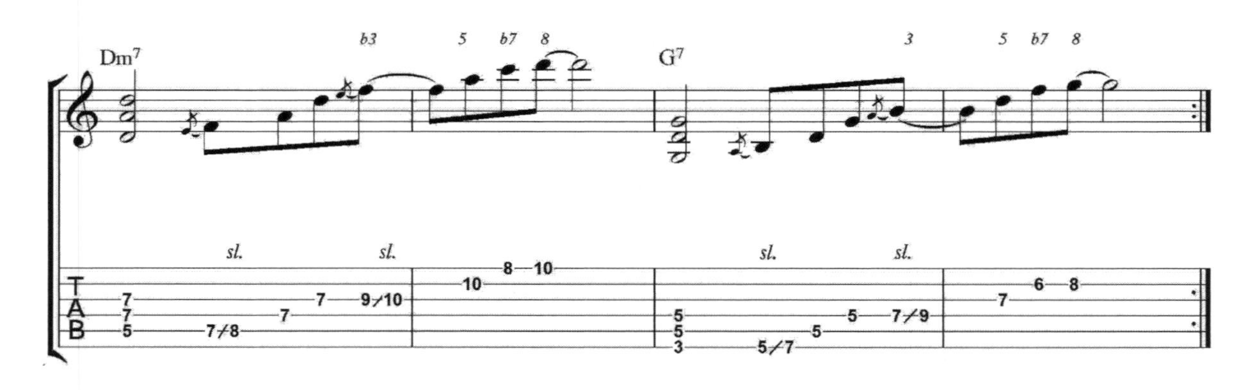

Step5-4-4 다이아토닉 코드별로 8765, 7865 패턴 연습하기

① CM7 코드 8765, 7865 포지션

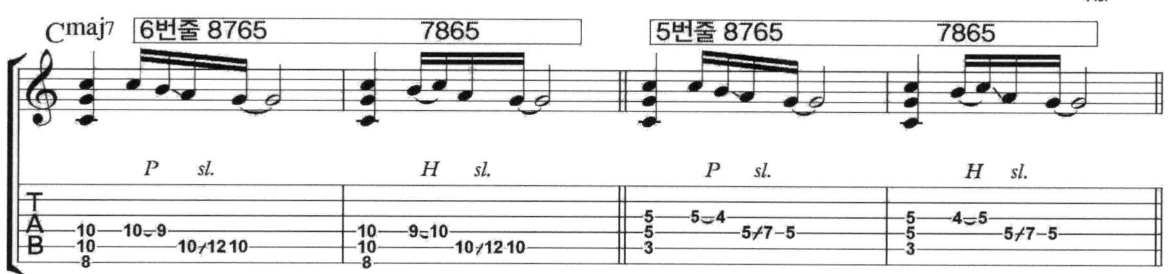

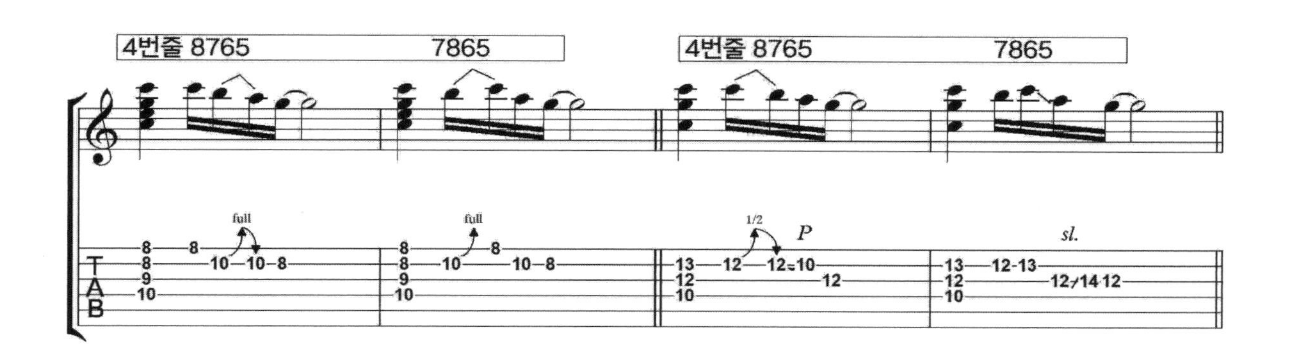

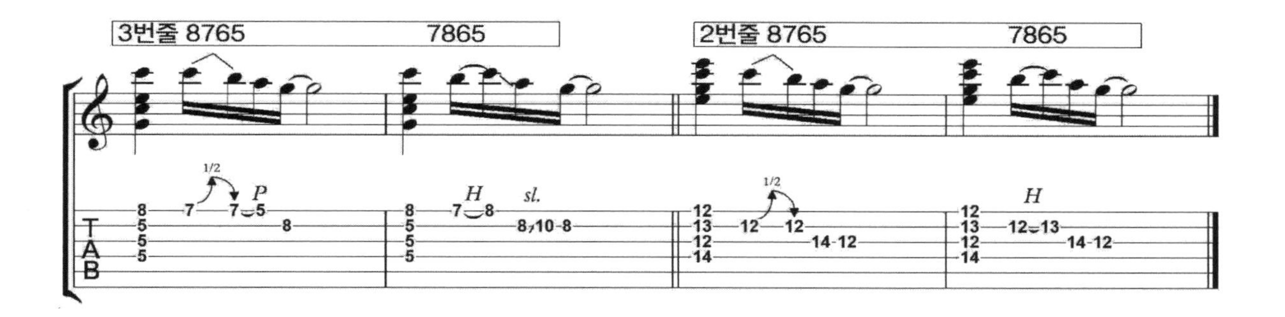

② FM7 8765, 7865 포지션.

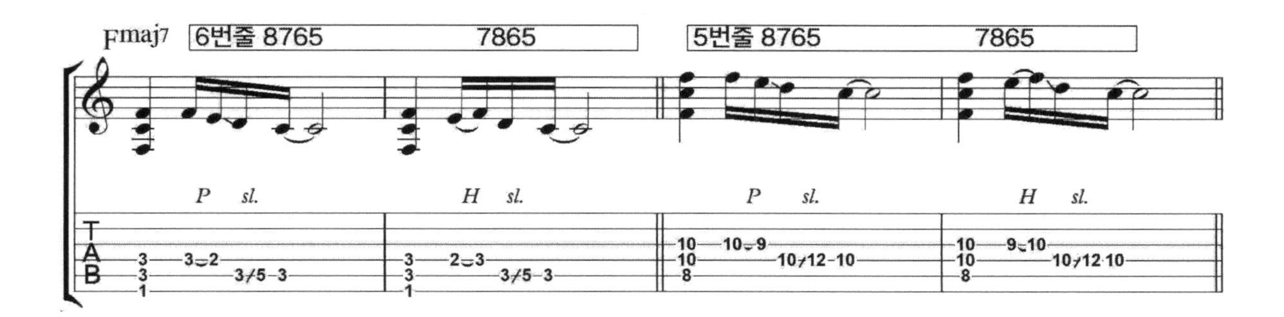

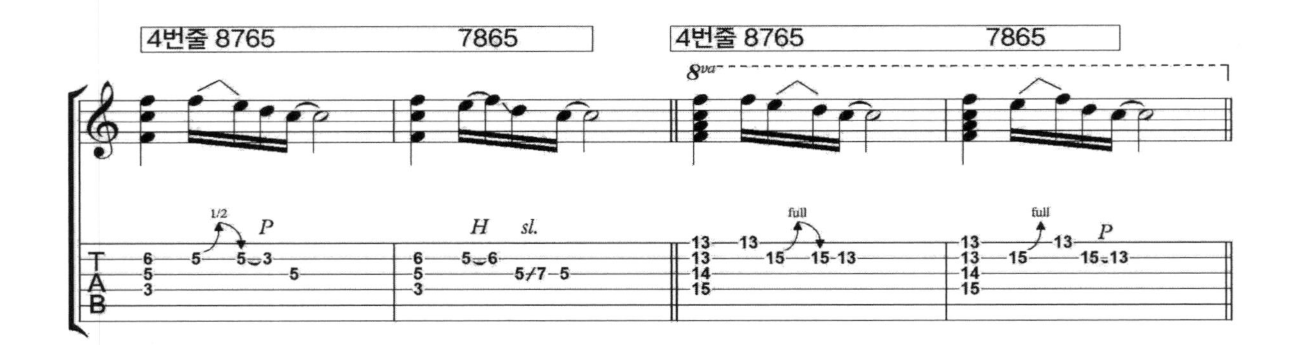

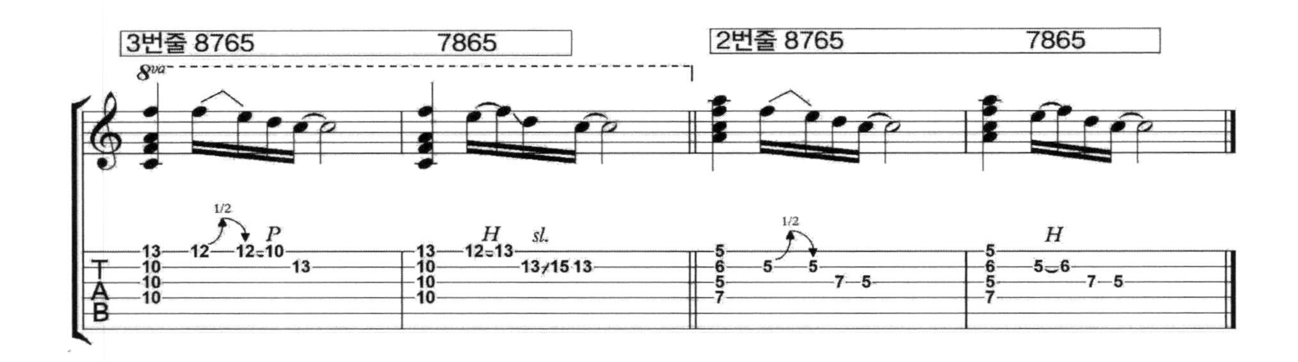

③ G7 8,b7,6,5 b7,8,6,5 포지션.

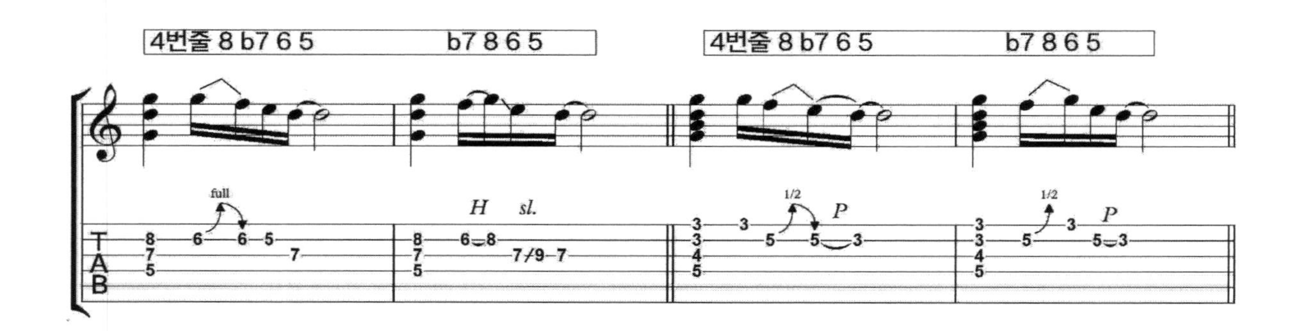

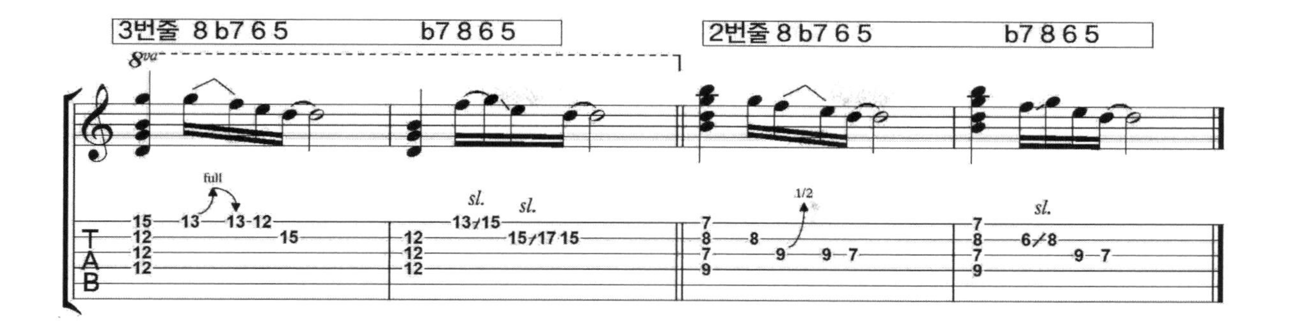

④ **Am7 8,b7,b6,5 b7,8,b6,5 포지션.**

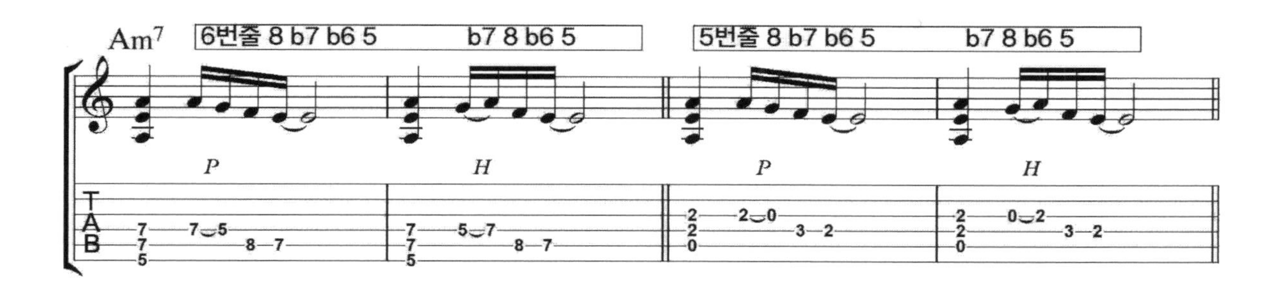

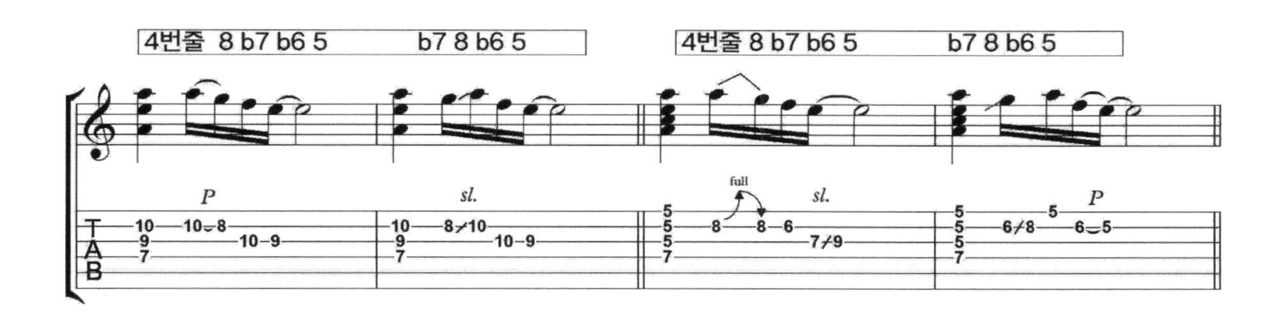

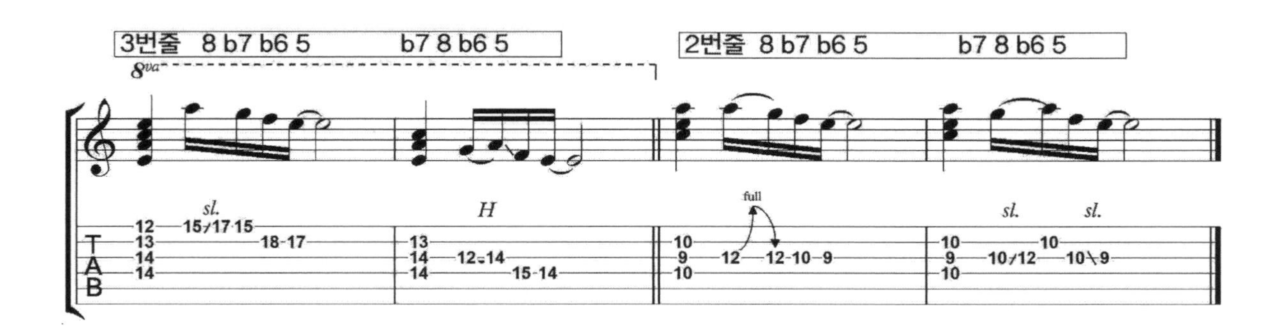

⑤ Dm7 8,b7,6,5 b7,8,6,5 포지션.

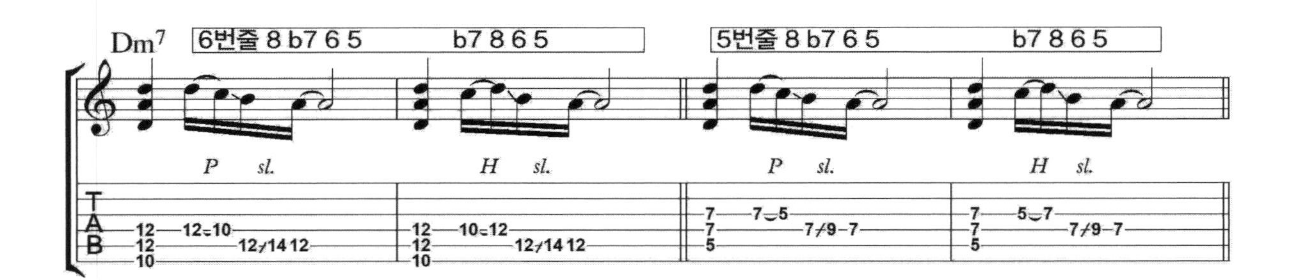

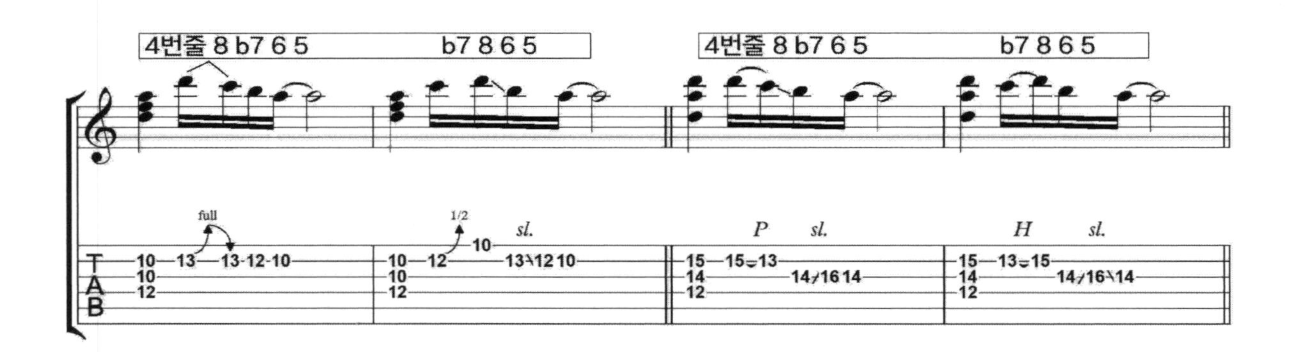

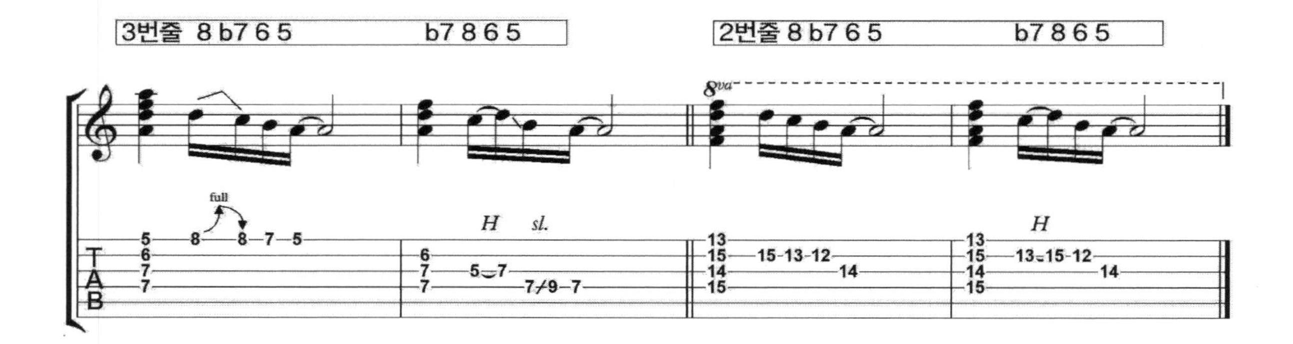

⑥ Em7 8,b7,b6,5 b7,8,b6,5 포지션.

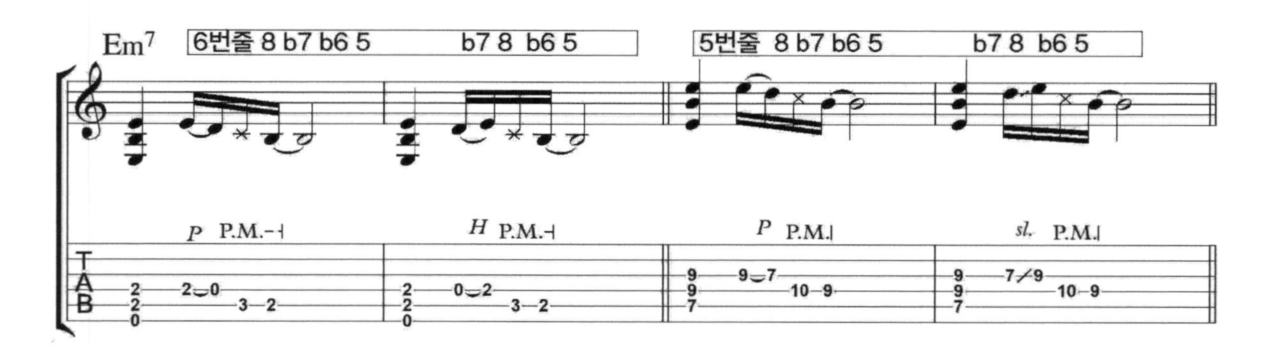

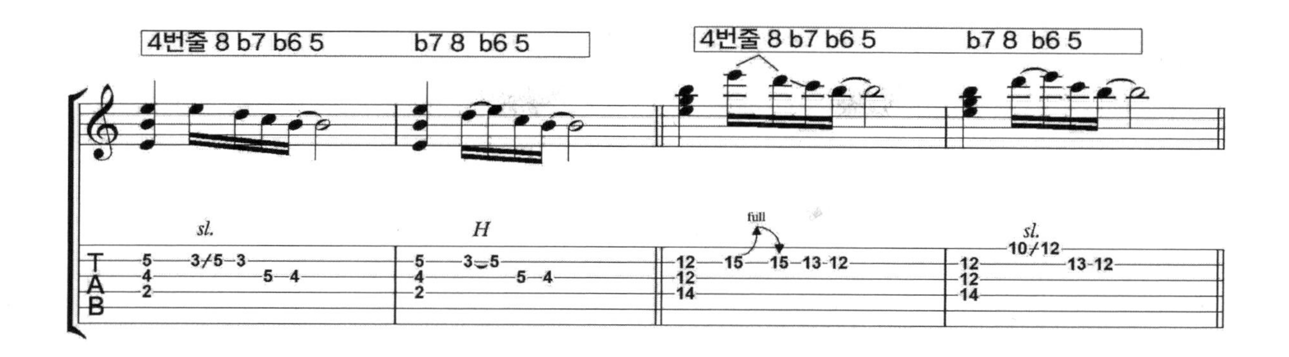

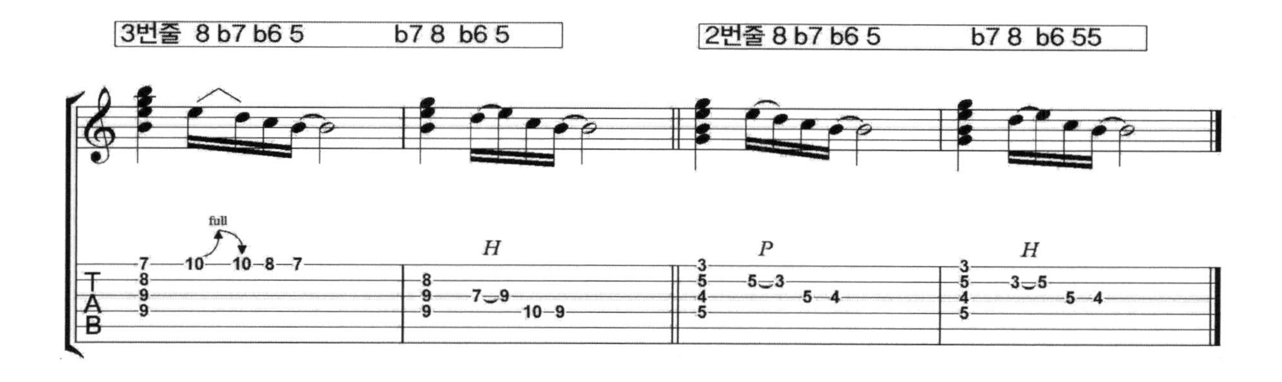

⑦ Bm7$^{(b5)}$ 8,b7,b6,b5 b7,8,b6,b5 포지션.

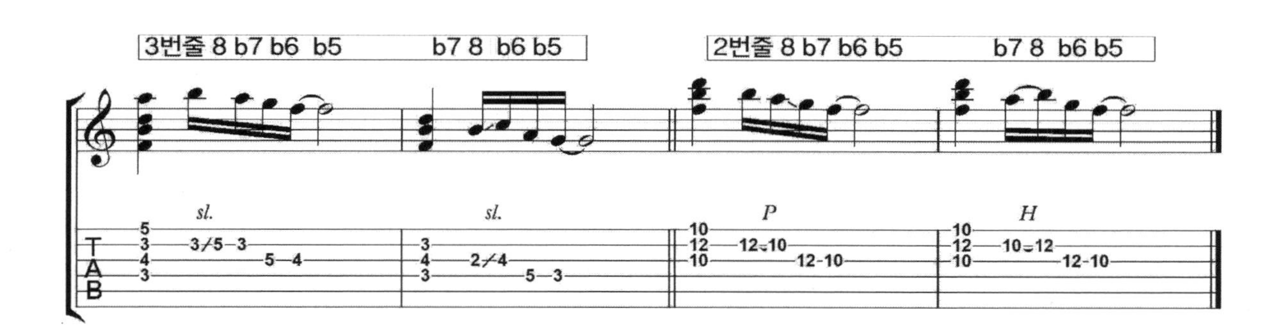

Step5. 코드톤에 4도 더하기

4도는 다이아토닉 코드에서 IV도(FM7)만 증4도(#4) 음정이고 나머지 다이아토닉 코드는 완전 4도 음정을 가지고 있다. 메이저 코드에서는 IV도만 텐션 음에 속해 있고 마이너 코드 계열에서 4도 음을 (Dm7, Em7, Am7, Bm7$^{(b5)}$) 가지고 있는 코드들은 전부다 텐션 음이다.

Step5-5-1 Ckey에 나오는 코드 진행으로 345 패턴 연습하기

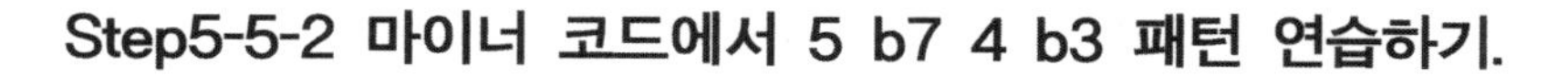

Step5-5-2 마이너 코드에서 5 b7 4 b3 패턴 연습하기.

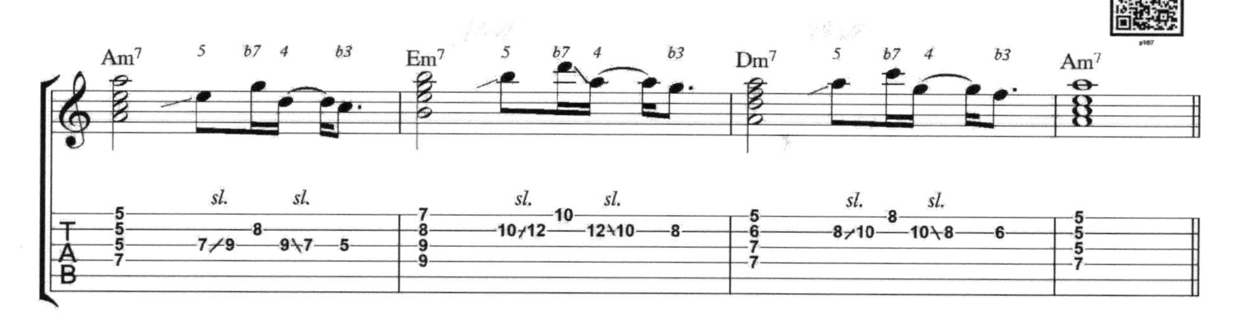

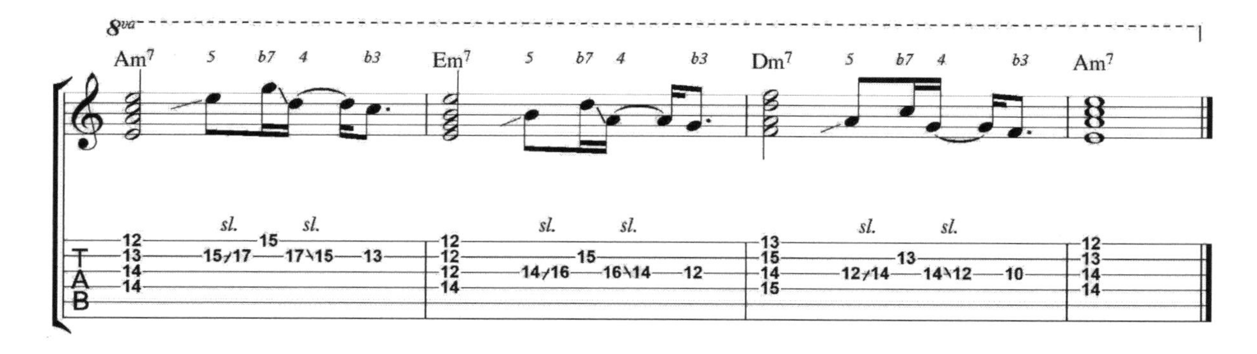

Step5-5-3 마이너 코드에서 8 b7 4 b3 패턴 연습하기.

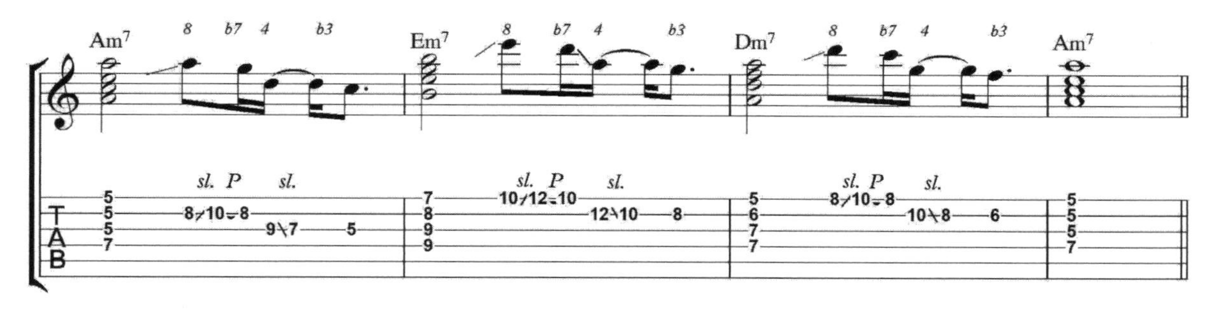

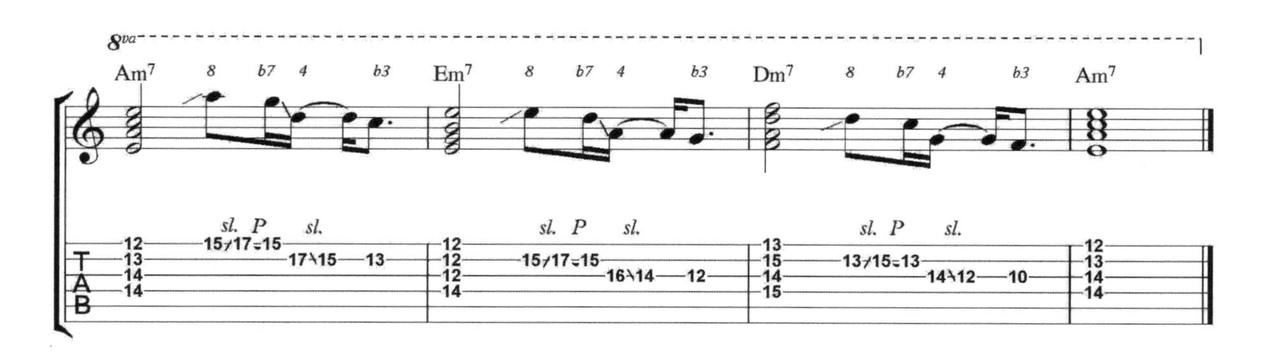

Step5-5-4 코드별로 8543 또는 3458 패턴 연습하기.

① C 8543, 3458

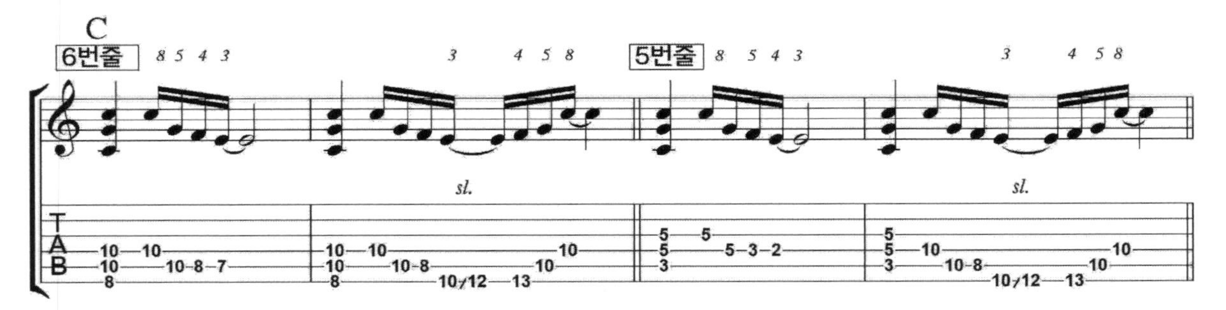

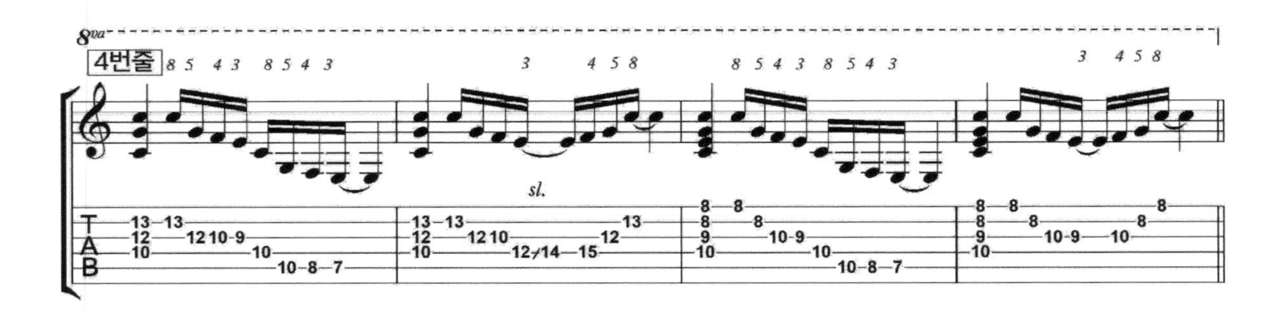

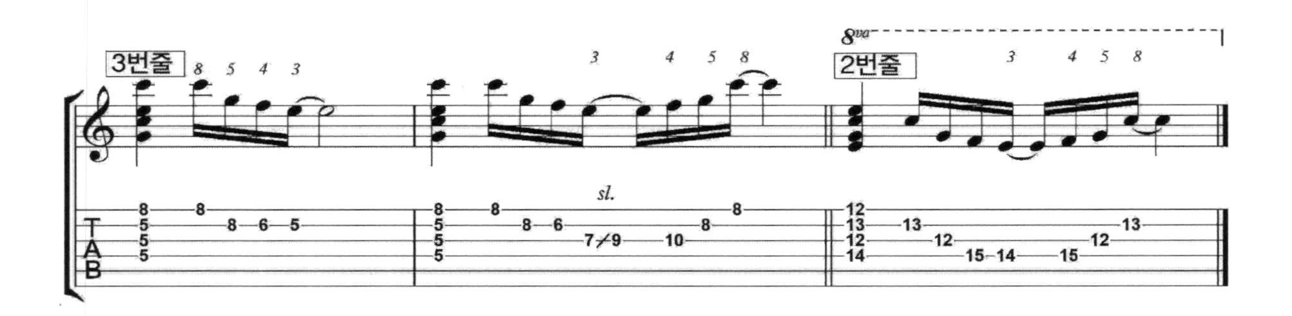

② G 8543, 3458

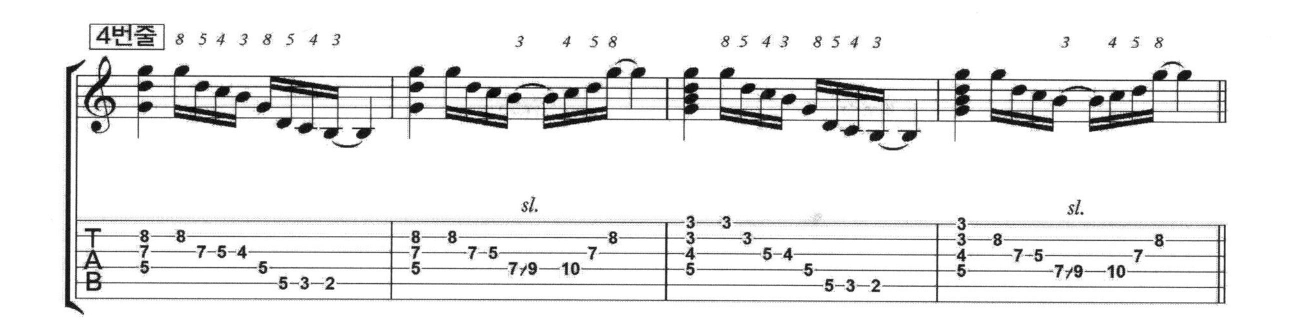
4번줄
8 5 4 3 8 5 4 3
3 4 5 8
8 5 4 3 8 5 4 3
3 4 5 8
sl.
sl.

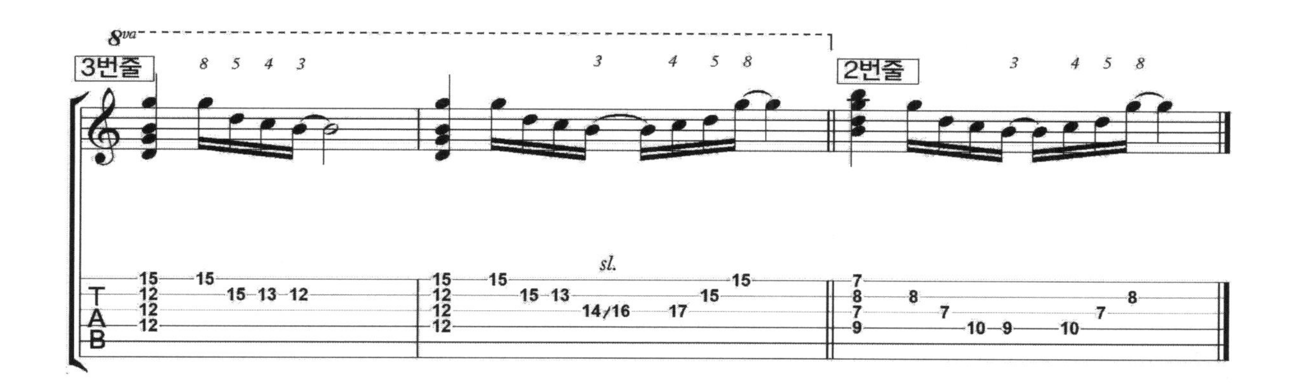
8va
3번줄
8 5 4 3
3 4 5 8
2번줄
3 4 5 8
sl.

③ F 85#43, 3#458

F
6번줄
8 5 #4 3
3 #4 5 8
5번줄
8 5 #4 3
3 #4 5 8
sl.
sl.
sl.

4번줄
8 5 #4 3 8 5 #4 3
3 #4 5 8
8 5 #4 3 8 5 #4 3
sl.

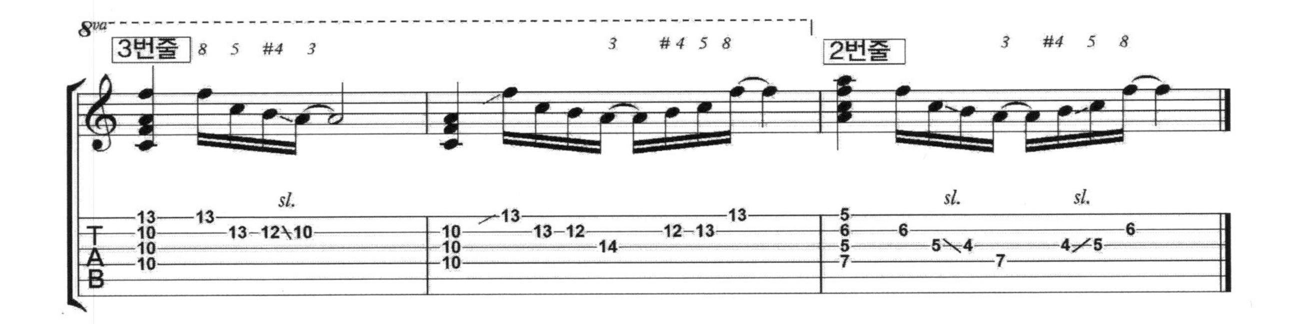

④ Am 854b3, b3458

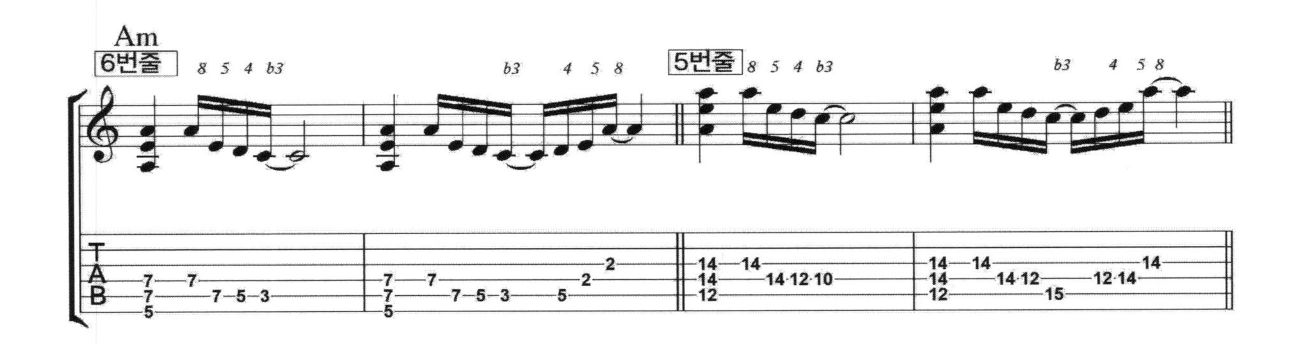

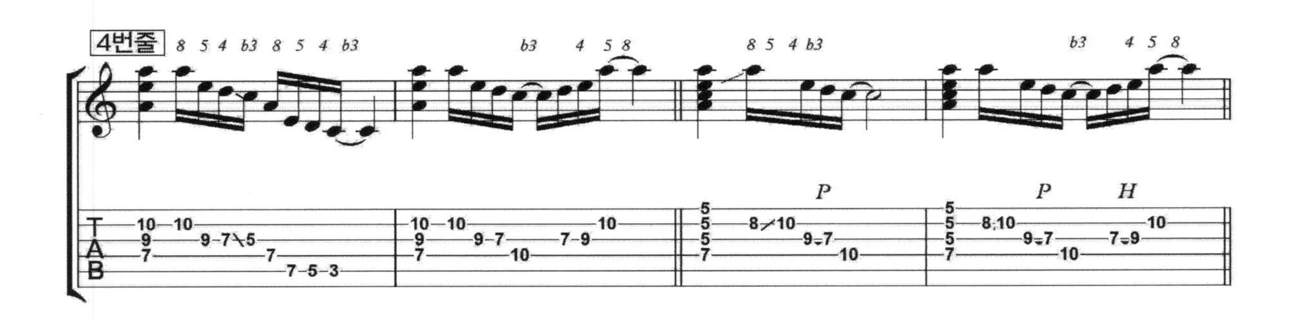

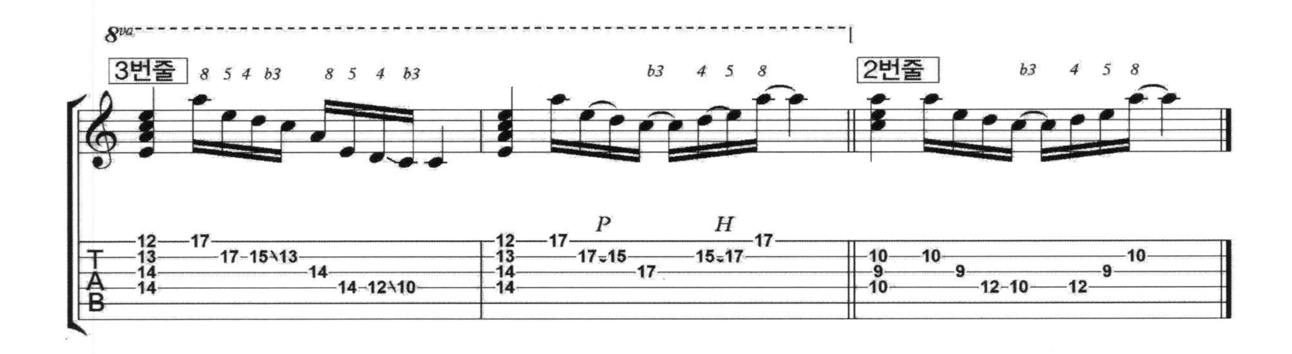

⑤ Em 854b3, b3458

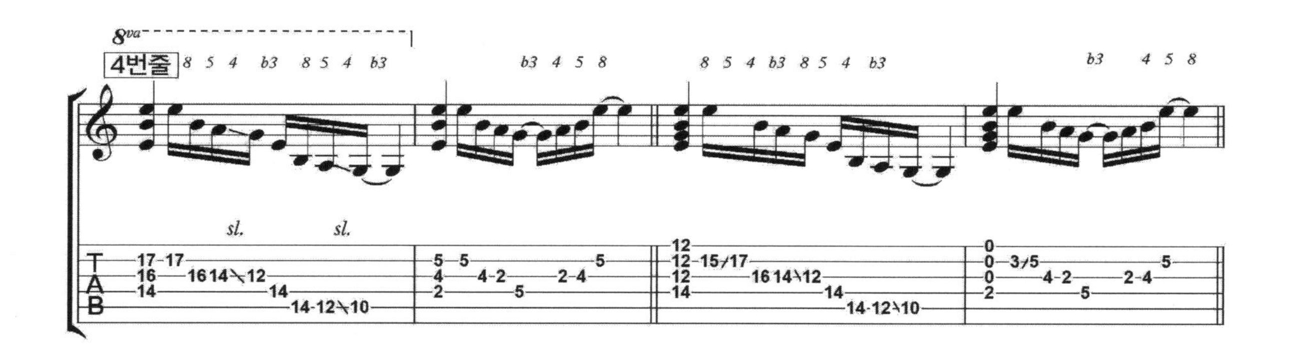

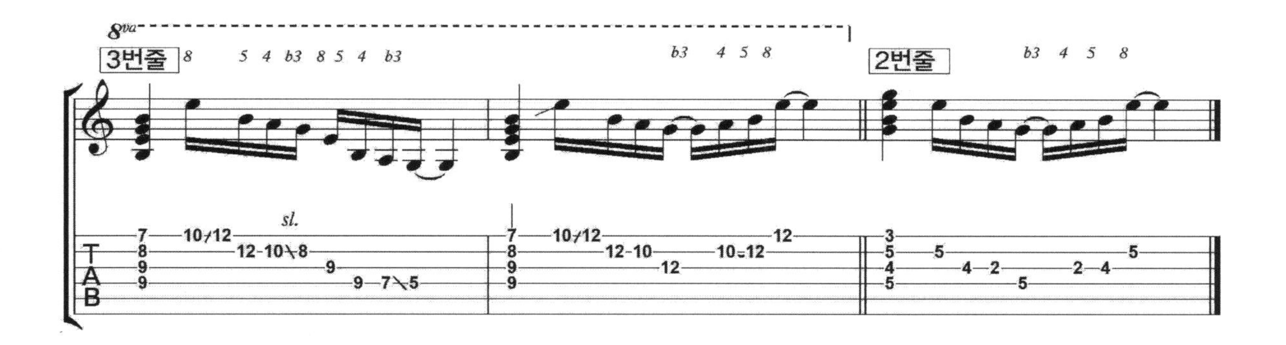

⑥ Dm 854b3, b3458

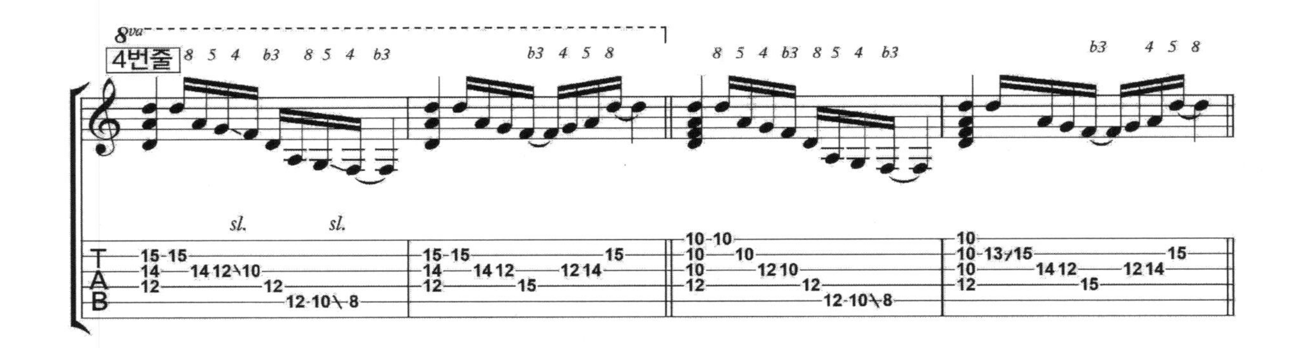

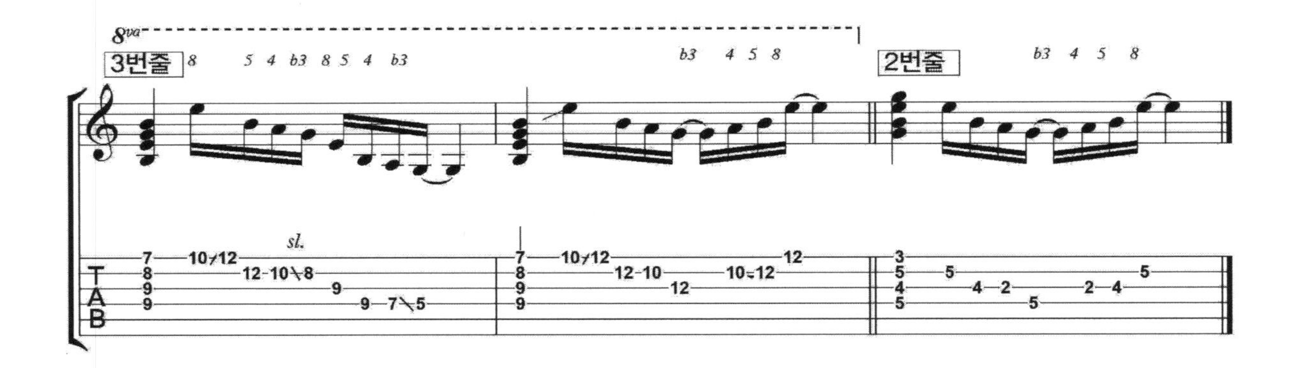

⑦ Bdim 8b54b3, b34b58

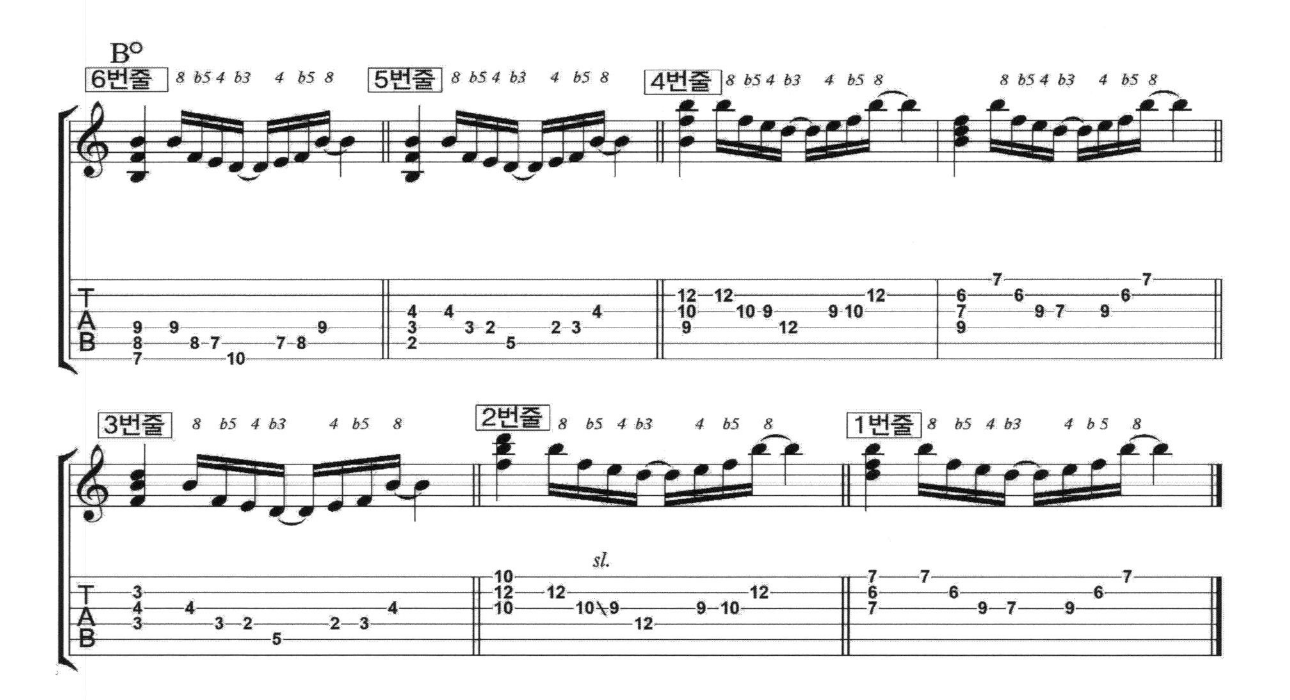

Step5-5-5 4321, 4315 패턴 연습하기.

①

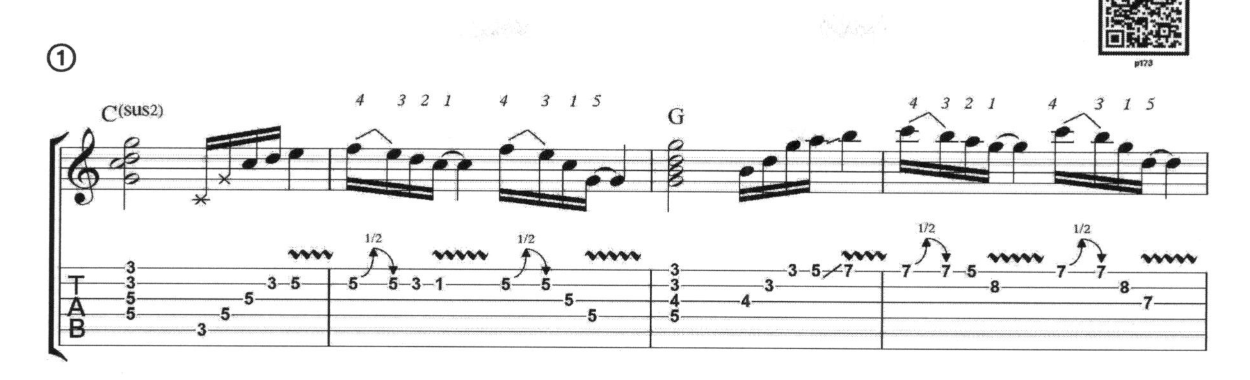

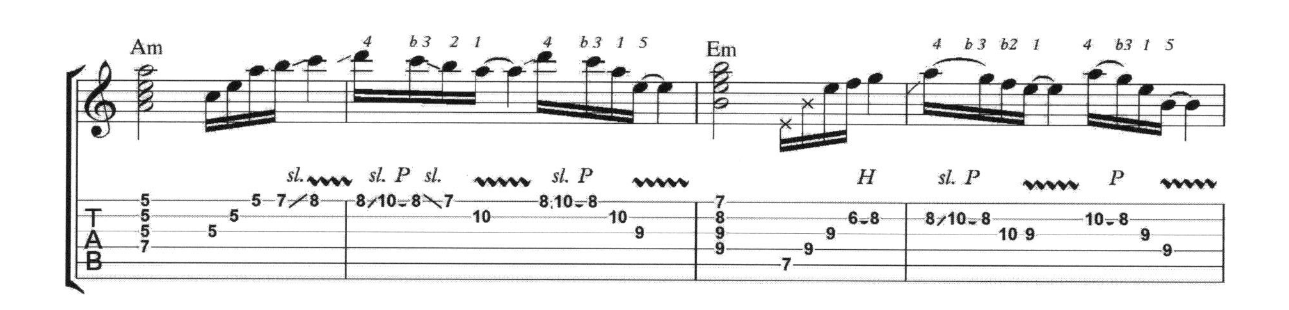

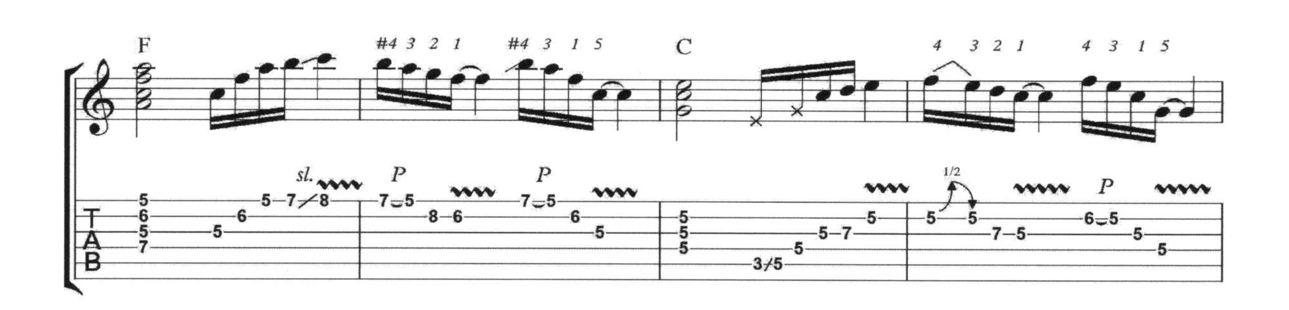

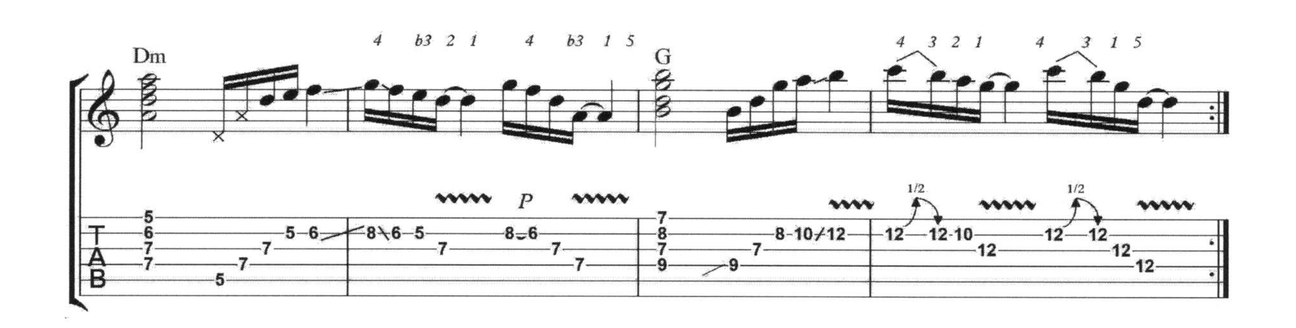

②

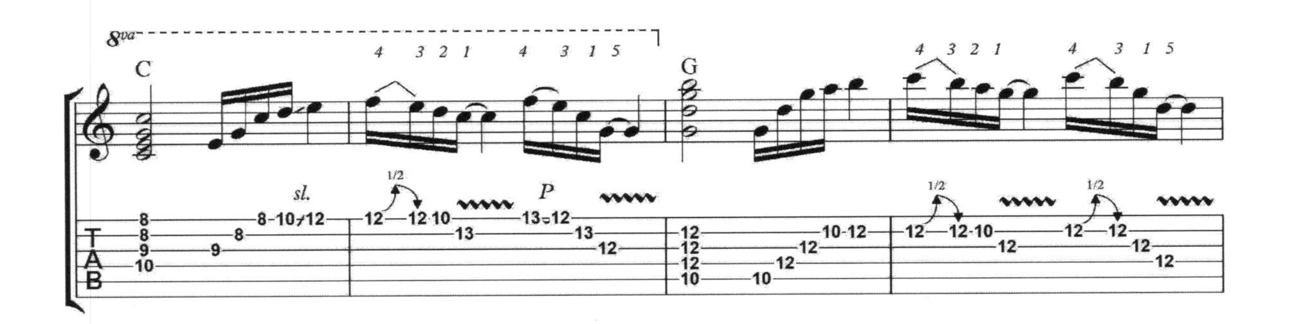

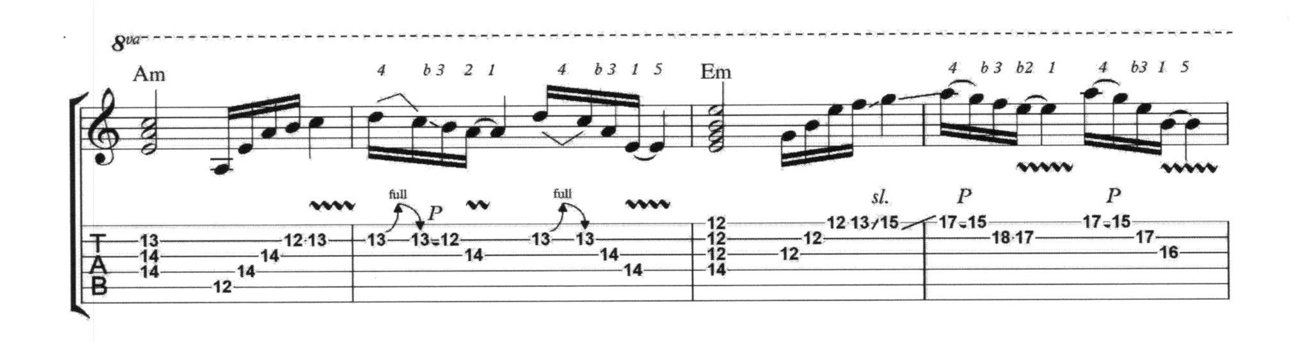

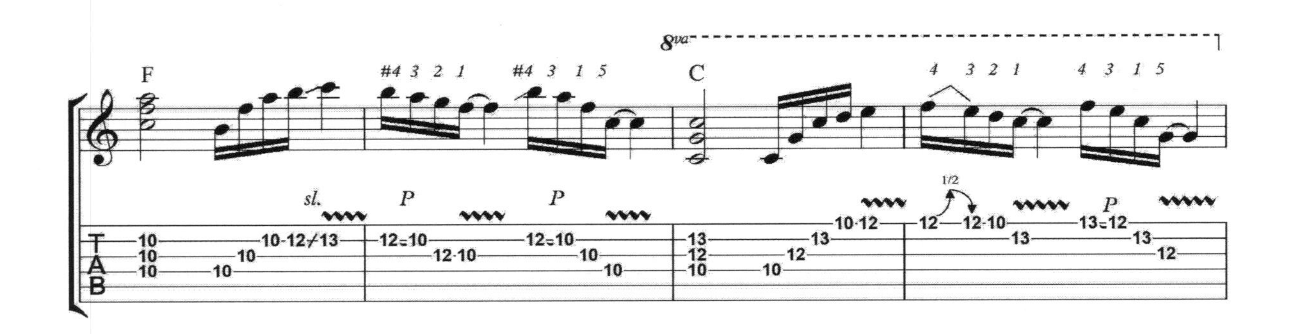

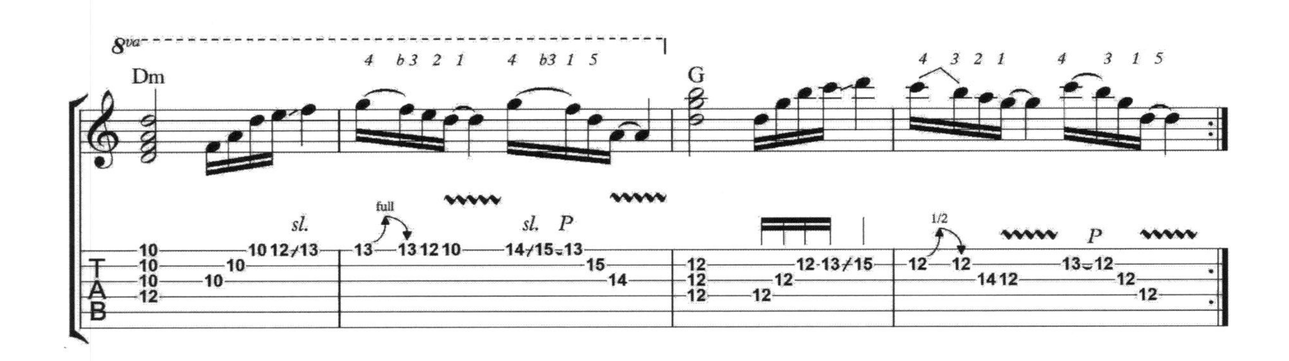

Step5-5-6 코드별로 6543 패턴 연습하기.

① C 6 5 4 3

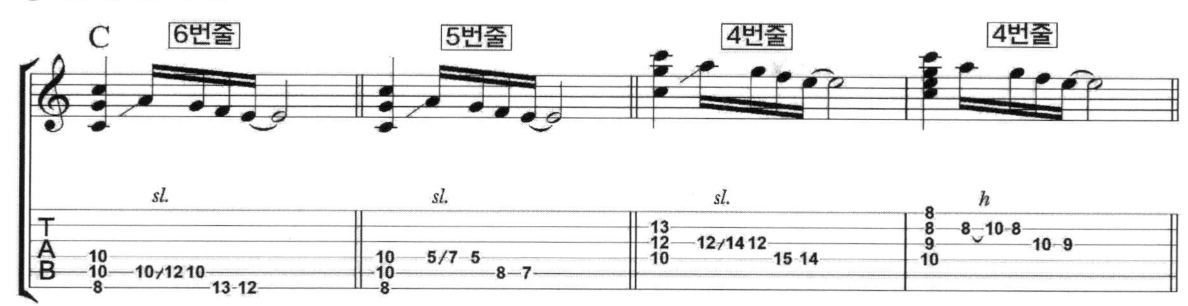

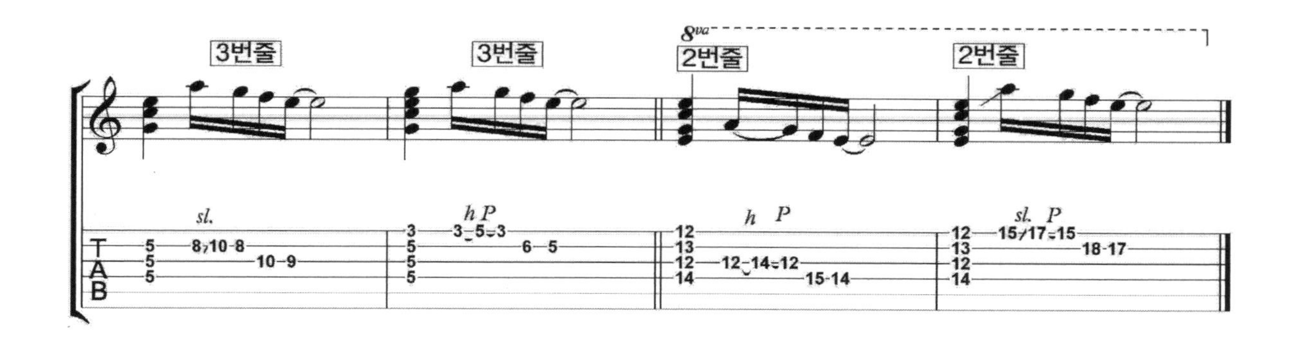

② G 6 5 4 3

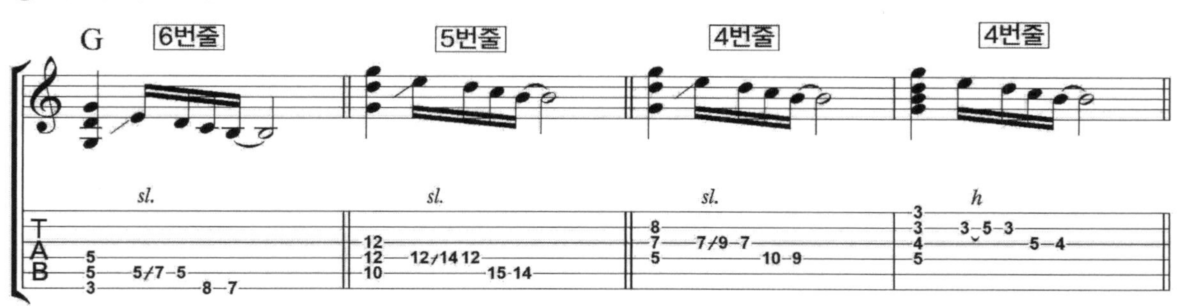

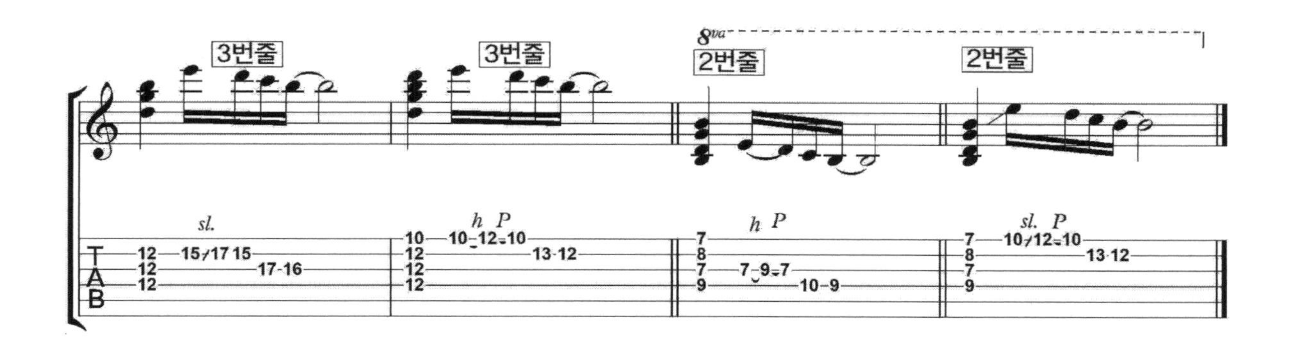

③ F 6 5 #4 3

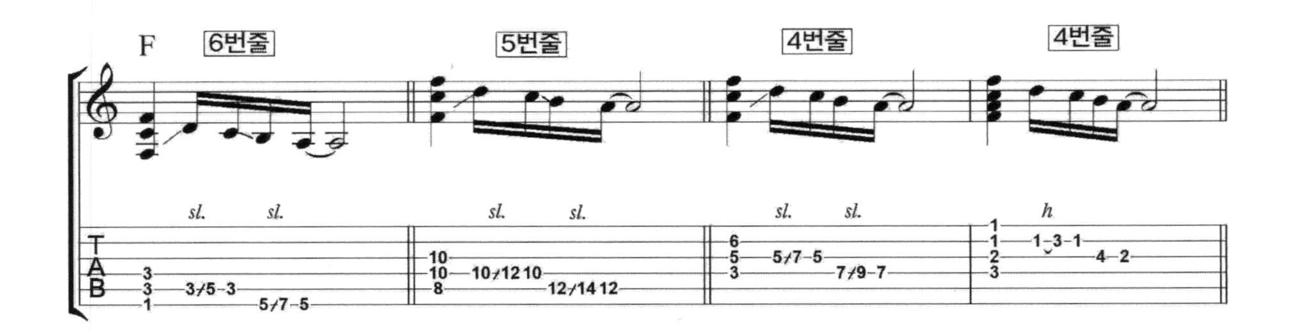

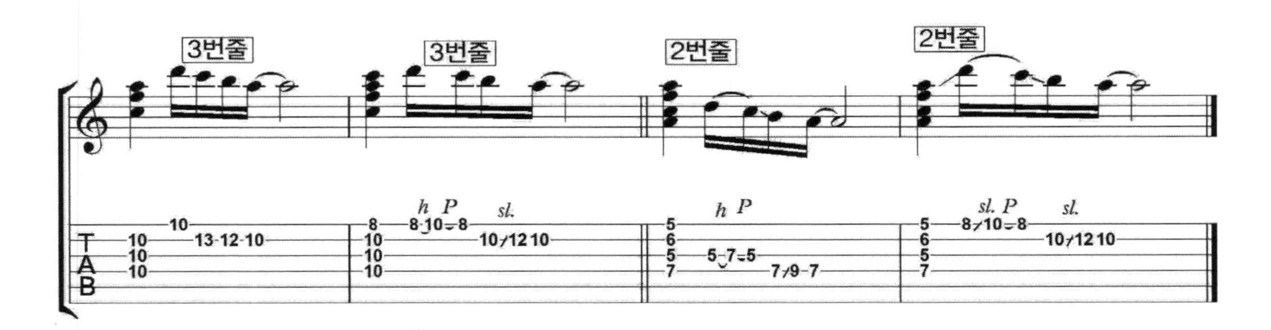

④ Am b6 5 4 b3

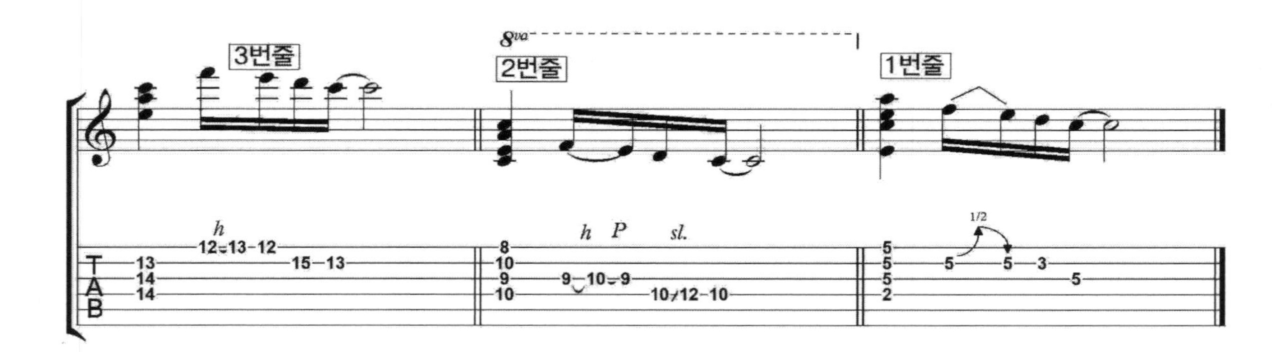

⑤ Em b6 5 4 b3

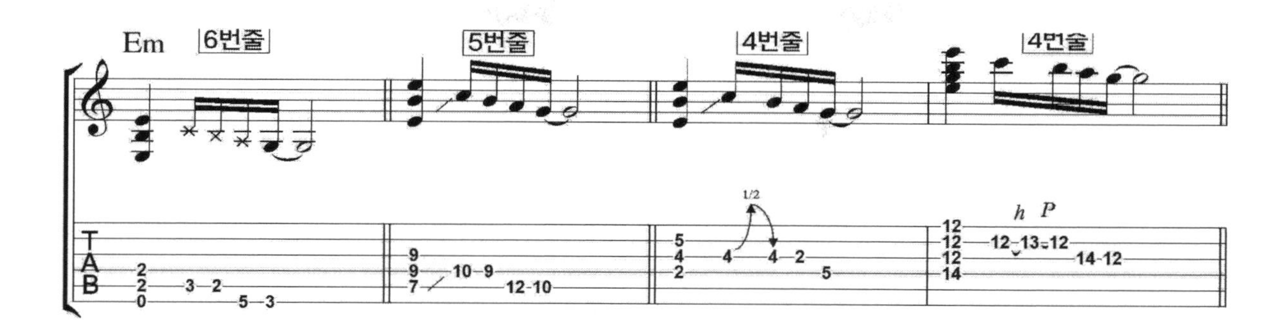

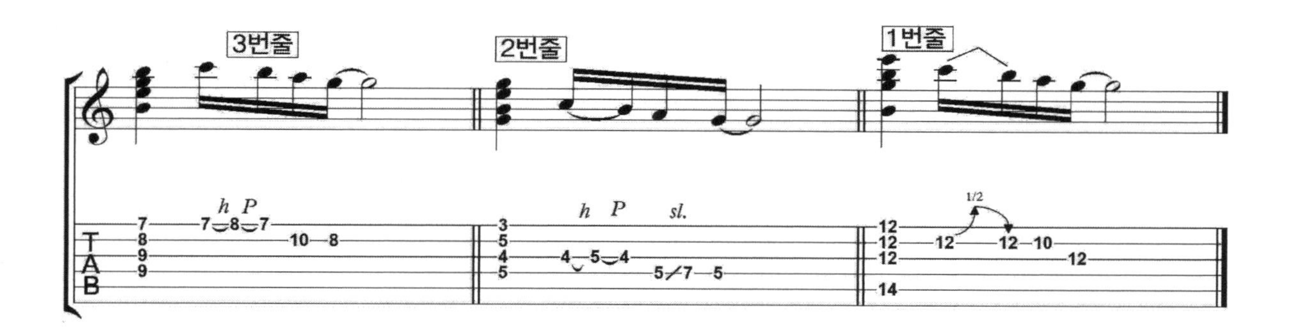

⑥ Dm 6 5 4 b3

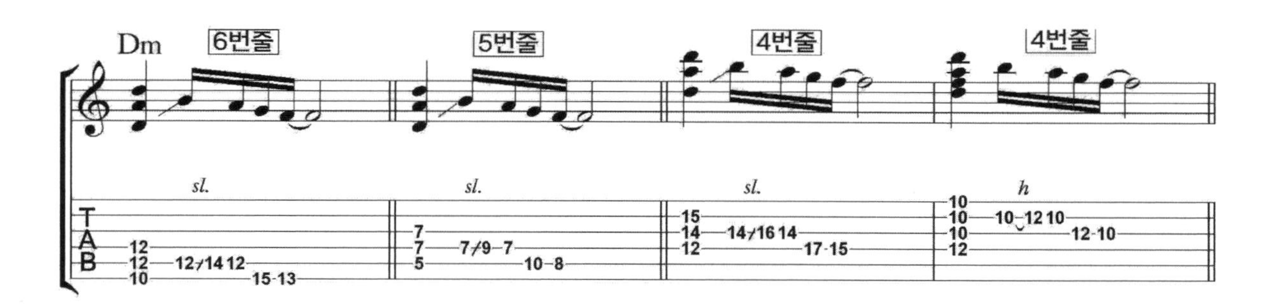

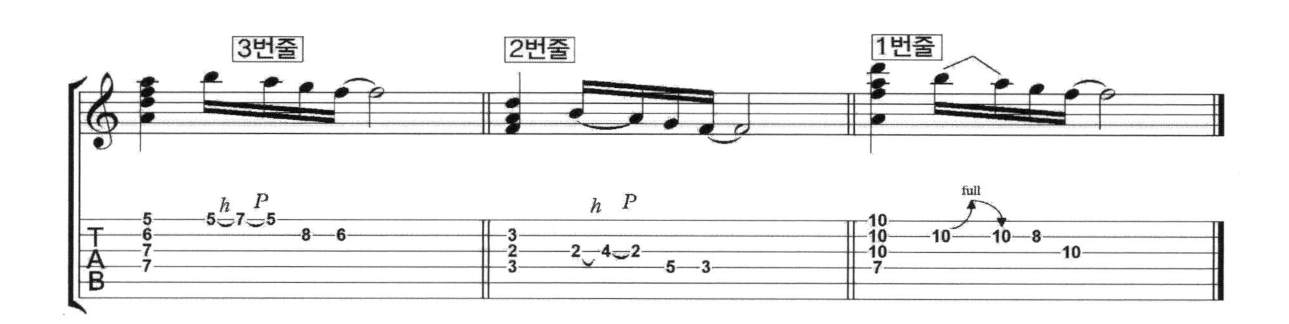

⑦ B° b6 b5 4 b3

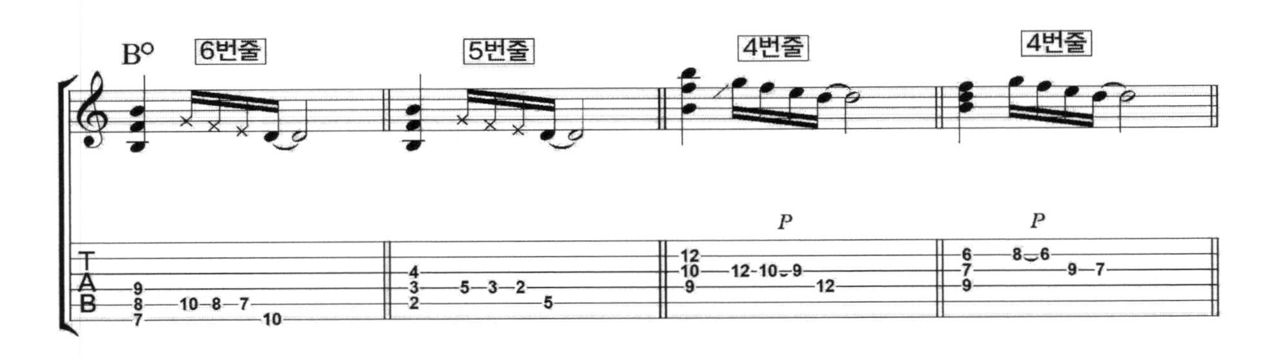

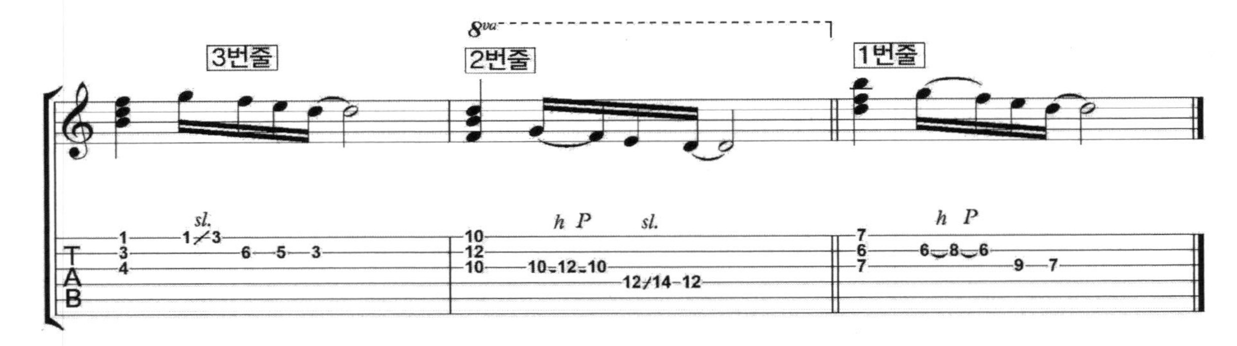

⑧ C Diatonic 코드 진행으로 6543

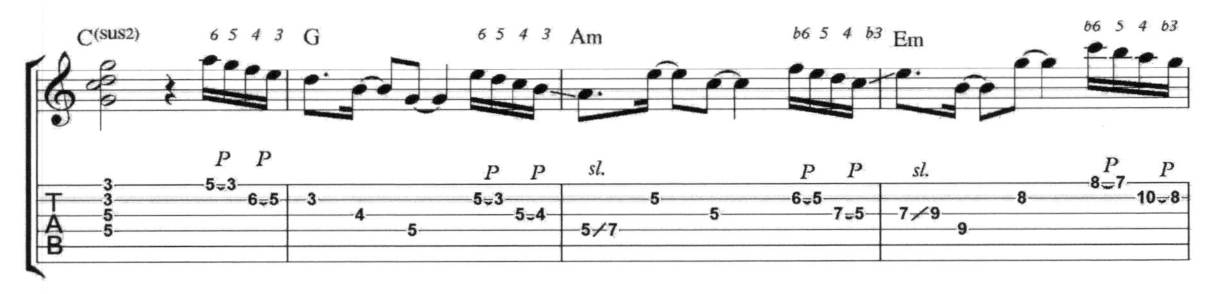

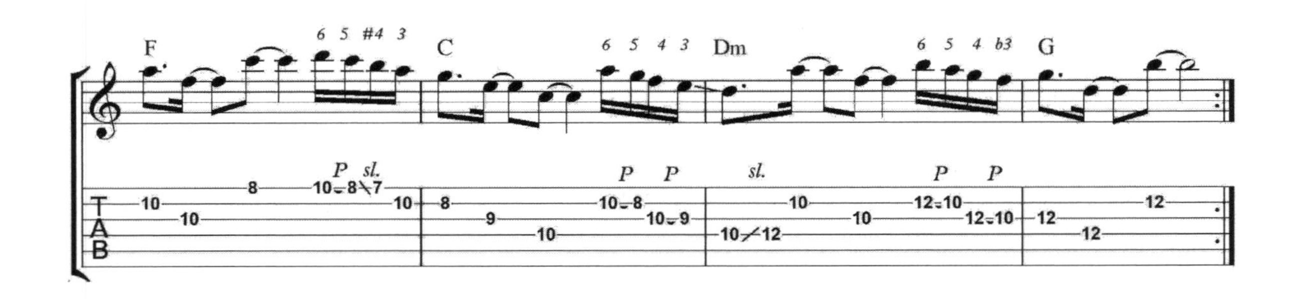

Step5-5-7 C Diatonic 코드 진행으로 453, 58453 패턴 연습하기.

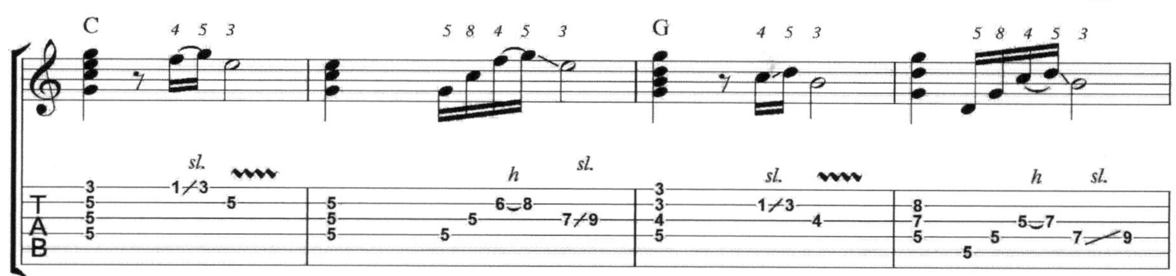

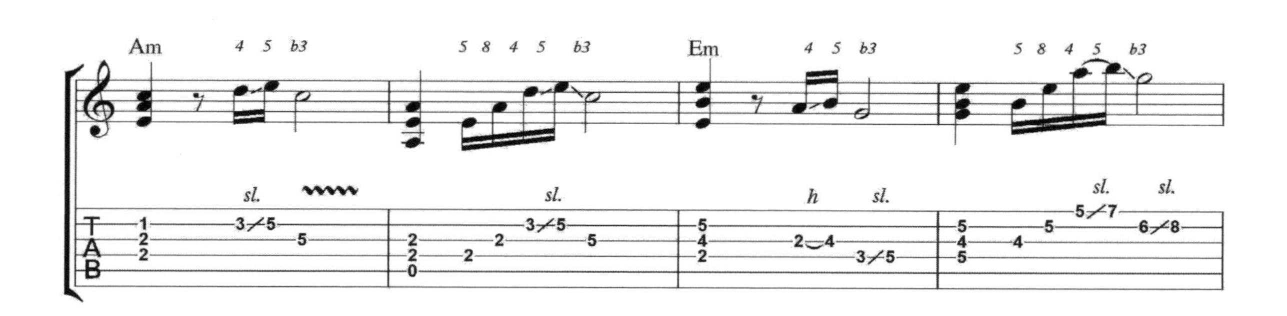

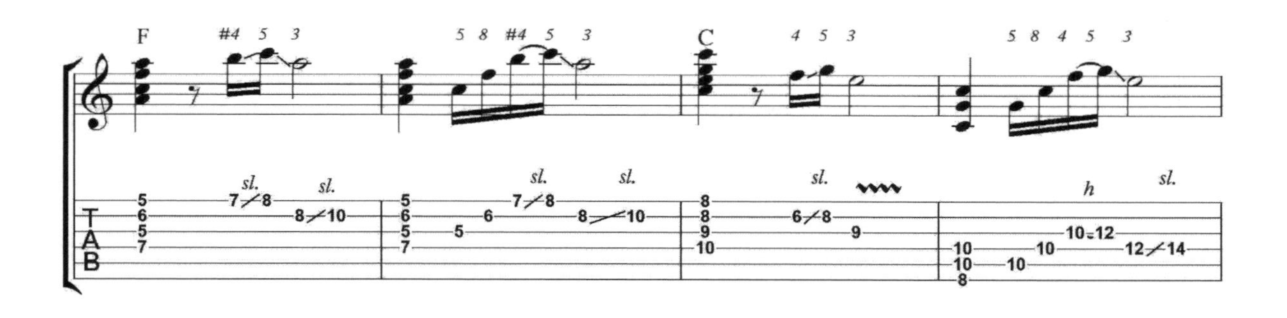

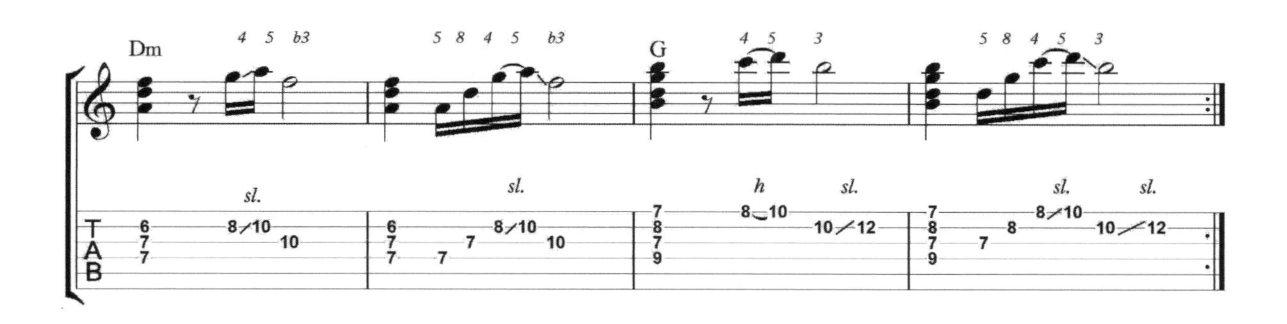

Step5-5-8 585 4321 3 패턴 연습하기.

① 6번 줄 근음의 다이아토닉 코드

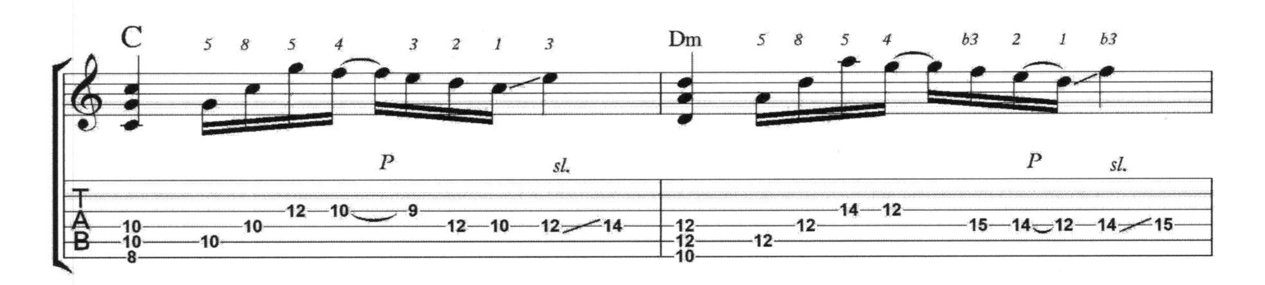

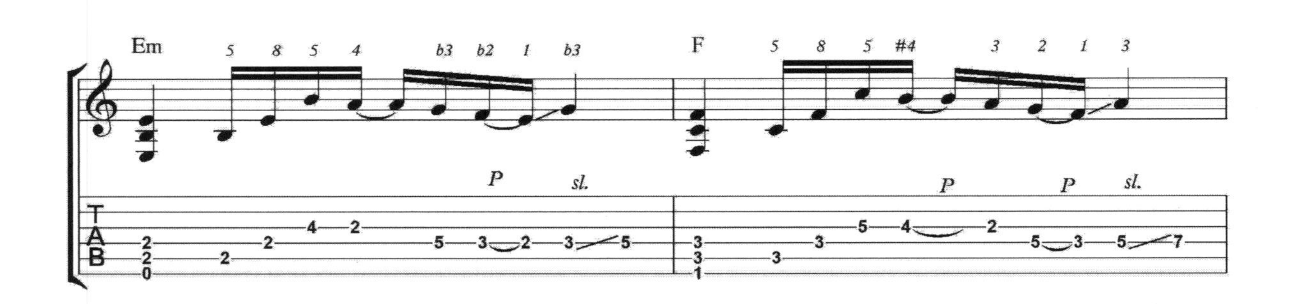

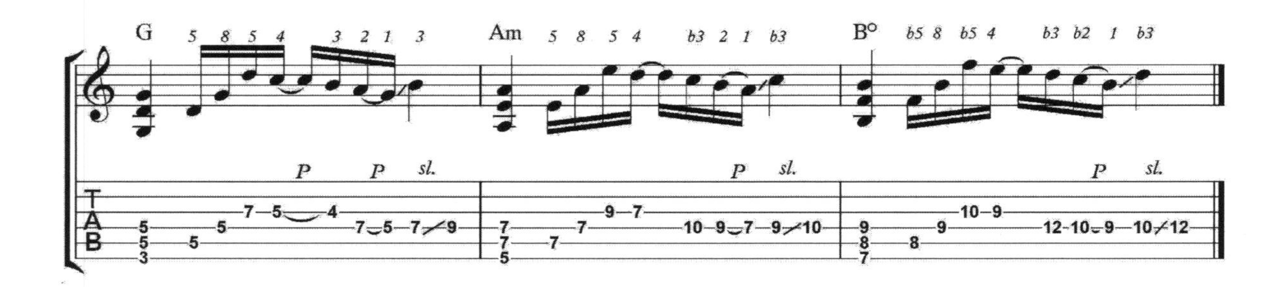

② 5번 줄 근음의 다이아토닉 코드

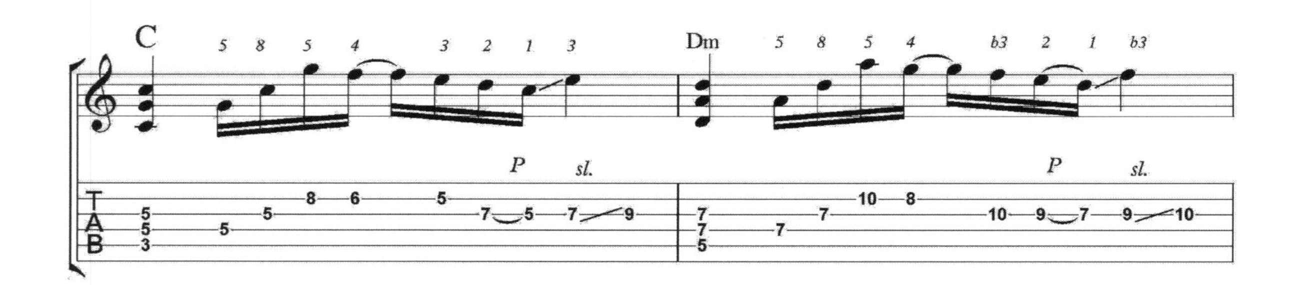

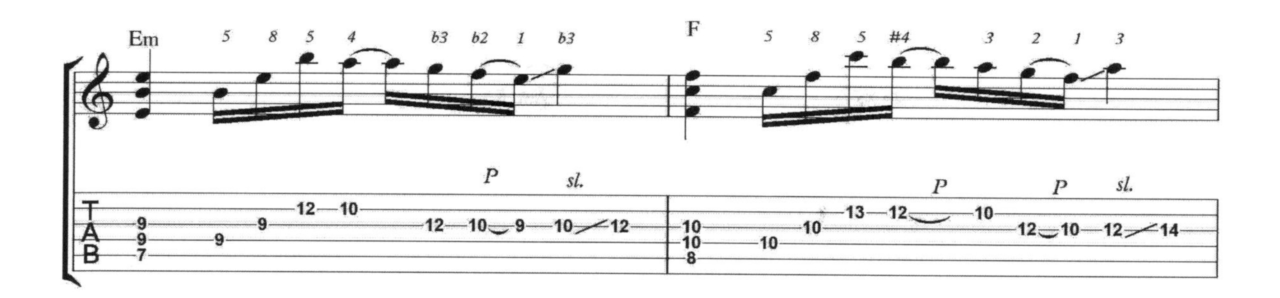

③ 4번 줄 근음의 다이아토닉 코드

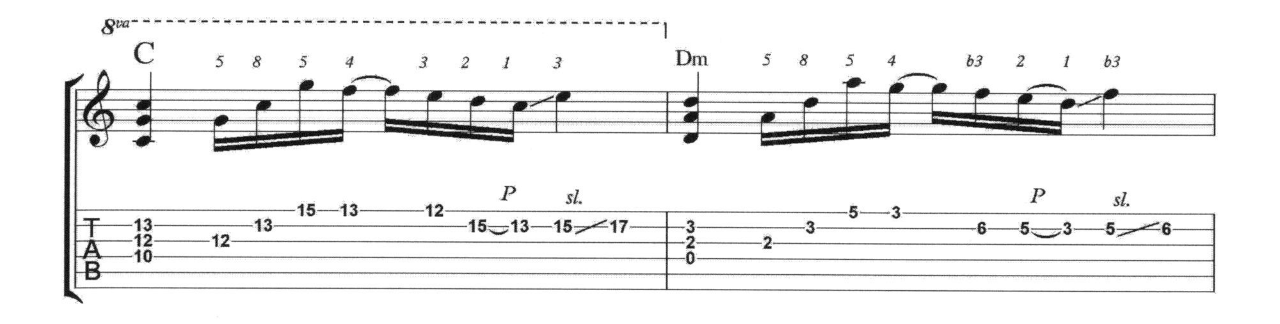

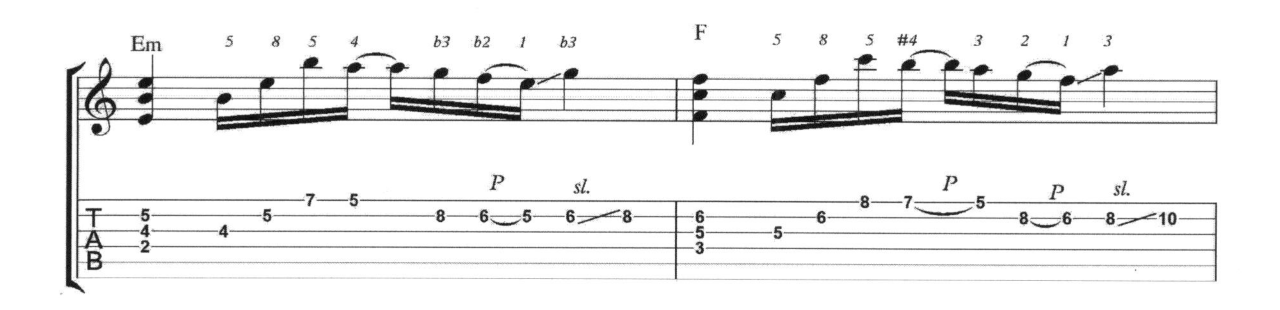

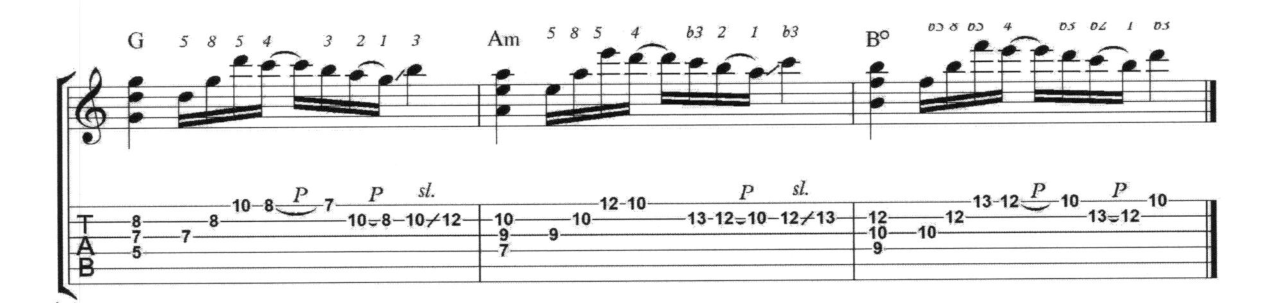

Step5-5-9 모든 패턴들을 조합하여 응용하기.

마지막으로 연습했던 모든 배열 음의 패턴들을 조합해서 예제 곡들을 연주해 보자.

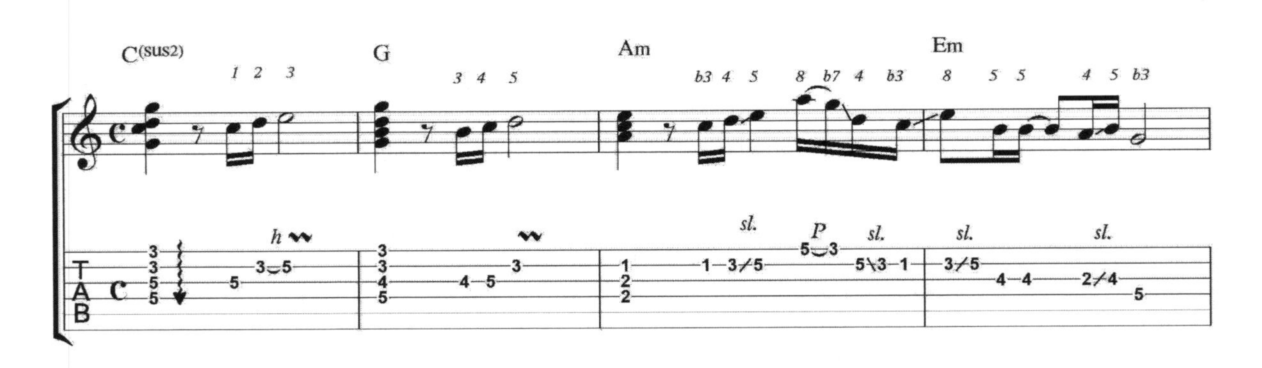

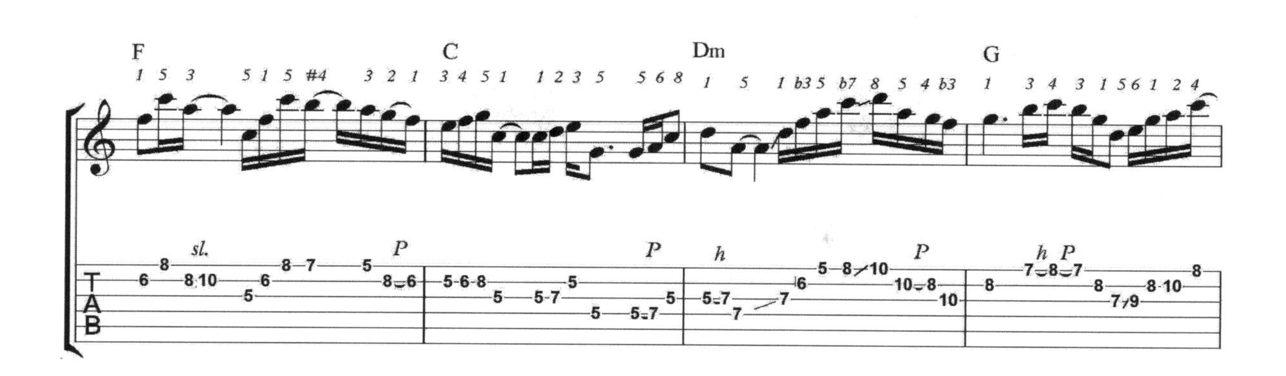
F
1 5 3 5 1 5 #4 3 2 1
C
3 4 5 1 1 2 3 5 5 6 8
Dm
1 5 1 b3 5 b7 8 5 4 b3
G
1 3 4 3 1 5 6 1 2 4
sl.
P
h
TAB

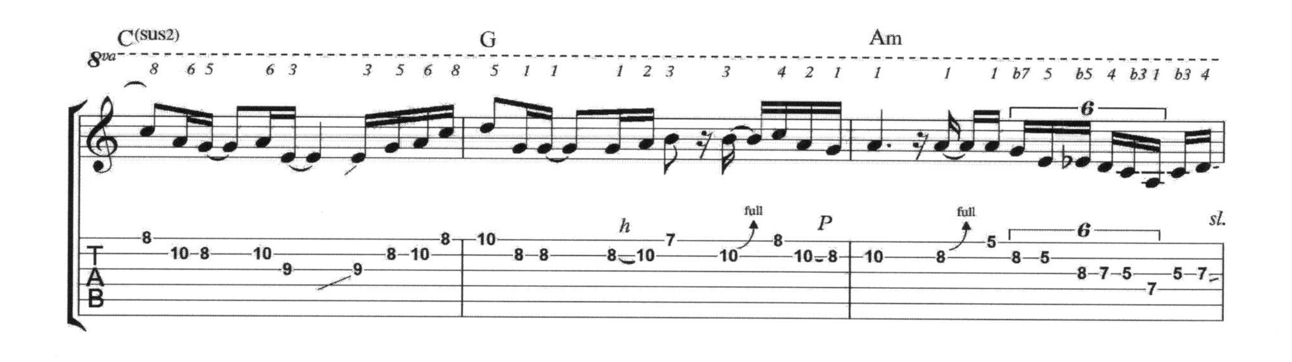
C(sus2)
8va
8 6 5 6 3 3 5 6 8
G
5 1 1 1 2 3 3 4 2 1
Am
1 1 1 b7 5 b5 4 b3 1 b3 4
full
h
P
sl.
TAB

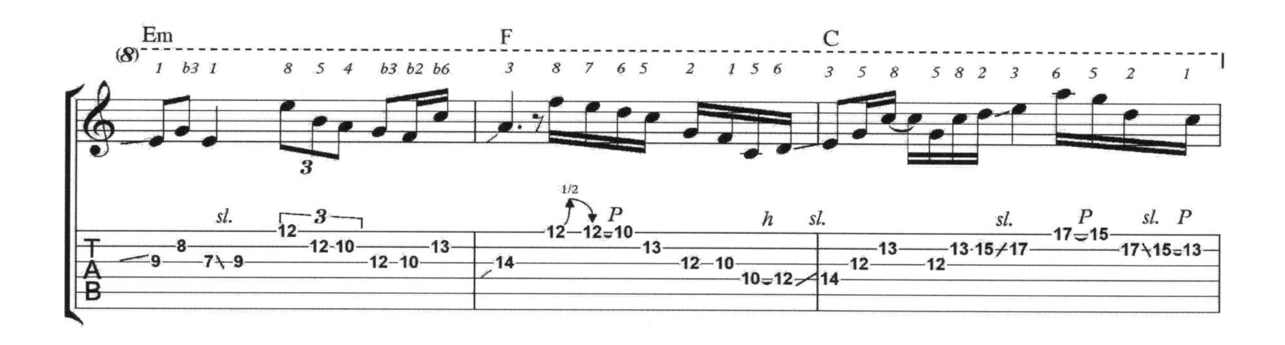
Em
(8)
1 b3 1 8 5 4 b3 b2 b6
F
3 8 7 6 5 2 1 5 6
C
3 5 8 5 8 2 3 6 5 2 1
sl.
1/2
P
h
TAB

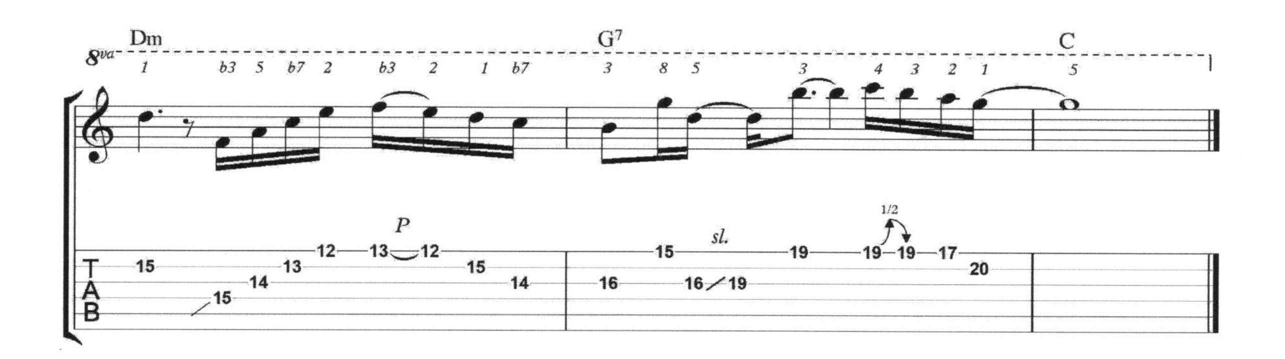
Dm
8va
1 b3 5 b7 2 b3 2 1 b7
G7
3 8 5 3 4 3 2 1
C
5
P
sl.
1/2
TAB

송훈

서울예술대학교 공연창작 학부 학사 졸업 (기타 전공)
서울 재즈아카데미 6기, 10기 수료(작곡 전공)
중앙신학대학원 예술학과 석사 졸업

L.S Music 대표
예대실용음악 원장
누원고등학교 기타 강사
전 경인고, 서울문화고, 창북중, 인수중학교 출강
전 서울미래예술교육원 기타 강사

음반
밴드 '늦봄' 정규앨범 발매
이상록 디지털 싱글 앨범 발매
밴드 Sofa:r 싱글 앨범 발매

출판
2012년 재즈기타와 화성학(LS.Masuc)

파워코드와 코드톤 연주의 실전 (나도 기타 솔로 할 수 있다)

발 행 | 2024년 05월 22일
저 자 | 송훈
펴낸이 | 한건희
펴낸곳 | 주식회사 부크크
출판사등록 | 2014.07.15.(제2014-16호)
주 소 | 서울특별시 금천구 가산디지털1로 119 SK트윈타워 A동 305호
전 화 | 1670-8316
이메일 | info@bookk.co.kr

ISBN | 979-11-410-8620-6

www.bookk.co.kr